Daniel

versículo por versículo

Severino Pedro da Silva

Daniel

versículo por versículo

CPAD

224.5 Silva, Severino Pedro da, 1946 -
Daniel, versículo por versículo / Severino Pedro da Silva. - Rio de Janeiro: Casa Publicadora das Assembléias de Deus, 1986.

1. Bíblia. A.T. Daniel - Comentários. 2. Bíblia - Profecias. I. Título.

CDD - 224.5

Código para Pedidos: Et-308
Casa Publicadora das Assembléias de Deus
Caixa Postal 331
20001, Rio de Janeiro, RJ, Brasil

5.000/1986 - 1ª Edição
5.000/1986 - 2ª Edição
5.000/1987 - 3ª Edição
4ª Edição/1995

Índice

ÍNDICE DAS ABREVIATURAS USADAS NESTE LIVRO

VELHO TESTAMENTO

Gn - Gênesis
Êx - Êxodo
Lv - Levítico
Nm - Números
Dt - Deuteronômio
Js - Josué
Jz - Juízes
Rt - Rute
1 Sm - 1 Samuel
2 Sm - 2 Samuel
1 Rs - 1 Reis
2 Rs - 2 Reis
1 Cr - 1 Crônicas
2 Cr - 2 Crônicas
Ed - Esdras
Ne - Neemias
Et - Ester
Jó - Jó
Sl - Salmos
Pv - Provérbios
Ec - Eclesiastes
Ct - Cantares
Is - Isaías
Jr - Jeremias
Lm - Lamentações de Jeremias
Ez - Ezequiel
Dn - Daniel
Os - Oséias
Jl - Joel
Am - Amós
Ob - Obadias
Jn - Jonas
Mq - Miquéias
Na - Naum
Hc - Habacuque
Sf - Sofonias
Ag - Ageu
Zc - Zacarias
Ml - Malaquias

NOVO TESTAMENTO

Mt - Mateus
Mc - Marcos
Lc - Lucas
Jo - João
At - Atos
Rm - Romanos
1 Co - 1 Coríntios
2 Co - 2 Coríntios
Gl - Gálatas
Ef - Efésios
Fp - Filipenses
Cl - Colossenses
1 Ts - 1 Tessalonicenses
2 Ts - 2 Tessalonicenses
1 Tm - 1 Timóteo
2 Tm - 2 Timóteo
Tt - Tito
Fm - Filemon
Hb - Hebreus
Tg - Tiago
1 Pe - 1 Pedro
2 Pe - 2 Pedro
1 Jo - 1 João
2 Jo - 2 João
3 Jo - 3 João
Jd - Judas
Ap - Apocalipse

Prefácio

Este importante volume apocalíptico, comentado versículo por versículo, se reveste de um arcabouço básico da história dos judeus e dos gentios, desde Nabucodonosor até a consumação do presente sistema político mundial.

Nele, o autor, pastor Severino Pedro da Silva, situa cada profecia dentro do tempo e do espaço.

A compreensão de cada profecia é essencial para que se possa interpretar corretamente o discurso de Jesus no monte das Oliveiras (Mt 24.1 e ss; Lc 21.1 e ss), a doutrina de Paulo sobre o homem do pecado (2 Ts 2), e o livro do Apocalipse.

Neste comentário, o autor nos traz profecias e acontecimentos cujos temas são de alcance muito vasto.

Aconselhamos a todos a leitura deste valioso compêndio.

São Paulo, abril de 1986
José Wellington Bezerra da Costa

Introdução

O livro de Daniel, em seu contexto geral, focaliza grandes temas de alcance muito vasto. Nele, encontramos vaticínios que ainda vão surgir na história do Planeta, os quais iremos estudar à luz do conteúdo do próprio livro.

Dele falou o Senhor Jesus quando disse: "Quando pois virdes que a abominação da desolação, de que falou o profeta Daniel, *está no lugar santo; quem lê atenda".*

No texto de Marcos: ("quem lê, entenda") (Mt 24.15 e Mc 13.14).

As grandes profecias de Daniel, de caráter futurísticas, são interpretadas e consolidadas no livro de APOCALIPSE, *no Novo Testamento.*

Sir Isaac Newton vaticinou o estudo deste livro em confronto com as profecias, quando disse: "Perto do tempo do FIM, *surgirá um grupo de homens e mulheres que voltará a sua atenção para as profecias (Daniel e Apocalipse) e insistirá na sua interpretação literal, no meio de muito clamor e oposição". O presente livro é marcado ao redor pela expressão "o tempo do fim". Cerca de quinze vezes ela ocorre em vários de seus elementos proféticos. E é evidente que suas profecias, mesmo sendo futurísticas, têm sua aplicação na vida de Israel e da Igreja, já na presente Era, pois desde que Cristo iniciou o seu ministério, e, com Ele, o Reino de Deus, o domínio dos "últimos tempos" já está presente misteriosamente entre nós, com o seu peso de promessas e, simultaneamente, seu atual julgamento. A expressão "o tempo do fim" é usada no NT para designar: "A época do Evangelho de Cristo" (Hb 1.1). "A época do Espírito Santo" em sua plenitude (At 2.17). "A época dos últimos tempos" (1 Tm 4.1) e "A época dos últimos dias maus" (2 Tm 3.1). É evidente que,* DANIEL *aponta claramente para todas essas épocas.*

São Paulo, 1985
Severino Pedro da Silva

1

Daniel na Corte de Nabucodonosor

1.1: *"No ano terceiro do reinado de Joaquim, rei de Judá, veio Nabucodonosor, rei de Babilônia, a Jerusalém, e a sitiou."*

Necessariamente, três pontos focais devem ser aqui analisados: a) A definição do livro. b) A pessoa de Daniel, em dois aspectos e c) O cativeiro babilônico.

A definição do livro. O livro de Daniel é considerado por todos como *O APOCALIPSE* do Antigo Testamento, em razão de suas predições futurísticas serem enriquecidas e aprofundadas no livro de Apocalipse, no Novo Testamento. Assim, alguns pontos importantes devem ser aqui focalizados, a saber: "A Bíblia divide a raça humana em três partes: os judeus, os gentios e a Igreja (Cf. 1 Co 10.32) e contém uma mensagem para cada uma das três. O AT trata das duas primeiras divisões. Por exemplo, o livro de Daniel trata dos judeus e dos domínios gentílicos, sem mencionar a Igreja. (Talvez mencione em alguma parte, por inferência.) O NT dá a mensagem para a Igreja, e Paulo especialmente, em todas as suas epístolas trata delas, enquanto que temos a palavra final de Deus para judeus, gentios e a Igreja no livro de Apocalipse. Nele, encontramos a Igreja no princípio do livro; Israel no meio, e as nações gentílicas no fim" (J.P.K.). O Apocalipse, um livro maior, contém "22 capıtulos, 404 versículos, 12 mil palavras(?) e nove perguntas". Enquanto Daniel, contém "12 capítulos, 357 versículos e 11.706 palavras(?). É bem provável que Daniel foi o seu autor. (Cf. 7.2,4; 8.1,15; 9.2).

Visto que esse livro forma uma unidade, segue-se que o autor da primeira parte (histórica): capítulos 1 a 6 foi também quem compôs a segunda (profética): capítulos 7 a 12. Pode-se observar que Daniel fala na primeira pessoa do singular e assevera que as revelações contidas no livro foram feitas a Ele. (Cf. 7.2,4; 8.1; 9.2, etc.)

A autenticidade de seu livro foi comprovada pelo próprio Cristo (Mt 24.15; Mc 13.14). O escritor da epístola aos Hebreus elucida a mesma coisa. (Cf. Hb 11.33 a 34.) João, o Apóstolo, faz cerca de vinte e sete (27) referências ao livro de Daniel (Comp. DANIEL 2.44; 5.4,23; 7.7,8,10,13,22,25; 8.10; 10.5,6,13; 12.1,4,7 com APOCALIPSE 1.7,8; 2.18; 5.11; 7.14; 9.20; 10.4,5,6; 11.15; 12.7,10,14; 13.1,2,5,7; 14.14; 17.8; 19.12; 20.15;21.27; 22.10, etc.)

Daniel foi um jovem hebreu da classe nobre, levado cativo a Babilônia por Nabucodonosor, rei do império. Acerca de sua genealogia não sabemos muita coisa, apenas aquilo que é depreendido do livro que traz o seu nome. Não era sacerdote, como Jeremias e Ezequiel, mas era, como Isaías, da tribo de Judá e provavelmente da Casa Real (Cf 1.3-6), isto é, da descendência de Davi.

Daniel foi um profeta de Deus cujos temas são de alcance muito vasto. Vaticinou acontecimentos que ainda vão surgir na história do Planeta, os quais estamos estudando à luz do contexto do seu próprio livro. Ele, naquela corte, ganhou muita celebridade. O primeiro acontecimento pelo qual obteve influência na corte babilônica foi a interpretação que deu do sonho do rei. Ele foi, realmente um homem escolhido por Deus para tão grande tarefa espiritual.

O Cativeiro Babilônico. É evidente que a grande batalha de Carquemis (605-604 a.C.), entre as forças de Nabucodonosor e as do Egito, marca o final do Reino de Judá e o início do grande império babilônico, que é o centro onde vão desenrolar-se os primeiros atos de Daniel. Ele foi para Babilônia ainda jovem (1.4), talvez com a idade de 14 a 16 anos, no terceiro ano de Joaquim, ou seja, 605 a.C., e oito anos antes de Ezequiel. Certamente ele foi um dos 10 mil cativos que Nabucodonosor levou para a corte real na capital do mundo de então. (Cf. 1 Rs 2.14.) Foi colocado na corte de Nabucodonosor, e tornou-se para ele familiar a ciência dos caldeus, alcançando uma instrução superior à deles. Foi exaltado por Deus ali, e elevado pelo rei babilônico a uma alta posição, que conservou e só foi interrompida por sua morte. As suas profecias abrangem todo o período do cativeiro (1.21), tendo profetizado pela última vez, dois anos mais tarde, no terceiro ano do reinado de Ciro (10.1). O profeta Ezequiel, outro do cativeiro, refere-se a Daniel, citando-o ao lado de Noé e Jó, e diz que ele era um homem justo e dotado de especial sabedoria (Ez 14.14; 20.28).

1.2: *"E o Senhor entregou nas suas mãos a Joaquim, rei de Judá, e uma parte dos vasos da casa de Deus, e ele os levou para a terra de Sinar, para a casa do seu deus, e pôs os vasos na casa do tesouro do seu deus."*

"E o Senhor entregou nas suas mãos a Joaquim". O presente texto, e outros do mesmo gênero, mostra como Deus tem o domínio em suas mãos e como também controla todas as coisas. O próprio Daniel observa isso, com muita intensidade. No seu livro isto é retratado com muita clareza: "O Altíssimo tem domínio sobre o reino dos homens, e o dá a quem quer". Há exemplos na história de reis e presidentes que reconheceram isso e foram abençoados. Já outros não o reconheceram e foram castigados, como Napoleão Bonaparte, Imperador Francês. Quando foi prevenido: "O homem propõe, mas Deus depõe", ele respondeu: "Eu proponho e eu deponho, também". A resposta de Deus a Napoleão foi sua derrota fragorosa na batalha de Waterloo e o exílio solitário na ilha de Santa Helena, até a morte. Enquanto a pequena nação de Israel respeitava a lei do Senhor, não havia quem profanasse o Templo em Jerusalém e escapasse de morrer. Exemplificando, temos Nadabe e Abiú que morreram perante o Senhor (Lv 10.1-11). Porém, quando a iniqüidade de Israel transbordou, foi o próprio Deus quem os entregou nas mãos de Nabucodo-

nosor. Este monarca foi "O martelo de toda a terra" usado por Deus para executar juízos sobre nações e povos rebeldes. (Jr 27.6; 50.23). "Horrenda coisa é cair nas mãos do Deus vivo" (Hb 10.31).

1.3: *"E disse o rei a Aspenaz, chefe dos seus eunucos, que trouxesse alguns dos filhos de Israel, e da linhagem real e dos nobres."*

O texto em foco descreve como se processou a escolha de Daniel e seus três companheiros para servirem naquela corte. Primeiro: tinha de ser da linhagem real; segundo: tinha de ser uma pessoa nobre. Daniel e seus companheiros preencheram todos estes requisitos exigidos pelo rei. Daniel possuía os verdadeiros requisitos do homem cristão, que é perfeito, e perfeitamente instruído para toda a boa obra. (Ver 2 Tm 3.17.)

"*...Aspenaz...*" Não se sabe com certeza a etimologia da palavra "aspenaz". Alguns lingüistas acham que "aspenaz" quer dizer "focinho de cavalo", mas isso não pode degradar a personalidade da pessoa a que ela se aplica. Em virtude de ser Aspenaz o chefe dos "eunucos" na corte babilônica, tem se pensado que Daniel também fosse um deles. (Ver Dt 23.1; Is 56.3-5 e o texto em foco.) É evidente que, se Daniel não era eunuco de outra forma, pelo menos o era pelo reino de Deus (Mt 19.12). Entre aqueles que a si mesmos se fizeram *eunucos* "por causa do reino dos céus", temos João Batista e Paulo (1 Co 7.6,26), Barnabé (1 Co 9.5,6) e, provavelmente, de acordo com a tradição, o apóstolo João. O propósito do eunuquismo seria o de permitir ao indivíduo crente servir e adorar sem o tropeço dos obstáculos que muitas vezes são impostos por um casamento desastroso. Paulo disse aos coríntios: "O solteiro cuida nas coisas do Senhor, em como há de agradar ao Senhor; mas o que é casado cuida nas coisas do mundo, em como há de agradar à mulher" (1 Co 7.32,33).

1.4: *"Mancebos em quem não houvesse defeito algum, formosos de parecer, e instruídos em toda a sabedoria, sábios em ciência, e entendidos no conhecimento, e que tivessem habilidade para viverem no palácio do rei, a fim de que fossem ensinados nas letras e na língua dos caldeus."*

O presente versículo, e outros correlatos, apresenta Daniel com seus amigos: Hananias, Misael e Azarias, numa fase de preparação para uma grande tarefa na corte babilônica. Daniel, porém, se distinguiu entre os demais, e foi um profeta cujos temas são de alcance muito vasto. Ele era um hebreu da classe nobre, levado cativo a Babilônia por Nabucodonosor, o rei daquele Império. Este fez que Daniel e vários outros judeus nobres, que davam mostra de inteligência fora do comum, entrassem numa escola especial de homens sábios. Geralmente se denominavam "sábios" aos astrólogos e mágicos do Império babilônico; e Daniel foi exercitado em toda a sabedoria daquela gente, como foi Moisés no Egito (At 7.22). Tornou-se perito naquele campo de ciência, mas não se deixava levar por nada daquilo. Daniel, mesmo vivendo na época da Antiga Aliança, era possuidor dos dons da sabedoria e da ciência, pois o "Espírito é o mesmo" em qualquer tempo ou lugar (1 Co 12.4,8).

1.5: *"E o rei lhes determinou a ração de cada dia, da porção do manjar do rei, e do vinho que ele bebia, e que assim fossem criados por três anos para que no fim deles pudessem estar diante do rei."*

O presente versículo mostra a ardente prova por que tiveram de passar estes servos de Deus. Eles tinham de participar "da porção do manjar do rei, e do vinho que ele bebia..." Mas Daniel e seus companheiros, cheios do Espírito Santo, não "cobiçaram" o manjar daquele que tinha os olhos malignos (Pv 23.3,6). Os filhos de Jonadabe, o recabita, foram louvados pelo próprio Deus de Israel porque não se contaminaram com o "vinho" nem com bebida forte (Jr 35.1-6). Daniel e seus companheiros foram contemporâneos destes filhos fiéis à tradição de seu pai e seguiram o mesmo exemplo de fidelidade. O texto em foco ainda nos fornece outro detalhe importante: "que assim fossem criados por três anos", etc. O leitor deve observar bem a frase: "criados" e deduzir que os quatro jovens hebreus, selecionados por Aspenaz, eram realmente adolescentes (talvez 14 a 16 anos).

1.6: *"E entre eles se achavam, dos filhos de Judá, Daniel, Hananias, Misael e Azarias."*

Entre os hebreus, o nome de uma criança era de muito significado profético; em alguns casos este nome não só distinguia esta pessoa, mas também, na maioria dos casos, tinha conotação profética. (Ver Gn 5.29; 30.1-26.) Assim, Daniel e seus companheiros de exílio foram agraciados por seus pais com nomes proféticos. 1 – Daniel, em hebraico "dãni ẽl", significa: "Deus é meu juiz". 2 – Hananias, em hebraico "Yahweh", significa: "Tem sido gracioso". Esse nome hebraico ocorre com freqüência no Antigo Testamento, bem como sua forma grega, "Hananiah", no Novo Testamento em várias conexões. 3 – Misael, em hebraico significa: "Quem é o que Deus é(?)". 4 – Azarias, em hebraico "zaryãhu", significa: "ajudado do Senhor". Todos esses nomes e outros encontrados nas Escrituras são confirmados pelo testemunho divino, que diz: "Mais digno de ser escolhido é o bom nome do que as muitas riquezas" (Pv 22.1).

1.7: *"E o chefe dos eunucos lhes pôs outros nomes, a saber: a Daniel pôs o de Beltessazar, e a Hananias, o de Sadraque, e a Misael o de Mesaque, e a Azarias o de Abednego."*

Vemos no presente texto, como o inimigo das nossas almas ataca. Os próprios nomes desses quatro jovens eram testemunhas, tanto da sua religião, como da sua nacionalidade. "Essa mudança drástica nos nomes destes servos de Deus, foi um plano diabólico. Pois o fato de mudarem os nomes com significados especiais foi feito na esperança de apagarem a memória de Jerusalém, extinguir-lhes toda a idéia de religião e uní-los à política do mundo". Observemos as tais mudanças: 1 – Beltessazar. Este nome foi dado a Daniel em alusão a "Bel", o ídolo principal da corte babilônica, cujo significado é: "Guia do Rei". É também a transliteração da palavra "bel" como está declarada em Isaías 46.1, com o sentido de "senhor vaidoso". 2 – Sadraque. Este significa: "Regozijando-se pelo caminho". 3 – Mesaque. "Pronto, ativo", ou, segundo um professor de língua semítica, "Tenho pouca importância". 4 – Abednego. Significa: "Ser da luz". Este nome foi colocado em alusão de um deus chamado pelo profeta Isaías de "Nebo" (Is 46.1). Lendo o capítulo 4.8 do livro de Daniel, podemos deduzir que os nomes dos jovens foram, em verdade mudados, com o objetivo de divulgar a falsa religião do monarca babilônico.

1.8: *"E Daniel assentou no seu coração não se contaminar com a porção do manjar do rei, nem com o vinho que ele bebia; portanto pediu ao chefe dos eunucos que lhe concedesse não se contaminar."*

O versículo em foco nos faz lembrar o que está dito em Atos 15.29, que diz: "Que vos abstenhais das coisas sacrificadas aos ídolos, e do sangue e da carne sufocada..." A razão desta decisão do jovem profeta e seus companheiros é que geralmente a comida e bebida daqueles monarcas babilônicos era, antes de tudo, oferecida aos ídolos pagãos e, portanto, Daniel, como fiel judeu, não podia participar de comidas consagradas ou dedicadas a deuses pagãos. Daniel decidiu-se a servir a Deus, mesmo num país distante de sua terra natal, "com propósito do coração", como o serviram os primitivos cristãos de Antioquia (At 11.23). Um grupo de escravos, que tomaram tal decisão, serve de exemplo para os jovens cristãos da época atual. Eles foram considerados por Deus, como *primícias* naquela corte pagã, pois não se contaminaram e nem se corromperam com a idolatria e corrução ali existente. (Comp. c/ Ap 14.4.) O verdadeiro cristão segue à risca o conselho divino que diz "Em todo o tempo sejam alvos os teus vestidos, e nunca falte o óleo sobre a tua cabeça" (Ec 9.8).

1.9: *"Ora deu Deus a Daniel graça e misericórdia diante do chefe dos eunucos."*

As Escrituras, abundantemente, dão testemunho de pessoas que "acharam graça" diante dos olhos de poderosos monarcas. Neemias, o governador dos tempos da restauração dos muros da cidade de Jerusalém, achou graça diante dos olhos do rei Artaxerxes (Ne caps 1 e 2). Ester, a jovem judia, achou graça diante dos olhos do rei Assuero, na corte de Susã, a fortaleza (Et caps 1 e 2). Maria, a jovem belemita, achou graça diante dos olhos de Deus, tornando-se, assim, a mãe de Jesus Cristo, nosso Senhor (Lc 1.30). No presente texto, temos Daniel, o profeta de Deus, recebendo de Deus o favor de achar graça diante dos olhos do chefe dos eunucos daquela corte. Só Deus (e mais ninguém) podia tornar possível tão grande favor de um oficial de alta patente como o que está em foco. Os fiéis são sempre "ajudados em tempo oportuno" (Hb 14.16).

1.10: *"E disse o chefe dos eunucos a Daniel: Tenho medo do meu Senhor, o rei, que determinou a vossa comida e a vossa bebida: porque veria ele os vossos rostos mais tristes do que os dos mancebos que são vossos iguais? Assim arriscareis a minha cabeça para com o rei."*

A proposta de Daniel, ainda que sábia, poria em risco a vida daquele eunuco-chefe; ele mesmo percebeu todo o risco possível de sua morte ao desobedecer ao rei, quando disse: "Tenho medo de meu Senhor, o rei..." O caso era que, se os moços se alimentassem de modo diferente, poderiam aparecer perante o rei, no tempo determinado, mais magros e feios. Porém, o grande segredo neste transe é que a mão divina estava por trás, agindo na sombra de tudo aquilo, como bem pode ser observado na frase: "deu Deus a Daniel graça... diante do chefe dos eunucos". E assim, a proposta de Daniel para ser feita uma prova experimental durante "dez dias" foi aceita. Ela se baseava em dois pontos principais: 1. Em lugar de comerem das iguarias reais, comeriam legumes e frutas. 2. Em lugar de beberem do vinho do rei, beberiam água.

1.11: *"Então disse Daniel ao despenseiro a quem o chefe dos eunucos havia constituído sobre Daniel, Hananias, Misael e Azarias."*

"...ao despenseiro". O diálogo do jovem profeta continua, mas não segue mais com o eunuco, mas sim, com o "despenseiro-chefe". Evidentemente, esse "despenseiro" era um oficial debaixo das ordens do eunuco Aspenaz. Este por sua vez concedeu a Daniel o que ele solicitara. Deus estava agindo ali em tudo, pois seu é tanto o querer como o efetuar; um pedido desta maneira, feito por um escravo, numa corte daquela, humanamente falando, era difícil de ser atendido, mas o Deus Eterno, que é "o possível da impossibilidade", tornou ali tudo possível; assim foi concedido a Daniel o que desejava seu coração. (Ver Sl 37.4.) Deus pode e quer fazer o mesmo com o seu povo na época atual, é somente crer, a começar de hoje, pois aquele que "todas

quantas promessas há de Deus, são nele SIM", é o mesmo ontem, hoje e eternamente. (Ver 2 Co 1.20; Hb 13.8).

1.12: *"Experimenta, peço-te, os teus servos dez dias, fazendo que se nos dêem legumes a comer, e água a beber."*

A solicitação do grande homem de Deus continua, ele pede ao despenseiro que faça apenas uma breve experiência, e que, ao fim de "dez dias", teria a certeza se ela daria certo ou não. Daniel sabia que, diante da determinação divina, tudo ia dar certo. Paulo, cria e aceitava as promessas de Deus da mesma maneira, quando exclamou diante da tripulação do navio que o conduzia: "...creio em Deus, que há de acontecer assim como me foi dito" (At 27.27). O exemplo de Daniel é notável. Ele insistiu veemente com aquele oficial, e confiou, e deu certo. Daniel era muito jovem nesse tempo (14 a 16 anos), e como tal, tinha um bom apetite, mas a tentação de comer dos pratos da mesa do rei foi suprimida por este jovem fiel. Ele tinha na alma a firmeza que muitos anos depois nos deixaria o divino Mestre, Jesus, nosso Senhor. O Diabo lhe ofereceu um "reino" e um "trono", mas Ele recusou a ambos, e aceitou a cruz no monte Calvário, pois tinha em vista a grande recompensa, no presente e na eternidade (Hb 11.24-27 e 12.1-2).

1.13: *"Então se veja diante de ti o nosso parecer, e o parecer dos mancebos que comem a porção do manjar do rei, e, conforme vires, te hajas com os teus servos."*

De acordo com alguns historiadores renomados, era comumente observada a "face dos vassalos" quando estes se punham de pé diante do rei. (Ver Ne 2. 1-2.) Se o parecer de algum servo se apresentasse formoso, então ele estava apto para servir ao monarca no que houvesse de mister, se não, seria morto sem misericórdia. (Comp. com Et 5.1-3.) Os filhos dos reis também eram observados cada dia, se estavam magros ou gordos. (Ver 2 Sm 13.3-4.) Daniel e seus companheiros estavam sujeitos a estas e outras penalidades impostas por aquela corte, mas a graça de Deus os salvou de toda aquela burocracia ali existente. A Bíblia afirma categoricamente: "Os tesouros da impiedade de nada aproveitam. mas a JUSTIÇA livra da MORTE" (Pv 10.2).

O servo fiel, que anda em sinceridade de coração, só morrerá no dia em que Deus quiser.

1.14: *"E ele conveio nisto, e os experimentou dez dias."*

"...dez dias". O número "dez" nas Escrituras aparece tanto em sentido literal como em cifra redonda (Cf Lc 15.8; 19.13; Ap 2.10, etc.) Há 10 patriarcas, antes do Dilúvio (Gn cap 5), 10 pragas antes que o Faraó desse liberdade a Israel no Egito (Êx caps 7 a 12), 10 mandamentos na vontade de Deus (Êx cap 20), 10 poderes impotentes contra o amor de Deus (Rm 8.38 e ss), 10 vícios que excluem o homem do reino de Deus (1 Co 6.10). No presente texto e no seguinte, a experiência de dez dias trouxe um resultado satisfatório. Os discípulos de Cristo, após dez dias de oração no Cenáculo, foram revestidos de poder (At caps 1 e 2). O chefe dos eunucos, em comum acordo com o despenseiro, creu na operação divina mediante aquela alimentação; o resultado foi: dez vezes mais formosos, conforme o original, e diante do rei, três anos mais tarde: dez vezes mais sábios. Isso é um grande exemplo para todos nós. O nosso trabalho é sempre do mesmo tamanho que nossa visão!

1.15: *"E, ao fim dos dez dias, apareceram os seus semblantes melhores; eles estavam mais gordos do que todos os mancebos que comiam porção do manjar do rei."*

Tem sido comprovado pela própria ciência que um crente "cheio do Espírito Santo" tem mais condições de viver do que uma criatura entregue ao pecado. Recentemente, nos Estados Unidos da América do Norte, cientistas renomados examinaram 100 pessoas não-crentes, tomando como base uma certa faixa etária. Semelhantemente, depois, examinaram 100 pessoas crentes cheias do Espírito Santo. Eles ficaram surpresos! Aquelas 100 primeiras pessoas se encontravam envelhecidas prematuramente, ao passo que aqueles crentes cheios do Espírito Santo tinham condições de viver 10 anos além daqueles descrentes. Isso Paulo confirmou há 2.000 anos, quando disse: "Se alguém está em Cristo, nova criatura é: as *coisas velhas* já passaram; eis que *tudo* se fez novo" (2 Co 5.17). O leitor deve observar bem a frase: "tudo se fez novo" e verá que isso não se prende exclusivamente à alma e ao espírito, mas também ao corpo. (Cf 1 Ts 5.23) É com muita propriedade que diz a Bíblia: "O coração alegre formoseia o rosto" (Pv 15. 13). É firmado por psicólogos que, quando uma pessoa está irada, funcionam cerca de 600 músculos faciais, ao passo que, quando está alegre, apenas 8. O crente fiel sempre vive alegre, economizando saúde e anos de vida (Sl 128).

1.16: *"Desta sorte, o despenseiro tirou a porção do manjar deles, e o vinho que deviam beber, e lhes dava legumes."*

O texto em foco, e outros correlatos neste capítulo, já foi considerado por alguém como sendo "o reduto da prova de Deus". Com ela, o cozinheiro-chefe tirou deles a ração oficial e deu-lhes a comer verduras e, em vez do afermentado vinho do rei, água. Estes quatro jovens estavam destinados a uma grande obra missionária naquele país distante, e o triunfo de tudo estava nas mãos de Deus. Possivelmente eles ignoravam o que os aguardava no futuro, mas uma coisa fizeram: confiaram em Deus. Os versículos depreendidos neste capítulo não fazem referência especificada se Deus recompensou o eunuco Aspenaz e o cozinheiro mas uma coisa podemos deduzir: se Deus fez bem às parteiras egípcias na terra faraônica por causa dos filhos dos israelitas, evidentemente fez bem também a estes dois oficiais, por amor dos seus servos (Cf. Gn 39.5; Êx cap. 1).

1.17: *"Ora, a estes quatro mancebos Deus deu o conhecimento e a inteligência em todas as letras, e sabedoria, mas a Daniel deu entendimento em toda a visão e sonhos."*

O presente texto apresenta a pessoa de Deus como sendo a "fonte" de toda a sabedoria e conhecimento. Ele capacitou estes três jovens em toda a ciência daquela corte e daquela gente. Eles podiam discernir entre o que era verídico na instrução que recebiam, que dizia respeito aos campos das letras (literatura e sabedoria). Daniel também obteve entendimento ou facilidade na interpretação de sonhos e visões. Deus o usou na interpretação de dois sonhos do rei; com igual facilidade, ele também decifrou a misteriosa escritura da estucada parede do palácio real (caps 2,4,5). O jovem José, na corte de Faraó, discerniu tanto os sonhos de seus ministros como os do próprio rei. Daniel, mesmo distante da sua pátria e numa terra de cativeiro, tornou-se um instrumento nas mãos de Deus que sempre o usava na grande capital do imponente império.

1.18: *"E ao fim dos dias, em que o rei tinha dito que os trouxessem, o chefe dos eunucos os trouxe diante de Nabucodonosor."*

O presente versículo encerra a fase de preparação dos jovens hebreus, isso demonstra que, os versículos 15 a 18 cobrem um período de tempo de três anos completos (v 5). Em uma figura de retórica, podemos ver nestes três anos de preparação dos quatro jovens cativos, para servirem naquela corte, os três anos de ministério terreno do Filho de Deus e que, tendo-os terminado, passou a servir na corte celeste (Hb 1.3).

Paulo, após sua conversão, passou também por uma fase de preparação "no deserto da Arábia" (Gl 1.17,18). A Lei determinava que os animais sacrificados ao Senhor tivessem pelo menos três anos para que fossem oferecidos como sacrifício perfeito. Os próprios discípulos de Cristo tiveram a mesma experiência, e depois serviram na grande obra do Mestre amado. Paulo diz que os obreiros devem ser "primeiro provados, depois sirvam".

1.19: *"E o rei falou com eles; e entre todos eles não foram achados outros tais como Daniel, Hananias, Misael e Azarias; por isso permaneceram diante do rei."*

O presente versículo nos faz lembrar do monarca Faraó, rei do Egito. Ele fez conhecida publicamente em seu País a sabedoria de José (Gn 41.38,39); o rei Nabucodonosor segue também o mesmo exemplo daquilo que é precioso: reconhecer o valor da pessoa humana, não só por aquilo que ela representa, mas sobretudo, por aquilo que ela é. (Cf 1 Ts 5.12.) Um sábio já frisou certa feita: "O homem não é grande pelo nome que tem, mas pelo trabalho que empreende na religião ou na sociedade a que pertence". Daniel se destaca entre os demais sábios ali, não somente por sua habilidade e capacidade humana, mas sobretudo, por sua fidelidade a Deus. Em Ezequiel 14.14,20, ele recebe testemunho do próprio Deus, como sendo um homem espiritual: "...Noé, Daniel e Jó, eles pela sua justiça... etc". No capítulo 28.3 do mesmo profeta, ele é citado novamente por Deus, como sendo um vulto de elevado saber.

Isso mostra, realmente, que Daniel era dotado de inteligência intelectual e espiritualmente.

1.20: *"E em toda a matéria de sabedoria e de inteligência, sobre que o rei lhes fez perguntas, os achou dez vezes mais doutos do que todos os magos ou astrólogos que havia em todo o seu reino."*

De acordo com o que fala Paulo em 1 Coríntios 2.14 e 15, Daniel era de fato um homem espiritual. O rei Nabucodonosor lhe fez perguntas das mais variadas, mas ele discerniu "bem tudo". Há muitas fontes que podem dar ao homem a verdadeira sabedoria, uma delas, sem dúvida, são os mandamentos de Deus, como declara o salmista, no Salmo 119.98: "Tu, pelos teus mandamentos, me fazes mais sábio que meus inimigos; pois estão sempre comigo". Note-se como Daniel é um exemplo destacado de quem deseja ardentemente os maiores dons espirituais (1 Co caps 12 a 14). Tornou-se na corte do seu exílio um intérprete dos caminhos do verdadeiro Deus, uma testemunha perante reis e um dos maiores profetas não somente para aqueles dias, mas para todos os tempos, alcançando até as fronteiras da eternidade. Daniel tornou-se ali um profeta de elevado respeito, cujos temas são de alcance muito vasto.

1.21: *"E Daniel esteve até o primeiro ano do rei Ciro."*

A obediência de Daniel fez com que Deus se agradasse dele, e, como resultado, o Senhor prolongou os seus dias. Jó foi também um maravilhoso exemplo. Deus prolongou a sua vida por causa da sua fidelidade (Jó 42.16,17). Daniel atravessou dias difíceis durante o reinado de quatro poderosos reis e conquistadores, de três nacionalidades e dinastias. Mas a sua vereda foi "como a luz da aurora que vai brilhando mais e mais até ser dia perfeito" (Pv 4.18). Ele, ainda jovem, não somente foi honrado com o cargo de sátrapa, mas com o de "príncipe dos magos" e primeiro ministro, exercendo autoridade nas cortes babilônica e persa. Diante da corte celestial, porém, foi também elogiado e elevado à sua posição de grande autoridade; ele foi declarado por um elevado poder, como sendo um "homem mui desejado". (Ver cap 9.11,19).

Meu querido leitor, seja um Daniel!

2

Daniel interpreta sonho de Nabucodonosor

2.1: *"E no segundo ano do reinado de Nabucodonosor, teve Nabucodonosor uns sonhos; e o seu espírito se perturbou, e passou-se-lhe o seu sono."*

"...uns sonhos". A visão de Nabucodonosor da estátua enorme e assombrosa, é o á-bê-cê da profecia. A interpretação desse sonho do rei é um grande panorama histórico do mundo habitado, panorama básico no estudo das outras visões que são continuamente reiteradas, enriquecidas e aprofundadas nas profecias de Daniel e Apocalipse. O capítulo, portanto, merece um estudo esmerado para entendermos bem o sentido das visões, e a suma das coisas nelas contidas. Nabucodonosor foi o primeiro rei da história do mundo então conhecido; ele conseguiu dominar toda a terra, coisa que nenhum outro monarca conseguira antes dele a não ser Ninrode, o poderoso caçador diante da face de Deus. (Cf. Gn 10.8-10). Seu êxito estava além de nossa compreensão; Nabucodonosor, de fato, dominou toda a terra (Jr 27.6,7), e fez de Babilônia a rainha das nações, a capital da civilização, o centro da cultura, e a sede do comércio. Ele então começou a pensar consigo mesmo. "A grandeza do meu reino perduraria eternamente? A sua glória substiria eternamente?" O sonho do monarca então era

a resposta de Deus às suas indagações no recôndito de sua alma naquela noite. (Comp Jó 33.14-16; Hb 1.1.)

2.2: *"E o rei mandou chamar os magos, e os astrólogos, e os encantadores, e os caldeus, para que declarassem ao rei qual tinha sido o seu sonho; e eles vieram e se apresentaram diante do rei."*

Diante do impasse em que se encontrava o monarca da corte babilônica, pois apenas seu subconsciente, partindo de um "campo escuro", lhe dizia: "Você sonhou um sonho misterioso"! Ele convocou os mais experimentados decifradores de sonhos e enigmas daquela época: "os magos e os astrólogos, e os encantadores, e os caldeus". Hal Lindsey, e outras autoridades no assunto, observa que *a primeira classe,* traduzida por "magos", significa os escribas sagrados – uma ordem de sábios que tinham a seu cargo os escritos sacros, que vieram passando de mão em mão desde o tempo da Torre de Babel. Algumas literaturas, das mais primitivas que se conhecem na terra, eram constituídas desses livros de magia, astrologia, feitiçaria, etc. (Ver At 19.19).

A outra palavra é "encantador", e significa murmurador de palavras – de onde vem "esconjurar", "exorcismar". Eram encantadores que usavam fórmulas mágicas, atuados por espíritos médiuns. Simão, o mágico, de Samaria e Elimas, o "encantador", da ilha de Pafos pertenciam a essa classe. (Ver At 8.9 e 13.8.) Esses "obreiros da iniqüidade" usavam até cantarolas, em som baixo, e o profeta Isaías informa que neste momento os espíritos se apresentavam falando fraco de "debaixo da terra" (Is 29.4).

O terceiro grupo é dos "feiticeiros"; eram dados à magia negra. A mesma palavra emprega-se a respeito dos encantadores egípcios Janes e Jambres – que resistiram a Moisés na corte de Faraó (Êx 7.11 e 2 Tm 3.8). Por sua magia negra, reproduziram vários milagres operados por Moisés naquele país. Depois eles fracassaram diante do supremo poder pessoal de Deus.

A última palavra, "caldeus", denominava a casta sacerdotal deles todos; onde se vir a palavra "caldeu" (menos a exceção dos nascidos na Caldéia) pode-se traduzir igualmente por "astrólogo". Vários lingüistas de renome concordam unanimemente neste ponto, a saber, que os caldeus estudavam o dia do nascimento de uma pessoa, indagando até a hora, e então lançavam o horóscopo do seu destino. A prática foi levada para Roma, onde os Césares consultavam os áugures (peritos em magia negra, espiritismo, e astrologia). Nos dias de Jesus como pessoa humana, a prática tinha se desenvolvido em toda a Ásia Menor.

2.3: *"E o rei lhes disse: Tive um sonho; e para saber o sonho está perturbado o meu espírito."*

O texto em foco nos mostra que o monarca naquela noite ficou bastante perturbado, a ponto de lhe fugir o sono. Apenas tinha dormido aquele pequeno espaço em que as visões lhe sobrevieram. Então, de acordo com o costume, mandou, às pressas, chamar os que, segundo ele, eram capazes de adivinhar tudo aquilo que ele tinha sonhado. Certamente o monarca babilônico os esperava com grande apreensão de espírito, pois se encontrava em estado de depressão, inquietação e descontentamento. Sua confiança era, evidentemente, nos magos, caldeus e astrólogos, mas de um modo particular, sua maior esperança seria nos encantadores e astrólogos, em razão de estes agoureiros se relacionarem mais com "sonhos, adivinhações", etc. A astrologia era a espinha dorsal da antiga religião de Babilônia, mas falivelmente este grupo de encantadores falaram, como ainda hoje falam repetidamente. Na corte de Faraó, por exemplo, os magos daquele monarca, tornaram água em sangue. Quando Moisés lançou sua vara ao chão, tornando-se em cobra, esses "feiticeiros" fizeram o mesmo. Só depois que Deus capacitou Moisés a realizar milagres que eles não puderam reproduzir, foi que esses magos descobriram que o "dedo de Deus" estava envolvido ali. E não puderam mais prosseguir.

2.4: *"E os caldeus disseram ao rei em siríaco: Ó rei, vive eternamente! Dize o sonho a teus servos, e daremos a interpretação."*

"...em siríaco". É interessante observarmos, neste texto, uma grande particularidade. O livro de Daniel foi escrito em hebraico, mas os sábios, como está declarado aqui, falaram ao monarca em "siríaco", isto é, em "aramaico". Isso parece destinado a chamar a atenção para o fato de

que, desde este ponto até o capítulo sete (7) do presente livro, a linguagem empregada é o aramaico; mas é observado por outros lingüistas que apenas o presente texto (versículo 4), e o versículo 28 do capítulo, é que foram encontrados originalmente escritos em aramaico, o mais tudo é hebraico. Pode ser, contudo, que a palavra sirva para indicar a linguagem técnica que os caldeus usavam quando falavam com o rei, ou mesmo que fosse a linguagem administrativa daquela corte. Seja como for, diante do grande impasse criado pelo sonho esquecido, nenhuma técnica ou astúcia resolveria o grande e labirintado problema.

2.5: *"Respondeu o rei, e disse aos caldeus: O que foi me tem escapado; se me não fizerdes saber o sonho e a sua interpretação, sereis despedaçados, e as vossas casas serão feitas um monturo."*

O presente versículo e outros que se seguem nos mostram a terrível sentença do ímpio monarca babilônico; a sentença é uma só, dizia ele: "SE ME NÃO FIZERDES SABER O SONHO E A SUA INTERPRETAÇÃO, *SEREIS DESPEDAÇADOS*". Alguns estudiosos da Bíblia têm pensado que o motivo pelo qual o rei não queria relatar seu sonho não era que o houvesse esquecido, mas para provar, de um certo modo, a sabedoria e capacidade de seus sábios, e, assim sendo, de acordo com este pensamento, o próprio Daniel cairia nessa armadilha de Satanás. Essa classe de intérpretes invocam para si, como base de seu argumento, o texto em foco traduzindo assim: "...mas a coisa é certa para mim", ao invés de: "...o que foi me tem escapado". Para nós, este argumento é muito lógico, mas não se coaduna com a tese principal. Se Deus revelou o segredo a Daniel, evidentemente o monarca o havia de fato esquecido. O final deste versículo, como ficou demonstrado acima, nos mostra a crueldade contida naquela corte; isso era uma característica dos monarcas babilônicos: sempre tratavam seus súditos sem misericórdia diante de qualquer fracasso.

2.6: *"Mas se vós me declarardes o sonho e a sua interpretação, recebereis de mim dons, e dádivas, e grande honra; portanto declarai-me o sonho e a sua interpretação."*

"*...portanto declarai-me o sonho...*" Os magos daquela corte real se encontravam agora num verdadeiro impasse. A sentença era terrível. Se interpretassem o sonho, seriam coroados de riquezas e grandes honras, mas se não o interpretassem seriam lançados "na cova dos leões". Provavelmente a expressão: "sereis despedaçados", em foco no versículo cinco (5) do presente capítulo, tenha mesmo esse sentido. Concomitantemente, suas casas seriam feitas um montão de ruínas. O monarca babilônico fez mais de uma vez essa triste declaração durante sua vida. (Comp. Dn 3.29.) Esta era a lei da terra – a vontade de um homem. Os babilônios desse tempo só conheciam uma vontade em seus destinos, que era a do rei Nabucodonosor, o mais, tudo era transgressão. O espírito cristão porém, pensa e age diferente; pois, ao invés de fazer a sua própria vontade, ele apela para Deus e diz: "Seja feita a tua vontade, assim na terra como no céu" (Mt 6.10).

2.7: "*Responderam segunda vez, e disseram: Diga o rei o sonho a seus servos, e daremos a sua interpretação.*"

O presente versículo mostra uma grande luta estabelecida. De um lado, os magos, astrólogos e encantadores, insistindo com o rei em que lhes declarasse o sonho, para que, de acordo com seus conhecimentos, declarassem eles o significado convincente de tudo aquilo. Do outro lado, o rei querendo saber o que tinha sonhado e sua interpretação. Os sábios do rei, só podiam fazer suas predições e interpretações dentro daquilo que viam e ouviam. Eles andavam apenas por vista e não por fé, como fazem os santos (2 Co 5.7). As interpretações destes magos e encantadores eram vagas, e, portanto, nada valiam diante daquilo que era verdadeiro. Na época atual, há, evidentemente, muitas falsas práticas realizadas sobre até mesmo o nome de Deus, mas na vinda de Jesus tudo ficará esclarecido, pois, no momento do Arrebatamento, o povo da terra, se divide em dois grupos apenas: os que vão e os que ficam!

2.8: "*Respondeu o rei, e disse: Percebo muito bem que vós quereis ganhar tempo; porque vedes que o que eu sonhei me tem escapado.*"

"*...vós quereis ganhar tempo*". O presente texto (e outras passagens do mesmo gênero) mostra o rei Nabucodonosor angustiado pela insistência dos magos e encantadores da Corte, e declarando que os sábios tinham se combinado para o enganar, simulando algum tipo de interpretação mais ou menos parecido com aquilo que o monarca teria sonhado, mas o rei não se lembrava de nada daquele sonho. Então, evidentemente, o principal ponto de partida no entrelaçado problema era a lembrança do sonho do rei. Os magos demonstraram que estavam incapacitados de resolver o problema daquela corte. Ainda hoje, os sábios segundo o mundo são incapazes de resolver os problemas da humanidade, pois só Jesus Cristo, o Rei dos reis e Senhor dos senhores, pode fazer isso de maneira satisfatória. (Ver Sl 37.4,5; Mt 11.28.)

2.9: *"Por conseqüência, se me não fazeis saber o sonho, uma só sentença será a vossa: pois vós preparastes palavras mentirosas e perversas para as proferirdes na minha presença, até que se mude o tempo: portanto dizei-me o sonho, para que eu entenda que me podeis dar a sua interpretação."*

"...até que se mude o tempo". Entre os babilônicos era comum aos astrólogos e encantadores fazerem suas interpretações sobre os acontecimentos que iam tendo lugar no curso da história; por exemplo: quando havia uma grande batalha entre dois monarcas, predizia-se que "um" daqueles perderia a batalha. Se perguntados sobre qual dos dois perderia a guerra, não revelavam para que os soldados do indicado não desanimassem. Ora, é evidente que, se há dois reis em luta, um perderá a batalha. O rei percebeu isso muito bem, e os advertiu, afirmando que eles tinham forjado palavras mentirosas, ou, como bem pode ser traduzido por "uma interpretação suposta" dentro daquilo que o rei lhes contasse. Ainda hoje muitos grupos religiosos têm procurado fazer determinadas predições, baseados em fatos históricos, mas falharam e continuam falhando. Há determinadas profecias divinas que só Deus e o tempo (não os intérpretes) dará sua interpretação correta (Dt 29.29).

2.10: *"Responderam os caldeus na presença do rei, e disseram: Não há ninguém sobre a terra que possa declarar a palavra ao rei; pois nenhum rei há, senhor ou dominador, que requeira coisa semelhante dalgum mago, ou astrólogo, ou caldeu.*"

"*Não há ninguém sobre...*" O texto em foco, revela os sábios da corte babilônica mostrando-se francos para com a exigência do rei: "Não há ninguém sobre a terra que possa declarar a palavra ao rei". O fato é que o monarca exigia algo que não se encontrava previsto nem declarado em nenhum código do mundo: fazer lembrar um sonho esquecido e depois dar a sua interpretação; isso ultrapassava qualquer possibilidade de entendimento da mente humana, pois seria chamar "as coisas que não são como se já fossem". Todos sabem que isso é apenas faculdade daquele que é o "mesmo" quanto ao tempo e a eternidade (Hb 13.8; comp. com Rm 4.17). Os sábios caldeus tinham apenas conhecimento do tempo presente, mas Deus possui a eternidade na mão e, por conseguinte, conhece todos os limites do tempo e da eternidade. (Ver Jr 23.23).

2.11: "*Porquanto a coisa que o rei requer é difícil, e ninguém há que a possa declarar diante do rei, senão os deuses, cuja morada não é com a carne.*"

"*...os deuses, cuja morada não é com a carne*". O presente texto mostra os sábios caldeus, mediante sua confissão perante o rei, fazendo uma referência à pessoa de Deus, pois, mesmo de uma maneira imperfeita, até no paganismo negro permanecia a persuasão de que Deus existe. (Comp. At cap 17, com Rm 1.21). A idéia da existência de Deus é uma intuição da razão moral da pessoa humana; o texto em foco, pluraliza, "Eloim" (Deus) que termina com o sufixo "im", ainda que a forma singular é *ELOAH* não é sobrevivência de um estágio politeísta, mas expressa a natureza divina na multiplicidade de suas plenitudes e perfeições; essas perfeições são vistas e analisadas em cada manifestação do Pai, do Filho e do Espírito Santo. Os escritores clássicos, porém, não traduziram a palavra "deuses" por "Deus" na presente passagem, pois entenderam que ela tinha sido pronunciada por lábios pagãos, e, ao invés de "Deus" (singular), traduziram por "deuses" (plural). Seja como for, as três pessoas da santíssima Trindade estão em foco.

2.12: *"Então o rei muito se irou e enfureceu; e ordenou que matassem a todos os sábios de Babilônia."*

"...todos os sábios..." Na proporção que o diálogo com o rei ia se desenvolvendo, acabou-se a paciência do monarca; a ordem para que seus capitães matassem aqueles homens e todos os sábios de Babilônia saiu. E tal caso, também Daniel e seus três companheiros morreriam, porque já estavam inseridos na categoria de sábios e adivinhos daquela corte real. (Ver Dn 4.9.) Seria uma calamidade catastrófica, pois a casta de sábios, astrólogos e feiticeiros era muito numerosa ali. Diante de tal situação, os sábios caldeus ficaram muito tristes. Nabucodonosor era o grande e poderoso monarca, mas havia limites para o que desejasse exigir. Mas certamente ele se sentia possuído de um poder absoluto, e, quando o homem mortal chega a esse ponto, corrompe-se a si mesmo. (Comp. com Ap 3.17.)

2.13: *"E saiu o decreto, segundo o qual deviam ser mortos os sábios; e buscaram a Daniel e aos seus companheiros, para que fossem mortos."*

O presente versículo, confrontado a contextos anteriores, diz que o profeta Daniel, juntamente com seus companheiros, morreria sem misericórdia naquele dia. Aquele servo do Senhor depois de receber a cultura da época, era considerado um membro da sociedade dos magos, embora sua sabedoria viesse da parte de Deus, através da revelação. (Ver o v 20.) Mas essas manifestações e revelações divinas eram recusadas diante do monarca Babilônico, que se negava a reconhecê-las como obra inteiramente de Deus. Ele achava que aquela sabedoria de Daniel, e toda a sabedoria de Deus, era (segundo seus olhos) atribuída a poderes mágicos. Os *olhos pecaminosos* são vistos em toda a extensão da Bíblia, como "olhos do malabarismo"; eles sempre vêem o que não existe, e quanto ao que existe, são olhos cegos.

2.14: *"Então Daniel falou avisada e prudentemente a Arioque, capitão da guarda do rei, que tinha saído para matar os sábios de Babilônia."*

"...falou avisada..." A pergunta de Daniel é relacionada com a "precipitação" e não com a severidade do decreto, como fica demonstrado: "Por que se apressa tanto o

mandado da parte do rei?" (v 15). Ele pede tempo e promete dar a interpretação. Daniel demonstra uma grande capacidade de manter a calma sob tão grande desatino e pressão da parte do rei. Daniel provou ser um crente emocionalmente equilibrado. – Será que nós, a exemplo de Daniel, estamos fazendo o mesmo? O texto em foco mostra que as palavras meigas de Daniel obtiveram a possibilidade de abrandar a ira do rei. Daniel era um servo fiel, conhecedor da Palavra de Deus que dizia: "A resposta branda desvia o furor, mas a palavra dura suscita a ira" (Pv 15.1). Isso revela para todos nós um bom exemplo para estes dias de tantas trevas. O livro dos Salmos é o livro da alma; ele nos revela como andar diante de Deus, nosso Pai. O livro de Provérbios é o livro didático de moral e cívica cristã, e ensina como a criatura deve andar diante dos homens, nossos semelhantes.

2.15: *"Respondeu, e disse a Arioque, prefeito do rei: Por que se apressa tanto o mandado da parte do rei? Então Arioque explicou o caso a Daniel."*

"...Arioque, prefeito do rei". O leitor deve observar que, no versículo anterior, diz que "Arioque" era o "capitão da guarda do rei." No presente texto, porém, diz que ele era "prefeito do rei". A etimologia da palavra "arioque" significa: Leão Poderoso; é também interpretado por alguns como: Servo da deusa Lua. O capitão, acima mencionado, da corte Babilônica, é a segunda pessoa nas Escrituras que traz este nome, pois antes ela já cita um com o mesmo nome: "Arioque, rei de Elazar" (Gn 14.1). Os versículos 14 e 15 do presente capítulo revelam ser Arioque um homem de elevado poder naquela corte Babilônica; ele exercia uma dupla função: Era o comandante da segurança do palácio real, e, ao mesmo tempo, era também o "prefeito" da capital do Império.

2.16: *"E Daniel entrou; e pediu ao rei que lhe desse tempo, para que pudesse dar a interpretação."*

O profeta Daniel é citado nas Escrituras como sendo uma personagem ilustre, que merece destaque. (Ver Ez 14.14,20; Mt 24.15.) Note-se, neste versículo 16, como ele manifestou sua grande fé naquele que "é o nosso refúgio e fortaleza, socorro bem presente na angústia" (Sl 46.1). Ele tinha certeza de que Deus ia revelar-lhe o sonho esquecido pelo rei; e, na prontidão desta certeza, entrou e pediu ao rei que marcasse o tempo para voltar à sua presença, com o sonho e sua interpretação, a qual ainda não tinha. Esse servo de Deus viu o grande fundamento das coisas que ainda não se viam. Ele "ficou firme, como vendo o invisível" (Hb 11.27). O verdadeiro crente nesta Dispensação da Graça, deve demonstrar o mesmo (e mais ainda) sentimento cristão, e permanecer firme como o monte de Sião, que não se abala, mas permanece para sempre (Sl 25.1).

2.17: *"Então Daniel foi para a sua casa, e fez saber o caso a Hananias, Misael e Azarias, seus companheiros".*

No presente versículo e nos demais que se seguem, temos a noção perfeita do primeiro círculo de oração organizado.

Daniel, ao receber do rei a prorrogação do tempo (houve aí uma intervenção divina, pois jamais um monarca daquele voltaria atrás quanto à ordem e ao tempo) para fazêlo lembrar do sonho e, a seguir, dar também a sua interpretação, não foi consultar os outros sábios, a fim de ver se havia ainda alguma coisa na sua arte, ou livros, que servisse para descobrir o sonho esquecido do rei. Em nossos dias há reuniões por todas as partes, pois há sempre alguém procurando "um elo perdido"; esse é o primeiro sinal de que Deus não está falando a tais pessoas. Mas Daniel confiava numa oração feita por um justo, pois vale mais do que toda aquela burocracia. (Ver Tg 5.16.) Nunca jamais devemos ser insensíveis à suave voz do Espírito de Deus, mas sempre prontos a dizer-lhe: "Fala, Senhor, porque o teu servo ouve" (1 Sm 3.9).

2.18: *"Para que pedissem misericórdia ao Deus do céu, sobre este segredo, a fim de que Daniel e seus companheiros não perecessem com o resto dos sábios de Babilônia."*

O presente texto nos mostra como Daniel tinha, de fato, um espírito excelente. (Ver versículo 3 do capítulo 6.) Ele não parou diante de tão grande transe, mas atacou o problema gigantesco com as armas da fé e da oração. Um sábio, certa feita, disse a um dos seus discípulos: "Nunca lutes contra os problemas; dá andamento na solução. O problema traz o cansaço, mas a solução o descanso!" Daniel e seus companheiros foram exemplos deste valioso princípio de mestre. Foi para sua casa, a fim de passar a noite em oração com seus três amigos. "A mocidade muitas vezes acha que somente um jovem fracassado deve orar. Mas Daniel e os outros três hebreus provaram que somente em oração é que um jovem pode fortalecer-se. Ainda mais, Deus responde à oração, provando que Ele atende ao clamor dos jovens que o buscam".

2.19: *"Então foi revelado o segredo a Daniel numa visão de noite: então Daniel louvou o Deus do céu."*

"...numa visão de noite". Analisemos neste versículo dois pontos focais: 1. Coisas que estavam ocultas para os sábios da Babilônia mas foram reveladas a Daniel. Numa visão noturna, ele "viu" o que o rei tinha visto em seu sonho e ainda compreendeu do que se tratava. Pelo uso do conceito "visões noturnas" em Jó 4.13; 33.15, parece que aquele que tinha, ou recebia a visão se achava no "sono profundo", embora de Daniel não se diga que ele estivesse sonhando, pois as imagens não vinham da sua própria mente e sim diretamente de Deus. Quem se volta para Deus em oração, pedindo misericórdia e colocando seus problemas nas suas mãos, humildemente, e prontificado a submeter-se a sua vontade, logo terá motivos para bendizê-lo. A oração é a porta aberta para os céus (Lc 3.21), que nos dá visões consoladoras das coisas eternas. Jesus, nosso Senhor, foi o maior exemplo de oração. Nada menos de 25 vezes, no Novo Testamento, temos menções de que nosso Senhor orou. Ele entrou no mundo orando (Hb 10.5-7). Viveu orando (Hb 5.7). E morreu orando (Lc 23.46). Daniel era um homem possuído pelo mesmo sentimento de Cristo. Ele obteve conhecimento do "segredo" que estava perturbando a cidade inteira; aprendeu a confiar em Deus desde muito jovem, e este foi o fator principal de suas grandes conquistas, tanto na vida secular como na vida espiritual. Deus ainda é o mesmo! Devemos correr menos, e confiar mais em sua misericórdia.

2.20: *"Falou Daniel, e disse: Seja bendito e nome de Deus para todo o sempre, porque dele é a sabedoria e a força."*

"...dele é a sabedoria..." O presente texto apresenta dois pontos focais: 1) A sabedoria de Deus. 2) A força de Deus. Essa sabedoria faz parte da "onisciência de Deus", como bem a descreve o salmista Davi: "Sem que haja uma palavra na minha língua, eis que, ó Senhor, TUDO conheces" (Sl 139). A palavra "onisciência" deriva-se de duas palavras latinas: "omnes", que significa *tudo*, e "sciencia", que significa conhecimento. O termo denota a infinita sabedoria de Deus e seu conhecimento de todas as coisas. Deus conhece todas as coisas porque seu entendimento é infinito (Sl 147.5). A Bíblia diz que "Ele é sábio de coração" (Jó 9.4). Isso são apenas as orlas do manto da sabedoria de Deus! Ninguém pode sondar "a profundidade e as riquezas, tanto da *sabedoria,* como da ciência de Deus" (Rm 11.33). O Senhor Jesus, como um dos membros da santíssima Trindade, possui em si mesmo "toda a plenitude da Divindade" (Cl 2.9), e por essa razão Pedro podia dizer: "Senhor, tu sabes TUDO" (Jo 16.30; 21.17).

"...e a força". Essa força faz parte da "onipotência de Deus". O termo denota o supremo poder pessoal de Deus. Esse atributo significa que Deus tem poder ilimitado, que ele tem poder para fazer qualquer coisa que queira, dentro dos limites da sua santidade (Sl 1.37). A onipotência de Deus é tanto física como moral. Ninguém jamais poderá ultrajar o caráter de Deus, apanhando-o numa fraqueza moral; e quanto à parte física, Ele é o Todo-poderoso. Jesus disse ao Sumo sacerdote que Deus "era o poder" (Mt 27.64).

2.21: *"Ele muda os tempos e as horas; ele remove os reis e estabelece os reis: ele dá sabedoria aos sábios e ciência aos entendidos."*

Nos versículos 18,19,27,30,47, o sonho do rei é chamado de "segredo", porque, do ponto divino de observação, é o que ele é. Isso demonstra que se trata daquilo que não pode ser obtido apenas pela razão humana; pois essa, apenas isolada, jamais chegaria a tão grande sucesso como foi aqui alcançado. Daniel demonstra que todo o curso da história está nas mãos de Deus, o qual altera os tempos e as estações; e o destino dos governantes humanos, também está sob seu controle. Jesus declara, em Atos 1.7, que os "tempos ou as estações" foram estabelecidos pelo Pai, pelo seu próprio poder. Quando a verdadeira sabedoria é encontrada entre os homens, ela é um dom de Deus, que os capacita a entender o tempo e o modo das coisas.

2.22: *"Ele revela o profundo e o escondido: conhece o que está em trevas, e com ele mora a luz."*

"...o profundo e o escondido". O profeta Isaías declara em seu livro que com Deus estão "os tesouros das escuridades, e as riquezas encobertas" (Is 45.3). Para aqueles crentes fiéis a Deus, em qualquer tempo ou lugar, sua "vereda é como a luz da aurora que vai brilhando mais e mais até ser dia perfeito", pois Deus sempre está revelando algo "novo" na sua vida; Paulo disse: "o Espírito Santo de cidade em cidade me revela" (At 20.23). Para o servo fiel, Deus tira para a "luz" aquilo que se encontra escondido.

"...ele mora a luz". Isso significa conforme está declarado: "na luz inacessível" (1 Tm 6.16). A luz que está em foco, é a inacessível. Isso quer dizer que, onde nosso Deus habita, nossa luz lá seria como trevas, não tendo nenhum sentido. Assim, por esses e outros motivos, Daniel o louva com a voz do agradecimento, porque Deus não só mora na "luz", mas exige também que seus filhos andem na luz (1 Jo 1.7).

2.23: *"Ó Deus de meus pais, eu te louvo e celebro porque me deste sabedoria e força; e agora me fizeste saber o que te pedimos, porque nos fizeste saber este assunto do rei."*

O texto em foco apresenta as palavras de Daniel numa voz de agradecimento. Sua oração é caracterizada pela pureza da alma. Linda oração! Até nós, ao escrevermos estas palavras deste grande servo de Deus, nos sentimos dominados pelo sentimento de Daniel, agradecendo, por si e por seus companheiros, ao Deus de toda graça, que o livrou da morte certa e terrível. Abraão, nosso pai, orou a Deus, para que os justos que habitavam na corrupta cidade de Sodoma não perecessem com os famigerados ímpios daquela metrópole. Deus ouviu sua oração e salvou Ló da grande destruição (Gn caps 18 e 19). Daniel, foi também um exemplo com seus companheiros, pois, através da oração verdadeira, salvaram-se daquela destruição iminente decretada pelo monarca.

2.24: *"Por isso Daniel foi ter com Arioque, ao qual o rei tinha constituído para matar os sábios de Babilônia: entrou, e disse-lhe assim: Não mates os sábios de Babilônia; introduze-me na presença do rei, e darei ao rei a interpretação."*

O presente texto nos mostra que, revelado o mistério, Daniel apressadamente procurou o chefe da guarda, que estava encarregado de executar a grande matança dos sábios caldeus. Daniel conhecia muito bem o texto de Provérbios 24.11 que diz: "Livra os que estão destinados à morte, e os que são levados para a matança, se os puderes retirar". A pressa de Daniel em falar com Arioque, o chefe da guarda, era exatamente porque ele era o homem a quem o rei tinha incumbido de destruir os sábios. Arioque demonstrou também ser um homem extremamente sensato, e depressa introduziu Daniel a presença daquele monarca. Ele creu na palavra do homem de Deus, e foi recompensado por isso. Se no mundo atual, os pecadores cressem nas palavras dos servos de Deus, o mundo seria outro e os homens também.

2.25: *"Então Arioque depressa introduziu Daniel na presença do rei, e disse-lhe assim: Achei um dentre os filhos dos cativos de Judá, o qual fará ao rei a interpretação."*

"...filhos dos cativos de Judá". O presente versículo faz alusão ao cativeiro de Judá. Daniel, como Ezequiel, era um cativo judaico na Babilônia caldaica. Ele era de descendência real, como já ficou demonstrado em nota expositiva no primeiro capítulo deste livro. Devido à sua classe e à sua bela aparência, foi educado para o serviço no palácio daquela corte. Na atmosfera contaminada de uma corte oriental, ele vivia uma vida de singular piedade e testemunho espiritual. Sua longa vida (talvez noventa anos) estende-se desde os tempos de Nabucodonosor até os de Ciro. Foi contemporâneo de Jeremias, Ezequiel (14.14,20), Josué, o sumo-sacerdote da restauração, Esdras, o escriba, e Zorobabel; portanto, o título: "filhos dos cativos de Judá"

visto no texto em foco, identifica-se bastante com a sua pessoa.

2.26: *"Respondeu o rei, e disse a Daniel (cujo nome era Beltesazar): Podes tu fazer-me saber o sonho que vi e a sua interpretação?"*

"...Podes...?" Diante da interrogação do monarca a Daniel, podemos observar a grande humildade deste servo de Deus: ele não pode, mas Deus pode e vai fazer. Daniel não se mostrou vaidoso e confessou que o que o rei queria dos seus sábios era coisa impossível, pois nem magos nem encantadores nem astrólogos poderiam revelar tão grande mistério ao rei, mas, continuou Daniel dizendo que só o Deus dos céus, poderia revelar tudo aquilo. Daniel, o verdadeiro profeta de Deus, não quis a honra para si, nem se apresentou como o mais capaz (ainda que era) dentre os sábios caldeus. Deu glória, porém, ao Deus merecedor de toda a glória e capaz de revelar todo e qualquer segredo no meio dos homens mortais. O verdadeiro espírito cristão é aquele que considera os outros superiores a si mesmo; o que disso passa é altivez (Pv 16.18; Fl 2.3).

2.27: *"Respondeu Daniel na presença do rei, e disse: O segredo que o rei requer, nem sábios, nem astrólogos, nem magos, nem adivinhos o podem descobrir ao rei."*

"O segredo que o rei requer". O sonho do rei foi uma revelação de Deus; nenhum ser mortal podia dar a sua interpretação, a não ser com autoridade divina, como o fez Daniel. O profeta mostra diante do monarca que nenhum de seus sábios era capaz de predizer com exatidão o futuro. O profeta Jeremias declara em seu livro que não é do homem o seu caminho e daquele que caminha o dirigir os seus passos. Deus tem na sua mão "a alma de tudo quanto vive, e o espírito de toda carne humana" (Jó 12.10). O rei Saul já no final de seu reino, consultou uma encantadora e teve como conseqüência disso a morte (1 Sm caps 28 a 31). O ocultismo e outras espécies de magias têm se desenvolvido na presente era. Mediante este sistema, o Anticristo se apossará do mundo durante o período sombrio da Grande Tribulação, que sofrerá todos os ímpios (Ver Ap 13.2,13.)

2.28: *"Mas há um Deus nos céus, o qual revela os segredos; ele pois fez saber ao rei Nabucodonosor o que há de ser no fim dos dias; o teu sonho e as visões da tua cabeça na tua cama são estas."*

O texto em foco mostra Daniel se preparando para dar início à grande interpretação diante do monarca; ele começa argumentando sobre a existência de Deus como, muito tempo depois, fez Paulo no meio do Areópago (At 17.23-25). "Há um Deus nos céus", diz o profeta. Isso mostra-nos que, quando ele compareceu perante o rei, procurou deixar claro que não viera dar a interpretação do sonho mediante seu próprio poder, ou saber, mas deu a glória merecida a Deus. José, no Egito, já havia feito a mesma coisa que Daniel; ele disse a Faraó: "Isso não está em mim; Deus dará resposta de paz a Faraó" (Gn 41.16). Os cristãos de todos os tempos têm um só espírito – o Espírito de Deus. O sonho do monarca foi de natureza escatológica, isto é, tinha a ver com o "fim dos dias", em outras palavras, com a era messiânica. (Ver At 2.16,17; 1 Tm 4.1; Hb 1.1.) Daniel, numa breve interpretação, mas precisa, relata o conteúdo do sonho, descrevendo o colosso que o rei tinha visto, cujas porções eram feitas de diferentes metais. Ao dar início às primeiras palavras, o rei realmente admite que o seu sonho teve início com uma grande estátua, cuja composição era aquela descrita por Daniel; o monarca, pois, não teve mais dúvida de que se encontrava ali diante de um homem de Deus, possuidor de notável saber espiritual.

2.29: "Estando tu, ó rei, na tua cama, subiram os teus pensamentos ao que há de ser depois disto. Aquele pois que revela os segredos te fez saber o que há de ser."

O presente versículo nos faz lembrar do sonho do monarca Faraó, rei do Egito. Aquele monarca achava-se também cercado de homens sábios. Eles pertenciam a uma classe educada entre os antigos egípcios: também afirmavam possuir conhecimento das coisas que pertenciam aos deuses e ao destino humano. Faraó descreve seu sonho com grande explicação, e até parece que se permitiu adicionar alguns toques extras. Os sábios, porém, não entenderam nada daquilo, e, a despeito de tudo, nada puderam fazer. Finalmente apareceu José, cujos pés haviam apertado com grilhões quando o puseram a ferros. José tudo decifrou (Gn 41.25-32). O sonho de Nabucodonosor era de natureza mais profunda, não pelo sonho em si, mas por causa do esquecimento do rei, pois a exigência do monarca, antes da interpretação do sonho era fazê-lo lembrar do que havia sonhado. Finalmente aparece Daniel. Como Deus é o mesmo ontem, e hoje e eternamente, à semelhança de seu Filho (Hb 13.8), tudo ficou solucionado e ninguém pereceu.

2.30: *"E a mim me foi revelado este segredo, não porque haja em mim mais sabedoria do que em todos os viventes, mas para que a interpretação se fizesse saber ao rei, e para que entendesses os pensamentos do teu coração."*

"...este segredo". O sonho do monarca babilônico quando é pormenorizado é sempre chamado de "segredo". (Ver versículos 18,19,27,29,30 e 47.). O doutor Scofield, falando sobre "segredo" (mistério) descreve como segue: "Um mistério nas Escrituras é uma verdade anteriormente oculta, mas agora divinamente revelada, em que, porém, ainda reside um elemento sobrenatural, apesar da revelação. Os principais segredos, ou mistérios são: 1) Do Reino dos Céus (Mt 13.3-50). 2) Da cegueira de Israel durante o tempo presente. (Ver Rm 11.25.) 3) Do arrebatamento da Igreja, no fim desta dispensação (1 Co 15.51-52). 4) Da Igreja composta de judeus e gentios, formando um só corpo (Ef 3.1-11, 19). 5) Da Igreja como a noiva de Cristo (Ef 5.28-32). 6) de 'Cristo' em nós (Gl 2.20; Cl 1.26-27). 7) De Deus em Cristo, isto é, Cristo, como a encarnação plena da divindade em forma humana, em quem subsiste toda a sabedoria divina para os homens (Cl 2.2,9). 8) Dos processos pelos quais a semelhança de Deus é restituída aos homens (1 Tm 3.16). 9) Da iniqüidade (2 Ts 2.7). 10) Das sete estrelas (Ap 1.20). 11) De Babilônia (Ap 17.2)." O do presente texto, porém, é de ordem escatológica. (Ver Ef 1.9-10; Ap 11.15 e ss.)

2.31: *"Tu, ó rei, estavas vendo, e eis aqui uma grande estátua: esta estátua, que era grande e cujo esplendor era excelente, estava em pé diante de ti; e a sua vista era terrível."*

Daniel relata o conteúdo do sonho do monarca, descrevendo o colosso que o rei tinha visto em sua visão noturna há duas noites. É evidente que o rei sonhou em uma noite o sonho, e Daniel recebeu a sua interpretação só na noite seguinte. (Ver 2.17-19.) À proporção que Daniel ia fazendo aquela interpretação, o rei ia conferindo e lembrando-se de que, realmente, a estátua terrível de seu sonho era de *material heterogêneo.* Vários deles se incluíam pela ordem em sua composição: o ouro na cabeça, a prata no peito e braços, o bronze no ventre e quadris, o ferro nas pernas e, misturado com o barro, nos pés. A qualidade e o valor dos metais aparecem em ordem decrescente, da cabeça aos pés, a fim de atender ao simbolismo do valor dos impérios representados nesta visão da noite concedida ao rei Nabucodonosor.

2.32: *"A cabeça daquela estátua era de ouro fino; o seu peito e os seus braços de prata; o seu ventre e as suas coxas de cobre".*

"...ouro...prata...cobre". Quase todos os intérpretes do livro de Daniel seguem a mesma linha de pensamento diante dos versículos trinta e dois a trinta e cinco (32-35), isto é: 1) A cabeça do colosso representava o Império Babilônico. Esta interpretação é tanto teológica como bíblica, como se pode depreender do versículo 38 do presente capítulo. 2) O peito e os braços de prata representavam o Império da Medo-Pérsia, com Dario e Ciro, respectivamente. A propriedade de uma imagem de um homem representar estes dois impérios é evidente. O Império duplo da Medo-Pérsia é representado pelos dois braços, e a sua unidade pelo peito do colosso. Em figura geral: os dois braços são Dario e Ciro. Geograficamente falando, Dario é o braço esquerdo da imagem, enquanto que Ciro é o direito. Esses dois monarcas são chamados também, na simbologia profética, de "Os tufões de vento do Sul (Sul de Babilônia), que tudo assolam" (Is 21.1). 3) O ventre e as coxas representavam o Império Greco-macedônio.

2.33: *"As pernas de ferro; os seus pés em parte de ferro e em parte de barro."*

O presente versículo descreve a quarta e a quinta parte da composição da terrível estátua. É evidente que as pernas de ferro são o Império Romano, que começou como uma unidade, mas depois foi dividido; é representado pela parte inferior do corpo, dividindo-se nas duas pernas. Estas correspondências encontram-se outra vez nas outras visões deste livro. Este império de ferro teve um princípio de unidade, mas mesmo assim, essa foi fundada dentro dum paralelismo (as duas pernas). Roma: 1) Fundada por dois irmãos: Rômulo e Rêmulo; depois Rômulo se desentendeu com Rêmulo e o matou em combate. 2) Governada por monarquia e república. (Mais tarde:) 3) Divisão do império em dois: o do Ocidente e o do Oriente. Condição atual: Socialismo versus Capitalismo. Comunismo versus Religião. Portanto, como bem pode ser depreendido dos textos divinos, o ferro seguirá misturado com o barro até o fim da presente Era (Ap cap 17).

2.34: *"Estavas vendo isto, quando uma pedra foi cortada, sem mão, a qual feriu a estátua nos pés de ferro e de barro, e os esmiuçou."*

"...feriu a estátua nos pés..." O texto em foco, merece toda a nossa especial atenção. Ele mostra como as Escrituras são proféticas e se combinam entre si em cada detalhe. A pedra (Cristo), cortada do monte, haveria de ferir a estátua, não na cabeça (Império Babilônico); nem no peito e braços (Império da Medo-Pérsia); nem no ventre e coxas (Império Greco-macedônio) nem nas pernas (Império Romano daqueles dias); mas cairá sobre os "pés" do colosso (fragmentos do Império Romano restaurado: os dez reis escatológicos). Isso ocorrerá no vale de Armagedom. Isso acontecerá em virtude das predições contemporâneas preditas pelos apóstolos e pelo próprio Senhor (Mt 24.30); elas indicam que no retorno de Cristo à Terra, com poder e grande glória, Jesus será visto fisicamente na Palestina, quando forças confederadas do Anticristo tiverem conquistado a Terra Santa, ameaçando aniquilar o povo judeu. Devemos observar que, quando o Filho de Deus veio a este mundo (durante o Império das pernas de ferro), Roma, não sentiu nada, não sentiu qualquer choque, nem começou a enfraquecer. Ao contrário, sob esse império de ferro foi morto nosso Salvador. Portanto, é evidente que a pedra cairá "nos pés" da estátua, numa era ainda futura.

2.35: *"Então foi juntamente esmiuçado o ferro, o barro, o cobre, a prata e o ouro, os quais se fizeram como a pragana das eiras no estio, e o vento os levou, e não se achou lu-*

gar algum para eles; mas a pedra, que feriu a estátua, se fez um grande monte, e encheu toda a terra."

O presente versículo descreve aquilo que acontecerá na vinda de Cristo a este mundo, com poder e grande glória. Isso se encontra narrado em vários de seus elementos doutrinários. A pedra que esmiuçou a grande estátua pode ser representada num sentido tríplice: 1) Cristo – sentido lato. 2) A Igreja. 3) O Reino de Deus. (Ver Is 2.2; Mt 16.18; 1 Pe 2.5.) O choque da grande pedra cortada da montanha terá lugar no vale do Armagedom, naquele grande dia do Deus Todo-poderoso, e evidentemente, no tempo dos dez dedos da imagem. Jesus deixou muito claro este assunto em Mateus cap 21.44, quando disse: "Quem cair sobre esta pedra despedaçar-se-á (os judeus); e aquele (o Anticristo e todo o poder gentílico do mundo) sobre quem ele cair ficará reduzido a pó". É exatamente o que diz o presente texto e passagens paralelas em toda a extensão da Bíblia.

2.36: *"Este é o sonho; também a interpretação dele diremos na presença do rei."*

O profeta Daniel, em primeiro lugar, com pormenores, reproduz o sonho da terrível estátua vista pelo rei, em forma humana. Foi uma verdadeira reconstituição do sonho esquecido. Ao dar a introdução do sonho, a mente do monarca Nabucodonosor, partindo do subconsciente para o consciente, pausadamente, vai aprovando cada palavra de Deus revelada a Daniel. O presente texto, nos revela o ponto final na reconstituição daquele segredo, e a seguir o profeta Daniel, promete ao monarca que fará a sua interpretação ali mesmo, na sua presença. Diante disso, vemos neste episódio um duplo milagre de Deus: 1) Revelar a Daniel o sonho esquecido. 2) Fazer conhecer a sua interpretação fielmente.

Aqueles que são fiéis ao Deus de Daniel, sempre terão diante de si a revelação dos segredos.

2.37. *"Tu, ó rei, és rei de reis, pois o Deus do Céu te tem dado o reino, o poder, e a força, e a majestade".*

"...rei de reis". Em Apocalipse ocorre também esta expressão, mas de forma singular. Em ambos os casos este título é aplicado à pessoa de Cristo em sua manifestação ao mundo com poder e grande glória, e concomitantemen-

te, relacionado com a batalha do Armagedom. (Ver Ap 17.14; 19.16.) A particularidade vista ali é muito significativa: Nabucodonosor é chamado no texto em foco de "rei de reis" (Edição Revista e Corrigida), ao passo que Jesus nosso Senhor, é chamado de "Rei *dos* reis, e Senhor *dos* senhores". A pessoa do Pai também em foco no Novo Testamento com este título (1 Tm 6.15). O poder de Nabucodonosor era relativo, e estava sujeito ao tempo e ao espaço. O de Cristo, porém, é absoluto e eterno. Chegará um dia em que todo e qualquer poder humano ou maligno terminará, e um só será o Senhor.

2.38: *"E onde quer que habitem filhos de homens, animais do campo, e aves do céu, ele os entregou na tua mão, e fez que dominasse sobre todos eles; tu és a cabeça de ouro."*

De acordo com a ilusão popular do desenvolvimento e progresso do mundo, a cabeça da estátua deveria ser de *lodo* e, os pés de *barro*, deveriam ser de ouro. Mas, de acordo com a história secular, ao contrário, a cabeça é de ouro, o metal mais precioso daquele tempo. O primeiro reino mundial babilônico foi um reino áureo. Ele foi realmente, comparado nas composições mais preciosas, como: o ouro, rei dos metais; o leão, rei dos animais; e, a águia, a rainha das alturas. O quarto reino, porém, que foi Roma, tinha de fato a resistência do ferro, mas dado o seu sistema republicano, tinha, de certo modo, seus pontos frágeis. A Roma escatológica, descrita no Apocalipse, tendo à testa do seu governo o Anticristo e os dez reis escatológicos vistos nos pés do colosso; será brutal diante dos frágeis homens, mas será como o barro diante dos flagelos de Deus descritos no Apocalipse (Cap 6 a 19).

2.39: *"E depois de ti se levantará outro reino, inferior ao teu; e um terceiro reino, de metal, o qual terá domínio sobre a terra."*

Tudo que fora predito neste sonho foi realmente comprovado pela História Universal. O primeiro reino (o babilônico) foi de fato o mais ilustre em todos os aspectos (menos em extensão geográfica), pois nesse sentido, o maior de todos foi o império Greco-Macedônio. Isso pode ser visto na própria extensão que existe entre o ventre e as coxas da terrível imagem. Essa extensão é maior que a cabeça. O reino em seguida foi representado pela prata, metal inferior ao ouro. O terceiro reino foi representado pelo cobre, metal inferior à prata. Em linhas gerais: o primeiro é o Império Babilônico. O segundo o Império Medo-Persa. O terceiro o Império Greco-Macedônico. Todos eles cresceram apontando para baixo. Assim também é o curso do mundo. A imagem espantosa do sonho de Nabucodonosor, com a sua deterioração dos metais em qualidade e força, é uma descrição da degeneração da raça humana cada vez mais oposta aos propósitos de Deus.

2.40: *"E o quarto reino será forte como ferro; pois, como o ferro esmiuça e quebra tudo, como o ferro quebra todas as coisas, ele esmiuçará e quebrantará."*

"..o quarto reino..." Todos sabem a que essa profecia se refere. É Roma. Lembremos sempre da imagem colossal que começou como um gigantesco e esplêndido colosso, mas que terminará como um montão de pó que o vento levará, em contraste com a pedra que começou como uma pequena coisa cortada do monte, mas, sendo divina, encheu toda a terra para sempre. Esta é Cristo. Ele apareceu sem auxílio de mãos humanas; isto dá ênfase ao fato de que esta conquista não é por força ou violência, nem por algum poder carnal, mas sobretudo, pela operação do Espírito de Deus. (Ver Zc 4.6.) Todos sabem que Roma começou a ser uma potência muito antes da Era Cristã e continuou até 476 d.C., quando os chamados "bárbaros" terminaram com o Império do Ocidente. Hoje Roma existe, mas não na realeza. Mas chegará o dia, e já está perto, quando nem uma coisa nem outra existirá.

2.41: *"E, quanto ao que viste dos pés e dos dedos, em parte de barro de oleiro, e em parte de ferro, isso será um reino dividido; contudo haverá nele alguma coisa da firmeza do ferro, pois que viste o ferro misturado com barro de lodo."*

O Império Romano, como já ficou demonstrado em notas anteriores, foi, na realidade poderoso, mas com o passar dos tempos, foi se tornando um império enfraquecido. A profecia divina nos fala, no presente texto, de "um reino dividido". O Império Romano foi fundado por dois irmãos gêmeos: Rômulo e Rêmulo que, segundo a lenda, foram alimentados pela Loba do Capitólio. Durante os primeiros séculos da Era Cristã (e já antes), foi um império poderoso como o ferro. Ele devorava, fazia em pedaços e pisava a pés qualquer nação que não se lhe sujeitasse. No V século d.C., porém, as tribos germânicas começaram a vibrar-lhe golpes formidáveis na região ocidental. Várias tribos, mesmo as por Roma conquistadas, contribuíram para o seu enfraquecimento. Os turcos e os sarracenos foram também outra arma mortal em seu enfraquecimento; especialmente na parte oriental do Império.

2.42: *"E como os dedos dos pés eram em parte de ferro e em parte de barro, assim por uma parte o reino será forte, e por outra será frágil."*

Os dedos dos pés vistos na estátua como sendo de "ferro e barro", estavam em alinhamento, como em alinhamento estavam os dez chifres da fera terrível descrita no capítulo 7.7-20, do livro; isso demonstra que serão dez reis que governarão ao mesmo tempo; alguns deles (talvez três) receberão poder apenas por "uma hora". (Ver Ap 17.12.) São eles os dez monarcas escatológicos que farão com o Anticristo, o homem do pecado, uma coligação, sob seu governo (Dn 7.24). Os intérpretes contemporâneos acham que o MERCADO COMUM EUROPEU seja o princípio da formação desta grande profecia. – Se assim for, qual destas três potências (das dez) cairiam? Atualmente, a sede desta organização é estabelecida na Bélgica, mas certamente com a ascensão do Anticristo, a sede de tudo isso irá para Roma(?) As predições contemporâneas dizem que sim.

2.43: *"Quanto ao que viste do ferro misturado com barro de lodo, misturar-se-ão com semente humana, mas não se ligarão um ao outro, assim como o ferro se não mistura com o barro."*

"...misturar-se-ão com semente humana". O presente texto pode ser interpretado de várias maneiras; mas a última, se coaduna muito bem com o argumento principal. 1) Um governo monárquico com suas características democráticas. Isso já aconteceu com Roma no passado, e pode, também, acontecer no futuro. (Ver Ec 3.15.) 2) O comunismo ateu mesclado de um certo sistema de religião alienada

de Deus, e inteiramente secularizado. (Comparar com Ap cap 17.) 3) O presente versículo tem em seu conteúdo, um caráter escatológico, e, como tal, aponta para o "tempo do fim", isto é, para os dias sombrios da Grande Tribulação, em que o mundo terá como líder, o Anticristo, "o filho da perdição". Seu governo "será segundo a eficácia (energia interna, ou operação interna) de Satanás, com poder, e sinais e prodígios da mentira, e com o engano da injustiça". Mesmo assim , o seu governo será desenvolvido também por agentes humanos. Portanto, a frase: "misturar-se-ão com semente humana" do texto em foco, pode ter esse sentido.

2.44: *"Mas, nos dias destes reis, o Deus do céu levantará um reino que não será jamais destruído; e este reino não passará a outro povo: esmiuçará e consumirá todos estes reinos, e será estabelecido para sempre."*

O reino de Deus está em foco no presente versículo. Ele será estabelecido para sempre com poder e grande glória. O reino de Deus, atualmente, já foi estabelecido por Cristo, mas apenas nos corações (Lc 17.21; Rm 14.17), porém, virá o tempo quando ele será estabelecido em todo o Universo. O Milênio que, de um certo modo, representa também "O Reino dos Céus", será a esfera primordial do "Reino de Deus". Este reino jamais será destruído ou modificado em da maneira de ser. O doutor C. I. Scofield, descreve sobre este "Reino" o que segue: "O reino de Deus é universal, incluindo todas as criaturas voluntariamente sujeitas à vontade de Deus, sejam os anjos, a igreja, ou os santos do passado e futuro (Lc 13.28,29; Hb 12.22,23), enquanto que o "Reino dos céus" é messiânico, meridional e davídico, e tem como alvo o estabelecimento do reino de Deus sobre a terra (Mt 3.2; 1 Co 15.24,25).

2.45: *"Da maneira como viste, que do monte foi cortada uma pedra, sem mãos, e ela esmiuçou o ferro, o cobre, o barro, a prata e o ouro, o Deus grande fez saber ao rei o que há de ser depois disto; e certo é o sonho, e fiel a sua interpretação."*

O leitor deve observar que todos os versículos que abrem espaço para a reconstituição do sonho e sua interpretação, descrevem, de um modo particular, "o tempo dos gentios". Este período denominado "O tempo dos gentios", refere-se ao "longo período que começou com o cativeiro babilônico sobre Judá no tempo de Nabucodonosor, e que terminará com a destruição do poder político gentílico mundial pela pedra "cortada sem mão" (Dn 2.34, etc), isto é, pela vinda gloriosa do Senhor (Ap 19.11-21), e durante o qual Jerusalém estará sujeita ao domínio gentílico. (Ver Lc 21.24.) Esse tempo dos gentios é analisado do ponto de vista político. Do ponto de vista divino, porém, o "tempo dos Gentios", no que diz respeito à salvação, começou com a rejeição de Israel da pessoa de Cristo, e terminará com o arrebatamento da Igreja (Mt 25.10; Rm cap 11).

2.46: *"Então o rei Nabucodonosor caiu sobre o seu rosto, e adorou a Daniel, e ordenou que lhe fizessem oferta de manjares e perfumes suaves."*

O presente texto mostra a grande admiração do poderoso monarca. Ele não podia acreditar que existisse tanta capacidade num ser humano! Adorou a Daniel como se fosse ao próprio Deus; Daniel, porém, não se exaltou com aquilo. Ele bem sabia e entendia perfeitamente que toda a glória e toda a honra só pertencem a Deus. Nabucodonosor o adorou porque não conhecia ainda aquele que era e é mais sábio que Daniel; mas Deus não levou em conta aquela ignorância (Ap 17.3) e perdoou-lhe aquele gesto. Fora do campo da ignorância, toda e qualquer adoração que se faz a outro ser é abominação aos olhos de Deus. A Bíblia nos adverte veementemente: "Só ao Senhor teu Deus adorarás, e só a ele servirás" (Mt 4.10).

2.47: *"Respondeu o rei a Daniel, e disse: Certamente, o vosso Deus é o Deus dos deuses, e o Senhor dos reis, e o revelador dos segredos, pois pudeste revelar este segredo."*

O rei babilônico, durante sua vida, falou muito de si mesmo e em si mesmo, mas naquele momento foi tomado pelo Espírito de Deus, e reconheceu a Deus como sendo "O Senhor". (Ver 1 Co 12.13.) Esse reconhecimento do rei teve seu caráter tríplice: 1) O Pai: "Deus dos deuses". 2) O Filho: "Senhor dos reis". 3) O Espírito Santo: "O Revelador dos segredos". Nabucodonosor representa também muitas pessoas da atualidade. Reconhecem a existência de Deus e se admiram até com seus grandes feitos, porém, ao mesmo tempo, não se ajustam à sua vontade, negando-o com as suas obras pecaminosas. (Ver Tt 1.16.) Deus deseja, acima de tudo, revelar-se às suas criaturas, não só como Criador, mas como Pai e Senhor. E, nesta gloriosa revelação, nós, seus filhos, nos sentimos colocados na posição de servos e filhos.

2.48: *"Então o rei engrandeceu a Daniel, e lhe deu muitos e grande dons, e o pôs por governador de toda a província de Babilônia, como também por principal governador de todos os sábios de Babilônia."*

Os acontecimentos narrados aqui, da vida de Daniel, nos fazem lembrar do que diz o salmista Davi, no Salmo 113.5-8: "Quem é como o Senhor nosso Deus, que habita nas alturas; que se curva para ver o que está nos céus e na terra; que do pó levanta o pequeno, e do monturo ergue o necessitado, para fazê-lo assentar-se com os príncipes, sim, com os príncipes do seu povo". Todas essas palavras se cumpriram na vida de Daniel! Ele era apenas um pobre escravo quando ali chegou; José, no Egito, era apenas um prisioneiro; ambos, porém, souberam humilhar-se debaixo da potente mão de Deus, e, no devido tempo, foram exaltados (1 Pe 5.6). Davi, o pequeno pastor, chegou à corte de Saul, apenas como um humilde cantor e músico; terminou sendo rei daquela nação.

Jovem, sê tu um Daniel, e assim serás um "homem mui desejado"! (Ver Dn 10.11.)

2.49: *E pediu Daniel ao rei, e constituiu ele sobre os negócios da província de Babilônia a Sadraque, Mesaque e Abdenego, mas Daniel estava às portas do rei."*

Daniel foi um homem exaltado por Deus, tanto na vida espiritual como na secular. Ele foi um dos herdeiros do "orvalho dos céus, (O Espírito de Deus, em sua plenitude) e das gorduras da terra (as bênçãos materiais)", como está declarado em Gênesis 27.28. Entretanto, ele não foi levado pelo sentimento indiferente do copeiro-mor do monarca Faraó, que, após ser abençoado, esqueceu-se de José (Gn 40.14,23). Daniel seguiu o verdadeiro exemplo de Jesus, o divino Mestre, lembrando-se de seus companheiros quando entrou no reino (Lc 23.42-43).

– O leitor está fazendo como aqueles que, em épocas passadas, ajudaram-no a ser o que você é? Se não está, faça-o depressa; porque Deus dá, mas também toma! (Jó 1.21). Este servo de Deus vivia de acordo com a vontade divina, e foi mais do que vencedor por aquele que o amou; não por sua própria causa, mas por causa daquele que merece toda a glória para todo o sempre. Amém.

3
Companheiros de Daniel na fornalha

3.1: *"O Rei Nabucodonosor fez uma estátua de ouro, a altura da qual era de sessenta côvados, e a sua largura de seis côvados: levantou-a no campo de DURA, na província de Babilônia."*

"...uma estátua de ouro..." Alguns comentadores de renome têm pensado que a estátua do presente texto fosse uma "imagem do deus Merodaque, o padroeiro da cidade de Babilônia; ou do deus Nebo, do qual derivava o nome do rei. Outros porém são de opinião que a estátua ali erigida era do próprio monarca Nabucodonosor. (Ver Jz 8.27; 2 Sm 18.18.) Entre os antigos conquistadores era natural que, após uma grande conquista, o conquistador fizesse uma estátua de sua própria pessoa, gravando nela o seu nome e o nome de seu deus. Segundo Heródoto, a "estátua de Sesostris, do Egito, tinha na largura do peito, de ombro a ombro, uma inscrição com os caracteres sagrados do Egito, onde se lia: 'Com meus próprios ombros conquistei esta terra". E, segundo Cícero, havia "uma bela estátua de Apolo, em cuja coxa estava o nome de Miro, em minúsculas letras de prata". Pode, de fato, ser imaginado que a estátua erigida ali, fosse a do próprio rei, contendo, na altura do peito, o nome de seu deus (Comp. com Ap 13.15.) Quan-

to ao testemunho da Arqueologia, Operte, que fez escavações nas ruínas de Babilônia, em 1854, achou o pedestal de uma *colossal estátua* que pode ter sido um resto da gigante imagem de ouro de Nabucodonosor.

"...no campo de DURA..." A palavra persa que dá origem a esse nome significa: lugar rodeado por muros. É uma abreviação de um nome mais longo, composto com Duru, tal como Duru-sha-Karrabi, um subúrbio de Babilônia. Ali, pois, foi levantada uma estátua que media 30 metros por 3, aproximadamente. O côvado babilônico, segundo o "Dic. Davis", media 0,56 a 0,58 centímetros, o que daria, em números redondos, aproximadamente, transformando côvados em metros, 34,00 a 35,00 m de altura poı 3,40 de largura, ou seja, 60 x 6 côvados.

3.2: *"E o rei Nabucodonosor mandou ajuntar os sátrapas, os prefeitos e presidentes, os juízes, os tesoureiros, os conselheiros, os oficiais, e todos os governadores das províncias, para que viessem à consagração da estátua que o rei Nabucodonosor tinha levantado."*

"...tinha levantado". O original pode verter as palavras da seguinte forma: "O rei Nabucodonosor fez uma imagem de ouro. E levantou-a". Estas palavras formam um refrão que percorre a primeira metade do capítulo (versículos 1 a 18). O grande ídolo de Nabucodonosor era uma imagem nova e nacional. E, evidentemente, o objetivo do monarca era consolidar todas as nacionalidades do mundo em uma só nação. A nação babilônica. "Para alcançar tal coisa, era essencial que o governo fosse supremo em tudo, tanto no sentido religioso como no civil. A Roma pagã, séculos depois, fez o mesmo, perseguindo os crentes, não somente porque faziam cultos a Cristo, mas porque não adoravam a César, o imperador, como um ser divino..." Nota-se nas palavras, repetidas vezes, que o rei ajuntou "os sátrapas, os prefeitos, e presidentes, os juízes, os tesoureiros, os conselheiros, os oficiais, e todos os governadores... para que viessem à consagração". Isso era, sem dúvida, uma forma para dar prestígio à inauguração da nova religião, ajuntando, assim, as autoridades de todas as províncias do seu vasto reino.

3.3: *"Então se ajuntaram os sátrapas, os prefeitos e presidentes, os juízes, os tesoureiros, os conselheiros, os oficiais, e todos os governadores das províncias, para a consagração da estátua que o rei Nabucodonosor tinha levantado, e estava em pé diante da imagem que Nabucodonosor tinha levantado."*

O leitor deve observar a repetição exata da lista de oficiais de grandes patentes, bem como dos instrumentos musicais, pode estar refletindo um estilo de retórica semítica; isso, podemos observar no próprio Pentateuco, era uma forma hebraica; enquanto a forma grega era abreviada. A lista de autoridades segue o estilo grego daqueles dias. Sátrapas, é uma transliteração da palavra grega que, por sua vez, representa um original medo. A palavra significa "protetor" e era usada no Império Persa para o governador de uma província. As demais patentes são palavras de vasto sentido no mundo ocidental e principalmente no oriental. Quase que as funções da lista restante, são traduzidas por magistrados, como se todos fossem juízes. Mas é evidente que os governantes daqueles dias eram considerados juízes, conselheiros, etc.

3.4: *"E o arauto apregoava em alta voz: Ordena-se a vós, ó povos, nações e gente de todas as línguas."*

"...o arauto..." Em toda a extensão da Bíblia, apenas aqui, há referência especificada a esta palavra. Verdade é, que em o Novo Testamento o vocábulo grego "kẽryx" se traduz como "pregador" em 1 Tm 2.7 e 2 Tm 1.11 e 2 Pe 2.5. No idioma aramaico, o verbo "kãrôz" se traduz por "o que clama", derivado, provavelmente, não como se tem pensado, do termo grego "kẽryx", mas do persa antigo "khraus", que quer dizer: "o que clama". Aqui, no presente texto, o vocábulo é aplicado ao locutor (em termos modernos) encarregado da divulgação feita por expressa ordem do rei, para a consagração da estátua. Diz-se que ele "apregoava em alta voz". A forma causativa da raiz verbal, "krz", é encontrada em Daniel 5.29, onde lemos: "...e proclamassem a respeito dele...". Nos dias hodiernos se traduz, na versão portuguesa, o vocábulo grego *kẽryx* como "pregoeiro", mensageiro, etc. Seja como for, o arauto era um homem revestido de grande autoridade, na proclamação daquela corte.

3.5. *"Quando ouvirdes o som da buzina, do pífaro, da harpa, da sambuca, do saltério, da gaita de foles, e de toda a sorte de música, vos prostrareis, e adorareis a imagem de ouro que o rei Nabucodonosor tem levantado."*

"...buzina..." Essa palavra tem um sentido lato nas Escrituras Sagradas, sendo, porém, no grego clássico, traduzida também por trombeta. Como trombeta, há menção freqüente desse instrumento, tanto no Antigo como no Novo Testamento. Tratava-se de um instrumento feito de um chifre longo com uma extremidade virada: era dessa forma a trombeta nacional dos israelitas. Era usada em ocasiões militares e religiosas. Paulo fala que o arrebatamento da Igreja, será precedido pela trombeta de Deus (1 Ts 4.16).

"...pífaro..." Essa é a tradução dada por nossa versão do termo aramaico "mashrôqitâ". Ocorre apenas no presente versículo e naqueles que se seguem. Deriva-se da raiz "shãraq", uma palavra onomatopéica que significa "assobiar" ou "chiar". O som deste instrumento é acompanhado por um som sibilante. É razoável, embora improvável, que o instrumento acima mencionado pertencia a uma classe de flata.

"...harpa..." Originalmente, esse instrumento tinha um formato triangular, com sete cordas. Mais tarde, o número de cordas foi aumentado para onze (11) e Josefo menciona em seus escritos harpas contendo dez cordas, as quais eram tangidas com um "plectum" ou pequena peça de marfim. A harpa é instrumento já mencionado em Gn 4.21. Também nos salmos há alusão a esse instrumento em várias conexões (Sl 33.2; 98.5; 147.7).

"...sambuca..." Sobre esse instrumento há várias opiniões: 1) "Um instrumento de sopro, usado na Idade Média, consistindo de um longo tubo de bronze, com uma chave móvel para mudar o som das notas da música, à semelhança de um trombone. 2) O instrumento mencionado em Dn 3.5, pertence a uma classe muito diversa: é instrumento de cordas, que em aramaico se denomina "sabbekã". 3) A "sabbekã" é usualmente identificada com o grego "sambykẽ" sendo esse o vocábulo usado para traduzi-lo no texto em foco, e na Septuaginta. Tem sido descrita

como uma pequena harpa triangular. Seja como for, era um instrumento de cordas, e não de sopro, que, segundo Estrabão, era de origem bárbara.

"...saltério..." Esta palavra se deriva do vocábulo grego "psaltẽrion", que denota um instrumento tocado com os dedos, e não com um plectro. O verbo grego "psaltõ" significa tocar vigorosamente. Para nós, essa palavra "saltério" se traduzia também por "viola". O saltério era bem conhecido do povo de Israel. (Ver 1 Sm 10.5; Sl 33.2 e ss.) O saltério, como já ficou demonstrado acima, era um instrumento de dez cordas, sempre citado em conexão com o louvor.

"...gaita de foles..." Essa é a tradução de nossa versão da palavra aramaica "sumpônyã", que é geralmente considerada como uma palavra emprestada do grego. Em toda a extensão da Bíblia ocorre apenas no presente capítulo. Todavia, parece que tal tradução é bem adequada, pois tratase, realmente, de alguma espécie de instrumento de sopro. "A tradução italiana moderna é 'sanpogna', uma espécie de gaita de foles em uso corrente naquele país".

3.6: *"E qualquer que se não prostrar e não a adorar, será na mesma hora lançado dentro do forno de fogo ardente."*

"E qualquer que não se prostrar..." O presente versículo nos mostra a crueldade existente naquela corte. A punição para qualquer um que fosse insensato (segundo o rei) seria a sua morte iminente no lago de fogo ardente, que, sem dúvida, ficava ali perto do grande cortejo religioso. O presente texto e outros correlatos nos dão a entender que a fornalha de fogo seria fechada por uma porta, pois a pessoa tinha de ser lançada ali no seu interior; isso também, segundo a tecnologia, era um meio natural de aumentar o calor forçando a entrada de ar e eliminando o oxigênio. É difícil vislumbrar qual teria sido a aparência daquela fornalha na velha Babilônia, a não ser o que pode ser depreendido dos textos em foco, pois a despeito de escavações, raramente dispomos de maquetes ou desenhos com dimensões apropriadas.

3.7: *"Portanto, no mesmo instante em que todos os povos ouviram o som da buzina, do pífaro, da harpa, da sam-*

buca, do saltério, e de toda a sorte de música, prostraram-se todos os povos, nações e línguas, e adoraram a estátua de ouro que o rei Nabucodonosor tinha levantado."

"...prostraram-se todos os povos..." O original traz literalmente, "assim que começaram a ouvir, começaram a prostrar-se". Houve uma resposta total e imediata. O rei havia atingido seu objetivo e a unidade que buscava. Devemos observar como são repetidas na narrativa, as expressões: "o som da buzina, do pífaro, da harpa, da sambuca, do saltério, etc". (Ver os vv. 5,7,10,15.) "Nesse culto religioso de Nabucodonosor não havia coisa alguma para a alma. Consistia apenas de coisas para agradar os olhos e ouvidos. Era apenas um culto de formalismo com cerimônias atraentes perante a imagem grande em tamanho, mas tudo tão-somente para despertar as emoções do povo. Tudo era muito oco e vazio. Não havia coisa alguma de sacrifício, de sangue, de perdão de pecados, do Espírito Santo, nem do novo nascimento com poder de livrar o pecador de seus pecados. Tudo era fantasia".

3.8: *"Ora, no mesmo instante, se achegaram alguns homens caldeus, e acusaram os judeus."*

"...acusaram os judeus". O original diz claramente, "acusaram maliciosamente". (ARA, "acusaram"), se traduz também pela pitoresca expressão "comer os pedaços de carne arrancados do corpo de alguém", daí "difamar". O Missionário O. Boyer comenta o que segue: "Podemos imaginar a enorme multidão espalhada na planície de Dura, diante da gigantesca estátua de ouro. Ao soar a música das buzinas, dos pífaros, das harpas, das sambucas, dos saltérios, das gaitas de foles e de toda a qualidade de instrumentos, todas as pessoas ali presentes a não ser os três hebreus, cujos vultos, em pé na planície, se salientavam contra a luz do céu, se prostraram! Por certo ao povo de Deus não faltavam inimigos; consta que no mesmo instante... acusaram os judeus ao rei. O acusador de nossos irmãos não dorme um instante, como também não pára de acusar, mas Deus também não pára um só instante de defender seus fiéis. (Ver Jó 1.8; 2.3; Lc 22.31,32, etc.)

3.9: *"E falaram, e disseram ao rei Nabucodonosor: Ó rei, vive eternamente."*

"*...Ó rei, vive eternamente!*" A presente expressão tem em seu fundo o foco de bajulação. No campo espiritual é a velha hipocrisia que tantos males tem causado aos filhos de Deus. Nos dias atuais, a hipocrisia é muito freqüente no seio da cristandade. Paulo falou dela, como um sinal dos últimos dias (1 Tm 4.2). Gradualmente, essa palavra foi assumindo um sentido negativo, dando a entender uma pessoa pretensiosa, alguém que dizia algo e queria dizer outra coisa. A hipocrisia pode e tem trazido "cauterização" na mente do homem. Isto é, a palavra denota uma pessoa que já se tinha tornado insensível, e, por essa razão, para alcançar aquilo que deseja, não usa mais a fé, mas a hipocrisia disfarçada. Os sábios do monarca Nabucodonosor já tinham atingido tudo isso em grau máximo.

3.10: "*Tu, ó rei, fizeste um decreto, pelo qual todo o homem que ouvisse o som da buzina, do pífaro, da harpa, da sambuca, do saltério, e da gaita de foles, e de toda a sorte de música, se prostraria e adoraria a estátua de ouro.*"

O versículo em foco, faz novamente referência à "banda musical" daquela solenidade pagã. Naquela festa que tanto aborrecia a alma de Deus, já se podia detectar sinais do espírito do Anticristo, o homem do pecado. (Ver 2 Ts 2.3.) Observemos os números apresentados na imagem e banda musical no culto pagão do rei Nabucodonosor: 1) A estátua tinha de altura sessenta côvados. 2) Tinha de largura seis côvados. 3) A banda de música compunha-se de seis instrumentos: buzina, pífaro, harpa, sambuca, saltério e gaita de foles. É curioso observarmos aí o número seiscentos e sessenta e seis (666). O Anticristo terá esse número talvez na testa e não na mão, e, semelhantemente, seus súditos o terão também. (Ver Ap 13.16-18). Devemos ter em mente que as Escrituras são de natureza profética e se combinam entre si em cada detalhe. (Ver Ec 3.13.)

3.11: "*E, qualquer que se não prostrasse e adorasse, seria lançado dentro do forno de fogo ardente.*"

"*...se não prostrasse e adorasse...*" As presentes expressões ocorrem repetidas vezes neste capítulo. Isso nos mostra a natureza religiosa do homem, em qualquer tempo ou lugar. A palavra que deu origem ao vocábulo *homem*, é muito bem acentuada com sua natureza, pois de acordo com o grego, a palavra homem é "anthropos", em seu sentido lato significa *aquele que olha para cima.* Esse pensamento se coaduna com o restante das Escrituras, pois onde quer que se encontre o homem, ele está voltado sempre para a adoração de uma coisa. O coração humano, por sua própria natureza, busca a Deus, ainda que de forma imperfeita. (Ver At 17.27.) O Doutor Scofield, comenta: "É impossível aniquilar o sentimento religioso da pessoa humana; esse sentimento nela é imortal". Nabucodonosor já conhecia, nesse tempo, o Deus verdadeiro, mas não lhe deu a glória a Ele merecida, por isso lhe sobreviriam outros castigos. (Ver cap 4.)

3.12: *"Há uns homens judeus, que tu constituíste sobre os negócios da província de Babilônia: Sadraque, Mesaque e Abdenego: estes homens, ó rei, não fizeram caso de ti; a teus deuses não servem, nem a estátua de ouro, que levantaste, adoraram."*

O presente versículo mostra os acusadores em plena atividade, prestando um serviço à pessoa de Satanás, o acusador de nossos irmãos, "...o qual diante de nosso Deus os acusava de dia e de noite" (Ap 12.10). Eles bem sabiam das circunstâncias em que estes judeus haviam sido designados para os cargos, e estavam ressentidos pelo fato de ter o rei promovido estrangeiros para estarem acima deles. Agora, porém, segundo eles, estava ali a oportunidade de obter o favor do rei, revelando-lhes a traição daqueles jovens inocentes. Eles esqueceram que Deus "se curva para ver o que está nos céus e na terra. Que do pó [do próprio cativeiro] levanta o pequeno, e do monturo ergue o necessitado, para o fazer assentar com os príncipes..." (Sl 113.6-8). Sadraque, Mesaque e Abdenego, foram promovidos ali, exclusivamente pela misericórdia de Deus (Dn 2.49).

3.13: *"Então Nabucodonosor, com ira e furor, mandou chamar Sadraque, Mesaque e Abdenego. E trouxeram a estes homens perante o rei."*

"...com ira e furor..." O presente texto e outros que se seguem neste capítulo, mostram o rompimento da ira humana. Os homens da Antiga Aliança já notavam que o nariz da pessoa irada se dilata e suas narinas tremem. Também para eles a expressão "seu nariz se inflamou" significa

"encolerizou-se" e o substantivo "nariz", ou "narinas", é mais corrente para a designação da cólera. Comparemos, para nosso uso, os dois exemplos seguintes, um aplicado ao homem, e outro a Deus: 1) "Então se *acendeu a ira* de Jacó contra Raquel, e disse: Estou eu no lugar de Deus, que te impediu o fruto de teu ventre?" (Gn 30.2). 2) "Então se *acendeu a ira* do Senhor contra Moisés, e disse: Não é Arão o levita, teu irmão? Eu sei que ele falará muito bem..." (Êx 4.14). Um estado de ira na pessoa humana, pode antecipar o pecado (Sl 4.4; Ef 26). Nabucodonosor não observou nada destas coisas!

3.14: *"Falou Nabucodonosor e lhes disse: É de propósito, ó Sadraque, Mesaque e Abdenego, que vós não servis a meus deuses nem adorais a estátua de ouro que levantei?"*

"...É de propósito..." A presente pergunta do rei mostra que ele tinha tomado o ato daqueles judeus como um verdadeiro desprezo ao seu edito real, porém, a atitude dos jovens servos de Deus tem o seu alto valor, porque parte de um *estado de firmeza* em/ou sobre alguma coisa. Paralelos disso podemos ver em: 1) At 11.23, onde lemos: "O qual [Barnabé], quando chegou, e viu a graça de Deus, se alegrou, e exortou todos a que permanecessem no Senhor com *propósito* do coração". Barnabé vira a graça de Deus ali, e se regozijou com ela; mas sabia, conforme o sabem todos os verdadeiros mestres, que, para se continuar em toda a boa obra, é necessário também haver um "propósito no coração". 2) Esse é o propósito de Deus na salvação do homem, conforme está declarado em Ef 1.11, onde lemos: "Nele [Cristo], digo, em quem também fomos feitos herança, havendo sido predestinados, conforme o *propósito* daquele que fez todas as coisas..." No texto em foco, de fato, havia um "propósito" dos três jovens para não adorarem aquela imagem, mas adorarem só ao Senhor seu Deus (Êx 20.3 e ss).

3.15: *"Agora, pois, se estais prontos, quando ouvirdes o som da buzina, do pífaro, da guitarra, da harpa, do saltério, da gaita de foles, e de toda a sorte de música, para vos prostrardes e adorardes a estátua que fiz, bom é; mas, se a não adorardes, sereis lançados, na mesma hora, dentro do forno de fogo ardente: e quem é o Deus que vos poderá livrar das minhas mãos?"*

"*...da guitarra...*" O leitor deve observar que a palavra "sambuca", sobre a qual já tivemos oportunidade de escrever em notas expositivas do versículo 5, ponto 4, é agora, nessa nova lista feita pelo rei, substituída pela palavra "guitarra". Outro ponto importante a ser analisado no versículo em foco é que a justiça babilônica, mesmo desprovida do temor divino, não condenou os três homens tão-somente com base no "dizem que" e, por isso, a despeito da sua furiosa ira, Nabucodonosor lhes deu uma oportunidade de retrocederem. O fator possível, nesta observação, era que o grande monarca babilônico não perdesse a compostura diante de tão magnificente assembléia de delegados internacionais ali presentes; mas, como um monarca daquele, não podia ser desmoralizado, ele desafia os próprios poderes do mundo superior, dizendo: "e quem é o Deus que vos poderá livrar das minhas mãos?"

3.16: "*Responderam Sadraque, Mesaque e Abdenego, e disseram ao rei Nabucodonosor: Não necessitamos de te responder sobre este negócio.*"

"*Não necessitamos de te responder sobre este negócio*". O presente versículo mostra os três jovens hebreus diante do poderoso monarca; eles, tecnicamente, são culpados diante daquela corte, e nada há que os três possam dizer em sua defesa. Eles responderam ao rei dizendo: "Não necessitamos de te responder". Há uma interpretação feita com base no original aramaico, que diz: "Nós não te responderemos! Deus te responderá! Ele pode, tanto nos livrar como nos entregar nas tuas mãos, depende dele". O verdadeiro cristão não faz sua defesa prévia, mas deixa tudo por conta do Senhor que disse: "Não vos vingueis a vós mesmos, amados, mas dai lugar à ira, porque está escrito: Minha é a vingança; eu recompensarei, diz o Senhor". É evidente, portanto, que Deus recompensará, tanto o ofendido como o ofensor: o primeiro com sua bênção; o segundo com seu castigo.

3.17. "*Eis que o nosso Deus, a quem nós servimos, é que nos pode livrar: ele nos livrará do forno de fogo ardente, e da tua mão, ó rei.*"

"...o nosso Deus, a quem nós servimos..." O presente texto, declara claramente a posição dos três jovens hebreus, quanto à ordem do rei. Eles apelam tanto para "providência" como para "o poder de Deus". Seja como for, Deus livra como quer! Se Deus usasse a providência no presente caso, os moços não teriam ido para dentro do forno de fogo ardente, porém, é evidente que o monarca não teria reconhecido a soberania do Criador. (Ver v 29.) Assim, Deus permitiu que seus servos fossem parar ali; não os livrou *do* forno, mas os livrou *no* forno. Deus permitiu que José, mesmo inocente, fosse parar na prisão, vítima de uma calúnia da mulher de Potifar, capitão da guarda de Faraó (Gn cap 40), mas dali Deus o exaltou, fazendo-o assentar-se no trono, ao lado de Faraó. Deus é sempre o mesmo, tanto no passado como no presente. Ele não muda. O apóstolo Paulo entendeu isso, quando disse: "E sabemos que *todas* as coisas contribuem juntamente para o bem daqueles que amam a Deus, daqueles que são chamados por seu decreto" (Rm 8.28).

3.18: *"E, se não, fica sabendo, ó rei, que não serviremos a teus deuses nem adoraremos a estátua de ouro que levantaste."*

"...não serviremos a teus deuses..." Os jovens judeus, como já ficou demonstrado em outro capítulo deste livro, mesmo numa terra de cativeiro, permaneceram fiéis à lei do seu Deus, que dizia: "Não terás outros deuses diante de mim" (Êx 20.3). É perfeitamente compreensível que Deus, disposto a ser o único Deus suficiente e o recurso sobrenatural do seu povo proíba um apelo a quaisquer outros poderes sobrenaturais. Por isso, entendemos que o espiritismo é proibido a quem crê num Deus vivo. No conceito divino, é impossível a criatura humana fazer uma representação superior à sua própria idéia, e por isso é-lhe impossível apresentar dignidade à divindade, pois Deus há de ser infinitamente superior ao nosso mais sublime pensamento. Nabucodonosor não compreendia esse princípio emanado do supremo Deus, mas aqueles hebreus sim, o conheciam muito bem.

3.19: *"então Nabucodonosor se encheu de furor, e se mudou o aspecto do seu semblante contra Sadraque, Me-*

saque e Abdenego. Falou, e ordenou que o forno se aquecesse sete vezes mais do que se costumava aquecer."

"...se mudou o aspecto do seu semblante..." Se os psicólogos modernos vivessem naqueles dias, bem podiam descrever a "ira" do rei da seguinte forma: "Reações negativas como estas (de Nabucodonosor), podem causar muito sofrimento." Strecker e Appel compilaram uma lista de palavras que são usadas para descrever raiva como esta desse rei: "Quando se percebe numa pessoa a presença da raiva, dizemos que ela está furiosa, amargurada, frustrada, irritada, amolada, aborrecida, esquentada, enraivecida, inflamada, indignada, exasperada, ofendida, molestada, antagônica, afobada, doente, atravessada, feroz, selvagem, manhosa, hostil, mortal, perigosa, ofensiva. Além disso, uma vez que a raiva representa energia e compele os indivíduos a fazerem alguma coisa para magoar ou destruir, existe uma série de verbos que expressam ações motivadas pela raiva: odiar, ferir, prejudicar, aniquilar, desdenhar, desprezar, menosprezar, detestar, abominar, demolir, repugnar, ridicularizar, implicar, provocar, caçoar, humilhar, espicaçar, envergonhar, criticar, cortar, contrariar, desterrar, banir, brigar, surrar, subjugar, derrotar, competir, embrutecer, maltratar, oprimir, intimidar, esmagar, imprensar". Todas estas e outras emoções foram consolidadas em Nabucodonosor, em grau supremo!

3.20: *"E ordenou aos homens mais fortes, que estavam no seu exército, que atassem a Sadraque, Mesaque e Abdenego, para os lançarem no forno de fogo ardente."*

O presente versículo marca o final do diálogo entre o rei e os jovens indefesos. O monarca estava transtornado. Ele não podia imaginar que alguém lhe falasse com tal ousadia e coragem. Furioso, como acima já demonstramos, tanto pela desobediência como pela ousadia, mandou que aquecesse o forno "sete vezes mais". Diante de tal ordem vinda do rei, os aquecedores entraram em ação, aquecendo a velha fornalha criminosa! "O grande calor seria fornecido por carvão, e se estima que a temperatura chegaria por volta de 900 a 1.000 graus. A sugestão de que a fornalha tivesse sido um tanque de gás ou de óleo em chamas, tais como podem ser vistos hoje no Oriente Médio, em Kirkuk, não se coaduna com a tese principal do texto em foco" [(66) KB, p. 1121, qrs.] Humanamente falando, não havia ali solução para os três jovens inocentes, a não ser da parte daquele que disse: "Quando passares pelo fogo, não te queimarás, nem a chama arderá em ti" (Is 43.2).

3.21: *"Então aqueles homens foram atados com as suas capas, seus calções, e seus chapéus, e seus vestidos, e foram lançados dentro do forno de fogo ardente."*

"...seus chapéus..." O versículo em foco fala dos apetrechos usados pelos ministros daquela corte: capas, calções, vestidos e chapéus. Porém, no presente texto, tomamos como base a palavra "chapéus" em razão de ser, em toda a extensão da Bíblia a única ocorrência deste gênero. A palavra "chapéu" como a temos em nossos dias, teve sua raiz no aramaico, exclusivamente (Dn 3.21), isto é, "karbelã". Entre os próprios arameus essa palavra era bastante rara. A palavra mais usada era outra, que chega mais perto do sentido, como "túnica, calção e *barrete*". Os setenta procuraram dar o melhor sentido possível como segue: "capa, calção, vestido e chapéu". Seja como for, todas aquelas peças faziam parte da ornamentação da farda dos ministros.

3.22: *"E, porque a palavra do rei apertava, e o forno estava sobremaneira quente, a chama do fogo matou aqueles homens que levantaram a Sadraque, Mesaque e Abdenego."*

"...A chama do fogo matou aqueles homens..." O presente versículo tem seu paralelo em Pv 26.27, onde lemos: "O que faz uma COVA nela cairá; e o que revolve a pedra, esta sobre ele rolará" (Ec 10.8). O livro de Ester, uma jovem cativa que se tornou rainha, registra também um acontecimento similar. Hamã, grande inimigo dos judeus, pediu ao rei, e obteve dele a ordem para matar todos os judeus. Mas Deus interveio e tudo foi modificado: Hamã morreu na forca que ele mesmo tinha levantado (Et 7.9-10). Assim, a justiça tem sido estabelecida, a iniqüidade castigada, a bondade recompensada e a coragem coroada. Na corte persa, agora, a rainha é judia e o primeiro ministro um judeu. Tudo isso nos faz lembrar de José e Moisés na corte faraônica. E Daniel e seus companheiros na corte

babilônica. Os próprios inimigos dos três jovens hebreus, foram colhidos pelas labaredas selvagens do forno de fogo ardente, enquanto que os moços nada sofreram. Seja como for no campo espiritual, "a justiça livra da morte" (Pv 11.4).

3.23: *"E estes três homens, Sadraque, Mesaque e Abdenego, caíram atados dentro do forno de fogo ardente."*

"...caíram atados..." Os três servos de Deus, finalmente caíram dentro do forno ardente! Os inimigos do rei, segundo os olhos cegos, eram aqueles pobres inocentes, enquanto seus amigos seriam aqueles cujas vidas eram reprovadas pelos poderes do mundo superior. O rei Herodes, sendo repreendido por João, não se arrependeu de suas maldades, mas acrescentou a todas as outras ainda esta, a de encerrar João num cárcere. Herodes mandou que atassem a João e em seguida o encerrassem na prisão. João Batista já tinha terminado sua "carreira" (At 13.25) e Deus permitiu que seu servo fosse morto. (Ver Mt 14.1-12.) Mas, Sadraque, Mesaque e Abdenego ainda tinham algo a realizar e, por isso, eram imortais até o dia da morte natural. O verdadeiro crente tem em si mesmo esta confiança: enquanto ele tiver um serviço a fazer na terra, será imortal e só morrerá no dia em que Deus quiser!

3.24: *"Então o rei Nabucodonosor se espantou e se levantou depressa: falou, e disse aos seus capitães: – Não lançamos nós três homens atados dentro do fogo? Responderam e disseram ao rei: – É verdade, ó rei."*

A salvação dentro do conceito bíblico pode ser analisada em vários aspectos, mas apenas focalizaremos um dos muitos elementos que fazem parte dos matizes da redenção: é a salvação do ponto de vista humano. A salvação, neste ponto de vista, é primeiramente libertação material e concreta: diz respeito à vida do homem ou do povo nas múltiplas peripécias em que corre perigo. Ser salvo equivale a sair ileso de uma situação perigosa em que alguém se arriscava a um fracasso, a uma derrota ou à morte. O israelita sobre o campo de batalha (Dt 20.4), ou o fiel atacado pela doença ou pela angústia (Sl 6.5; 69.2, etc), ambos voltam-se para o Senhor em procura de libertação, que é a ajuda no sentido material (quando visto por este prisma), como um amigo que cuida do seu enfermo, como um batalhão que socorre outro atacado por forças superiores, etc. No presente texto, podemos ver o monarca babilônico espantado, ao contemplar a grande salvação de Deus efetuada na vida daqueles jovens.

3.25: *"Respondeu, e disse: Eu, porém, vejo quatro homens soltos, que andam passeando dentro do fogo, e nada há de lesão neles; e o aspecto do quarto é semelhante ao filho dos deuses."*

"....o aspecto do quarto [homem]". O presente texto põe em foco o Filho de Deus. Jesus é o quarto homem em vários aspectos e, como tal, Ele é o grande Vencedor. Cristo é o vencedor por vários motivos; consideremos os seguintes pontos: 1) Cristo venceu através do equilíbrio de seu caráter; 2) através do seu ofício real; 3) através de sua descendência real como filho de Davi, segundo a carne (Rm 1.3); 4) através de seu poder inerente, na qualidade de Leão da Tribo de Judá; 5) através da sua missão terrena, que foi completada, incluindo a expiação, a sua ressurreição e a sua glorificação. Essa grande vitória de Cristo é abrangente e universal, e pode consolar a todos os corações. No presente versículo, porém, Cristo como o quarto personagem, venceu pelo seu supremo poder pessoal, emanado daquele que é o próprio "poder", Deus, o Pai. (Ver Mt 26.64.)

3.26: *"Então se chegou Nabucodonosor à porta do forno de fogo ardente ; falou, e disse: Sadraque, Mesaque e Abdenego, servos do Deus Altíssimo, saí e vinde! Então Sadraque, Mesaque e Abdenego saíram do meio do fogo."*

"...servos do Deus Altíssimo, saí e vinde!..." Os termos "servidor", ou "servo", em hebraico, são "ebed e abad"; conotam trabalho e submissão. No campo religioso é que toma este termo sentido mais rico: "servo" é quem está sujeito a Deus e trabalha no seu serviço. O serviço de Deus contém, antes de mais nada, uma magnificação cultual e litúrgica que até hoje em dia vigora entre nós: o serviço de Deus para nós também se relaciona com o culto divino. No Antigo Testamento, essa palavra tomou um sentido mais individual e pode designar uma determinada pessoa: Abraão (Gn 26.24), Moisés (Êx 14.31), Davi (2 Sm 3.18).

Deus também chamou Nabucodonosor de "meu servo" (Jr 25.9; 27.6). Cristo, nosso Senhor, é também chamado de "servo do Senhor" em várias partes das Escrituras. Os três jovens hebreus são considerados "servos" porque demonstraram diante do mundo pagão sua verdadeira fé e lealdade a Deus.

3.27: *"E ajuntaram-se os sátrapas, os prefeitos, e os presidentes, e os capitães do rei, contemplando estes homens, e viram que o fogo não tinha tido poder algum sobre os seus corpos: nem um só cabelo da sua cabeça se tinha queimado, nem as suas capas se mudaram, nem cheiro de fogo tinha passado sobre eles."*

"...nem um só cabelo da sua cabeça se tinha queimado..." Não é em vão que diz a Escritura: "E até mesmo os cabelos da vossa cabeça estão todos contados" (Mt 10.30), e "não perecerá um único cabelo da vossa cabeça" (Lc 21.18). O leitor deve observar uma particularidade nesta narrativa: é que só foram queimadas na fornalha ardente as "cordas", porque estas eram do rei. Jesus, em seu imortal ensino, indica que um cabelo da cabeça de um homem tem um valor maior que um passarinho. Os passarinhos eram usados em números quase infinito nos sacrifícios, e com a moeda menor em valor podia-se comprar dois, ou cinco por duas dessas moedas. (Ver Lc 12.6.) Confrontando o texto de Mateus 10.30 com Lc 12.6, observamos que, comprando dois por uma moeda e cinco por duas, um "pássaro" seria, praticamente, sem valor. Porém, é evidente que o cuidado de Deus recai também sobre esses pássaros. Jesus mostra, assim, que o homem tem mais valor do que os pássaros e por esta razão deve descansar apoiado no cuidado do Pai. Deus velou pelos cabelos dos três jovens hebreus, também velará pelos nossos!

3.28: *"Falou Nabucodonosor, e disse: Bendito seja o Deus de Sadraque, Mesaque e Abdenego, que enviou o seu anjo, e livrou os seus servos, que confiaram nele, pois não quiseram cumprir a palavra do rei, preferindo entregar os seus corpos, para que não servissem nem adorassem algum outro deus, senão o seu Deus."*

"...que enviou o seu anjo..." O escritor da epístola aos Hebreus, define sua angelologia da seguinte forma: "Não

são porventura todos [os anjos] eles espíritos ministradores, enviados para servir a favor daqueles que hão de herdar a salvação?" (Hb 1.14). A palavra "anjo" em si mesma não define o nome desse ser superior, mas, sim, a idéia de "mensageiro" ou "ofício". Em hebraico ("mal'ãkh") – lê-se malaque –, no grego da Septuaginta "angellos"; os termos denotam um mensageiro de Deus, familiarizado com Ele face a face, e por isso pertencentes a uma ordem de seres superiores ao homem. (Ver Sl 8, etc.) Assim, o termo "anjo" se tornou familiarizado entre o povo da aliança para designar um espírito que leva uma mensagem. Eles são vistos em toda a história da Bíblia Sagrada com esse objetivo. Algumas das suas atividades no Céu e sobre a terra, no passado, são registradas em ambos os Testamentos, sempre como mensageiros, "enviados para servir a favor daqueles que hão de herdar a salvação". No texto em foco, o monarca babilônico julga ter visto "um anjo", embora sua declaração no versículo anterior diga ter visto algo semelhante "a um filho dos deuses" (ARA). (O original diz: *Filho de Deus,* mas como a palavra saiu de lábios pagãos, os escritores clássicos acharam por bem traduzir por: *filho dos deuses)*). Assim sendo, o personagem visto pelo rei, mesmo sendo chamado de "anjo", foi o próprio Jesus Cristo em suas manifestações pré-encarnação.

3.29: *"Por mim pois é feito um decreto pelo qual todo o povo, nação e língua que disser blasfêmia contra o Deus de Sadraque, Mesaque e Abdenego, seja despedaçado e as suas casas sejam feitas um monturo; porquanto não há outro Deus que possa livrar como este."*

"Por mim pois é feito um decreto..." Diante do grandioso milagre operado por Deus, o monarca babilônico firma em seu coração um propósito pelo qual a soberania do verdadeiro Deus fosse reconhecida e aceita por todos os povos sob seu governo. Nabucodonosor reconhece isso e declara: "porquanto não há outro Deus que possa livrar como este". A declaração feita por Nabucodonosor é confirmada tanto pelos séculos como pela história universal: não há Deus igual ao nosso Deus! Deus livra porque tem em si mesmo "todo o poder". O supremo poder de Deus, declarado nas Escrituras, mostra que Ele não trabalha ou age

através de seus músculos, mas pelo supremo poder da sua palavra. Nesse atributo natural de Deus, está também incluída a sua imutabilidade, e por ela se entende que ele nunca muda; em sua natureza, nos seus conselhos e nos seus atributos, Ele é sempre o mesmo. Nabucodonosor reconhece tudo isso e decreta a Deus o temor que lhe é devido.

3.30: *"Então o rei fez prosperar a Sadraque, Mesaque e Abdenego, na província de Babilônia."*

O presente versículo mostra como a fidelidade daqueles jovens cativos foi coroada. Há uma tradução (B. J. que diz: "o rei os constituiu em novas dignidades". Para aqueles que têm fé em Deus e seguem avante, seus atos de justiça são sempre recompensados. Deus honra aos que o honram, porém os que o desprezam serão envilecidos. (1 Sm 2.30). Há muitos exemplos de servos de Deus que gozaram de prosperidade em sua vida, como José, no Egito, que foi um "varão próspero" (Gn 39.2). Deus também fez prosperar a Labão, por amor a Jacó (Gn 30.27). O verdadeiro crente será também alcançado pela bênção de Deus em sua vida, pois há uma promessa que diz: "De tudo quanto fizer prosperará..." (Sl 1.3). Daniel foi, deveras, um homem abençoado naquela corte, mesmo tendo ali chegado como um pobre cativo (2.48; 6.28). Ele foi um profeta cujos temas são de alcance muito vasto; Sadraque, Mesaque e Abdenego, prosperaram também, de igual modo; assim, podemos chegar à seguinte conclusão: Deus continua abençoando seus servos em qualquer tempo e lugar (Mt 19.29).

4
Loucura de Nabucodonosor

4.1: *"Nabucodonosor, rei: a todos os povos, nações, e línguas, que moram em toda a terra: Paz vos seja multiplicada."*

"Nabucodonosor, rei". Esse poderoso monarca (605 a 562 a.C.), é freqüentemente referido pelos profetas Jeremias, Ezequiel e Daniel, e, de um modo especial, na história dos últimos dias do reino de Judá. "Seu nome em hebraico é Nebũkhadhre'ççar, que talvez signifique "Nabu protegeu os direitos de sucessão". O texto hebraico alternativo (nebũkhadhne'ççar – ver o grego Nabucodonosor) pode derivar-se de uma forma aramaica do mesmo nome. Segundo a crônica babilônica, esse filho do fundador da dinastia caldaica, Nabopolassar, primeiramente comandou o exército babilônico na qualidade de "príncipe herdeiro", em 605 a.C. E no ano seguinte derrotou Neco II e os egípcios em Carquemis e Hamate (2 Rs 23.29 e ss; 2 Cr 35.20 e ss; Jr 46.2). Fala-se dele nas crônicas babilônicas, dizendo: "Nesse tempo ele conquistou a Hatti inteiro". No primeiro capítulo deste livro, Daniel fala dele como uma figura que surge de repente.

4.2: *"Pareceu-me bem fazer conhecidos os sinais e maravilhas que Deus, o Altíssimo, tem feito para comigo."*

"...sinais e maravilhas..." O presente texto nos mostra o rei Nabucodonosor convencido do supremo poder de Deus; ele deseja que os sinais e maravilhas que Deus operava na sua vida e no seu reino se tornem extensivos a todos os seus súditos. O termo "sinal", no texto em foco, no grego, é "semeion"; era uma palavra comumente usada para significar "sinal" ou "marca distintiva"; mas, nos Evangelhos e no livro de Atos dos Apóstolos, com freqüência é usado para indicar um "milagre didático", uma "maravilha", cuja finalidade é a de convencer os homens acerca de alguma intervenção divina, ensinando lições espirituais objetivas. No versículo em foco, porém, os "sinais e maravilhas" visam tornar Deus conhecido no mundo pagão.

4.3: *"Quão grandes são os seus sinais, e quão poderosos as suas maravilhas! o seu reino é um reino sempiterno, e o seu domínio de geração em geração."*

"O seu reino é um reino sempiterno". O monarca Nabucodonosor, no maior apogeu de sua glória, reconhece, contudo, que os reinos terrenos são transitórios, mas enaltece o Reino de Deus como sendo um Reino eterno. Uma declaração desta natureza pela boca dum rei pagão é, de fato, muito significativa. Este capítulo descreve Nabucodonosor fazendo as seguintes proclamações: 1) Reconhece a Deus como sendo o Altíssimo (superioridade de Deus sobre todos os ídolos); 2) que os seus sinais e maravilhas são poderosos; 3) que o seu reino é um reino sempiterno; 4) que o domínio de Deus é de geração em geração. O monarca estava plenamente convencido de que só Deus é Deus e Senhor, e que o governo de Deus é para todas as épocas ou séculos. O reino de Deus é eterno, porque seu Rei é um Rei eterno.

4.4: *"Eu, Nabucodonosor, estava sossegado em minha casa, e florescente no meu palácio."*

"Estava sossegado em minha casa". O palácio de Nabucodonosor, onde Daniel muitas vezes esteve, era um dos mais magnificentes edifícios da Antiguidade. Suas vastas ruínas foram descobertas por Koldwey em 1899-1912. As paredes do lado Sul da sala do trono tinham 6 metros de grossura. O lado Norte do palácio era protegido por três

muros. Bem ao norte deles, havia mais muros, de 16 metros de espessura. Um pouco mais adiante, outros muros mais sólidos. E, cerca de 1.600 metros para fora, ficava a muralha interior da cidade, que consistia em dois muros paralelos de alvenaria, cada qual de uns 7 metros de espessura e 13 de distância um do outro, sendo o espaço no meio preenchido de cascalho, fazendo uma espessura total de uns 26 metros, com uma vala (canal) larga e profunda do lado de fora. Alguns historiadores a denominaram também como "A Fortaleza".

4.5: *"Tive um sonho, que me espantou; e as imaginações na minha cama e as visões da minha cabeça me turbaram."*

O poderoso monarca babilônico, considerava-se o homem mais seguro do mundo; ninguém podia transpor os umbrais de seu palácio (a não ser com sua ordem) e depois viver. Mas é curioso notar como muitas vezes Deus cruzou todos aqueles portões até a recâmara do monarca e, através de "sonhos", revelou-lhe mistérios por ele ignorados. (Ver Jó 33.14 a 16.) O texto em foco mostra que o sonho do rei era de espantar mesmo. Muitas vezes as poderosas manifestações de Deus no mundo habitável produzem medo nos ímpios e temor nos santos. O poder de Deus foi manifestado na terra do Egito de duas maneiras focais: 1) De forma gloriosa, salvando Israel. 2) De forma punitiva, destruindo Faraó e seus exércitos. Seja como for, em qualquer batalha Deus é quem triunfa.

4.6: *"Por mim pois se fez um decreto, pelo qual fossem introduzidos à minha presença todos os sábios de Babilônia, para que me fizessem saber a interpretação do sonho."*

Conforme o costume daquela corte real, foram imediatamente introduzidos os sábios de Babilônia, os magos, os encantadores, os astrólogos, e o rei, como sempre, esperava que, após contar-lhes o sonho, eles fizessem a interpretação de acordo com aquilo que do sonho poderia ser depreendido. O leitor deve observar que, no sonho do capítulo 2 deste livro, o monarca exige algo mais profundo dos seus magos e encantadores; no presente versículo, porém, o rei apenas exige a interpretação do sonho, mas, mesmo assim, seus súditos falharam. É evidente que aquele sonho tinha um caráter espiritual, e, por essa razão, tornara-se impossível a sua interpretação pelos súditos do rei, pois "o homem natural não compreende as coisas do Espírito de Deus, porque lhe parecem loucura; e não pode entendê-las, porque elas se discernem espiritualmente" (1 Co 2.14). O mistério estava aí; eles falharam, mas Daniel triunfou!

4.7: *"Então entraram os magos, os astrólogos, os caldeus, e os adivinhadores, e eu contei o sonho diante deles, mas não me fizeram saber a sua interpretação."*

O presente texto demonstra que aqueles sábios eram apenas uma classe de exploradores do rei, nada sabendo dos mistérios de Deus. O que mais nos admira é que, depois de ter verificado a futilidade e incompetência dos sábios, o rei ainda os convocasse antes de convocar Daniel. Parece que ele ainda estava indeciso quanto ao verdadeiro Deus, ou, segundo alguns teólogos, cumpria um dever oficial, chamando essa gente, pois era paga e sustentada pelo Estado justamente para decifrar sonhos e visões naquela corte real, onde existia tanta superstição. Daniel desta vez não pediu prazo ao rei para fazer a interpretação, pois para ela já estava habilitado por Deus. No campo secular, todos são dignos, mas nem todos são capazes; no campo espiritual a escala é a mesma. Há trabalhos que não se realizam pela nossa dignidade, mas sim pela nossa capacidade. Se todos os obreiros do Senhor entendessem assim, o resultado seria satisfatório. (Ver Êx 17.9 e 18.21.)

4.8: *"Mas por fim entrou na minha presença Daniel, cujo nome é Beltessazar, segundo o nome de meu deus, e no qual há o espírito dos deuses santos; e eu contei o sonho diante dele."*

"Daniel, cujo nome é Beltessazar". O texto em foco diz que este nome de Daniel, que herdara naquela corte, era segundo o nome dos deuses principais ali. Bel e Nebo eram as principais divindades babilônicas. (Ver Is 46.1.) Seus nomes tornaram-se também sinônimos do fim de Babilônia e do seu domínio (Jr 50.2 e 51.44). Nessa conexão, Bel tem seu nome ligado ao deus Nebo, que era considerado seu filho. Bel (em sumeriano, "em, senhor", e em hebraico, "Baal", "o senhor da noite", era uma das divindades da tríade original sumeriana, juntamente com Anu e Enki,

e esse seu nome era um título ou epíteto do deus do vento e da tempestade. Ao tornar-se Marduque o deus principal de Babilônia, no segundo século a.C., recebeu o nome adicional de Bel. Daniel recebeu o nome desta imagem, mas nada daquilo afetou sua conduta espiritual (Rm 14.14 e Tt 1.15).

4.9: *"Beltessazar, príncipe dos magos, eu sei que há em ti o espírito dos deuses santos, e nenhum segredo te é difícil; dize-me as visões do meu sonho que tive e a sua interpretação."*

Nabucodonosor afirma diante de Daniel que havia tido um sonho que era de caráter significativo. Ele reconhece que "o espírito dos deuses santos" (A Trindade) operava em Daniel constantemente. Essa frase do monarca babilônico poderia ser parafraseada como "aquilo que pertence à verdadeira deidade pode ser encontrado em Daniel". Dois pontos focais devem ser analisados neste versículo ainda: 1) Talvez o monarca não tivesse convocado logo a Daniel (pensam alguns), não porque o tivesse esquecido, mas por haver percebido que o sonho dizia respeito à sua humilhação, que teria de sofrer nas mãos do Deus dos deuses. 2) A expressão usada por ele: "o espírito dos deuses santos", refere-se realmente às três pessoas em que subsiste a Divindade: Pai, Filho, e Espírito Santo. Mas, em virtude da expressão ter saído dos lábios dum rei pagão, os escritores clássicos acharam por bem traduzir por "deuses", em lugar de "Deus".

4.10: *"Eram assim as visões da minha cabeça, na minha cama: eu estava olhando, e vi uma árvore no meio da terra, cuja altura era grande."*

"...uma árvore no meio da terra". O presente versículo relata o início do grande sonho do monarca babilônico. O rei viu aquela árvore no "meio da terra", isto é, a árvore ocupava sobre a terra uma posição central que assim atraía a atenção de Nabucodonosor. Os antigos tinham em mente que o centro do globo terrestre se situava em Paris, capital da França, na Europa Ocidental. Outros, porém, imaginavam que o centro da terra era na planície onde foi construída a célebre "Torre de Babel" (Gn 11.2-9). É evidente que a expressão "no meio da terra", do texto em fo-

co, refere-se a grande capital do Império Babilônico. A visão do rei Nabucodonosor, em inferência, nos faz lembrar do Grande Trono Branco contemplado por João, quando se encontrava na ilha de Patmos (Ap 20.11). Ali o Trono é Grande! é de vastíssimas dimensões, enchendo o campo inteiro de nossa visão; expulsa da vista todos os outros elementos; ameaça; deixa a mente atônita, etc.

4.11: *"Crescia esta árvore, e se fazia forte, de maneira que a sua altura chegava até o céu; e foi vista até os confins da terra."*

"...a sua altura chegava até o céu". A natureza do sonho do monarca segue um paralelismo no planejamento da construção da Torre de Babel. O texto de Gênesis 11.4 mostra bem para nós o significado do pensamento: "E disseram: Eia, edifiquemos nós uma cidade e uma Torre cujo cume toque nos céus..." Aquele grupo rebelde foi humilhado diante da sentença poderosa de Deus; Nabucodonosor foi também humilhado, e aquela grande árvore foi derrubada por terra; os homens sempre tentaram um caminho para o céu, mas sem ser o da cruz de Cristo! Mas falharam. Ninguém jamais poderá transpor os umbrais da cidade do Senhor, se não nasceu de novo, como nos ensinou nosso divino Mestre (Jo 3.1-5). Pode construir Torre até os céus; pode sonhar com árvore até o céu; mas a entrada lá só será possível por meio do precioso sangue de Jesus Cristo, nosso Senhor. (Ver Jo 14.6; 1 Tm 2.5).

4.12: *"A sua folhagem era formosa, e o seu fruto abundante, e havia nela sustento para todos; debaixo dela os animais do campo achavam sombra, e as aves do céu faziam morada nos seus ramos, e toda a carne se mantinha dela."*

O versículo em foco e outros correlatos descrevem a grande prosperidade do reino babilônico, incluindo a pessoa do rei Nabucodonosor. O reino deste monarca caldeu foi sem dúvida alguma muito grande em magnificência; grande em extensão, e grande em crueldade! Podemos observar porque aquele reino era tão grande em crueldade: 1) Nele havia um "forno de fogo ardente". 2) Nele havia "covas de leões bravos". 3) Nele era desenvolvida a magia negra, e outros tipos de heresias eram também ali praticadas em forma crescente. A grande Babilônia corrompeu a todos os habitantes da terra; a Babilônia escatológica fará o mesmo e mais ainda (Ap caps 17 e 18). Mas elas não sabiam, como ainda hoje não sabem, que o "machado de Deus" já está posto em sua raiz (Ver Mt 3.10; Ap 18.2.)

4.13: *"Estava vendo isto nas visões da minha cabeça, na minha cama; e eis que um vigia, um santo, descia do céu."*

"...um vigia, um santo". O presente texto fala de "um vigia, um santo", isto é, um que é santo. No versículo 13 do capítulo oito deste livro, nos são apresentados dois santos que falam; aqui, porém, somente uma pessoa está em foco. O termo "vigia" se traduz também por "um vigilante" no original, e denota um ser sem corpo mortal, com elevado poder, que nunca dorme, que reconhecemos como sendo o "Anjo do Senhor" ou o próprio Senhor Jesus. Pelo uso da expressão "um que é santo", subentendemos que a pessoa do Pai também está em foco na presente passagem. (Ver Sl 121.) Deus é o "Vigia Eterno" que nunca dorme. Ele nunca se cansa nem se fadiga, como bem pode ser visto em toda a extensão da Bíblia. (Ver Is 40.28.) Aqueles que fazem parte de sua guarda, também não dormem nem de dia nem de noite (Ver Ap 4.8.)

4.14: *"Clamando fortemente, e dizendo assim: Derrubai a árvore, e cortai-lhe os ramos; sacudi as suas folhas; espalhai o seu fruto; afugentem-se os animais de debaixo dela, e as aves dos seus ramos."*

"Derrubai a árvore". O Vigia Eterno anuncia com grande poder a queda da grande árvore (Nabucodonosor e todo o sistema monárquico por ele criado). Paulo diz em Rm 13.1 e ss que as autoridades são constituídas por Deus; porém, é evidente que Deus exalta e também humilha. "Deus dá, mas também tira", diz em Jó 1.21. Na Bíblia encontramos vários exemplos de pessoas soberbas que, quando foram elevados, puseram de lado a vontade estabelecida pelo governo geral de Deus. O profeta Oséias descreve sobre Saul o que segue: "Dei-te um rei na minha ira, e to tirei no meu furor" (Os 13.11). O reino da Babilônia cresceu até o céu como diz a profecia divina, mas estando maduro para a ceifa, começou a ser "sacudido" pelos jui-

zos de Deus. Deus é infinitamente bom mas também é infinitamente justo e, por essa razão, Ele sempre dá a colheita de acordo com a semeadura. (Ver Gl 6.7.)

4.15: *"Mas o tronco com as suas raízes deixai na terra e com cadeias de ferro e de bronze, na erva do campo: e seja molhado do orvalho do céu, e a sua porção seja com os animais na grama da terra."*

No sonho do monarca Nabucodonosor, o "tronco" da grande árvore, haveria de brotar. Isso para alguns pode ter sentido escatológico, tendo em vista o ressurgimento de um grande poder denominado "Grande Babilônia", que é visto com muita intensidade nos capítulos 17 e 18 do livro de Apocalipse. Literalmente, isso falava da doença e restauração da saúde do monarca, depois de "sete tempos". Essa expressão "sete tempos" do texto em foco, comparada com a interpretação que se dá aos textos de 7.25 e 12.7 e Ap 12.14, significa "sete anos". Porém, mesmo assim, Nabucodonosor, foi restaurado ao seu posto de honra, conforme a profecia do patriarca Jó que diz: "Porque há esperança para a árvore que, se for cortada [pelo machado de Deus], ainda se renovará, e não cessarão os seus renovos. Se envelhecer na terra a sua raiz, e morrer o seu tronco no pó, ao cheiro das águas brotará, e dará ramos como a planta" (Jó 14.7 a 9). O monarca Nabucodonosor não só foi levantado da terra, mas também posto em seu trono.

4.16: *"Seja mudado o seu coração, para que não seja mais coração de homem, e seja-lhe dado um coração de animal; e passem sobre ele sete tempos".*

Esta era uma sentença terrível para aquele que sem dúvida alguma era o homem mais orgulhoso da terra. A destruição da árvore não importava na sua erradicação, pois o tronco, amarrado com cadeias de ferro e de bronze, deveria ficar na terra para ainda voltar a frutificar depois de "sete tempos". Acreditamos que, se o monarca tivesse tido um verdadeiro arrependimento de todos os seus pecados, a sentença teria sido mudada. (Ver Jr 3.5 a 10.) Mas isso não era fácil para aquele coração de pedra. Ninguém muda seu coração apenas por querer ou desejar mudar, mas sim, pela ajuda do Espírito Santo atuando misteriosamente em cada vida (Jo 16.8). Saul teve seu coração mudado, e a partir daí, todos os milagres divinos tiveram lugar em sua vida, mas antes de tudo isso, houve uma intervenção de Deus em sua vida (1 Sm 10.6,9). Só Deus pode dizer, como está explícito em Ez 36.26 "...darei um novo coração", etc.

4.17: *"Esta sentença é por decreto dos vigiadores, e esta ordem por mandado dos santos; a fim de que conheçam os viventes que o Altíssimo tem domínio sobre os reinos dos homens; e os dá a quem quer, e até ao mais baixo dos homens constitui sobre eles."*

O presente texto mostra claramente a interpretação do rei sobre o referido decreto. Isto é, ele teria sido originado pelos "vigiadores". Daniel não repudia esse tipo de interpretação feita pelo rei, mas acrescenta que aquela ordem partiu diretamente de Deus. Os "vigiadores" de que fala o texto, podem, em suma, referir-se ao próprio Deus ou à Trindade, mas como a palavra ou declaração partiu de lábios pagãos, alguns comentadores preferem não determinar as pessoas a quem ela se referia. O leitor deve observar que, no versículo 16 deste capítulo, o trono da grande árvore é personificada. Seu coração deveria ser mudado ou transformado "para" o que não era humano. Assim seria feito, pois toda aquela sentença pronunciada por Deus através daquela visão, só poderia ser cumprida num animal, que, assim sendo, se coadunava com a natureza do castigo ali imposto. (Ver Ec 3.18.)

4.18: *"Isto em sonho eu, rei Nabucodonosor, vi: tu, pois, Beltessazar, dize a interpretação; todos os sábios do meu reino não puderam fazer-me saber a interpretação, mas tu podes, pois há em ti o espírito dos deuses santos."*

O monarca confessa a Daniel a incapacidade que existia em seus súditos para desvendar tamanho segredo. O versículo seguinte a este focaliza Daniel atônito por quase uma hora, isso seria, sem dúvida, em razão de aquela visão trazer qualquer coisa dramática para um homem do quilate do rei Nabucodonosor; talvez seus súditos, mesmo que a soubessem não dariam a interpretação a contento do rei, de tudo aquilo. Porém Deus tem o homem certo para cada coisa que Ele mesmo determinou. (Ver Ec 6.10.) Daniel era o homem certo levantado por Deus para estar naquela corte de tantos segredos. Ele, como sabemos, sempre se deparava com labirintos sombrios, marcantes e insolúveis para a capacidade humana, mas Deus o credenciou para as grandes tarefas ali existentes, defendendo sempre o seu povo nos dias sombrios daquele cativeiro.

4.19: *"Então Daniel, cujo nome era Beltessazar, esteve atônito quase uma hora, e os seus pensamentos o turbavam; falou pois o rei, e disse: Beltessazar, não te espante o sonho, nem a sua interpretação. Respondeu Beltessazar, e disse: Senhor meu: o sonho seja contra os que te têm ódio, e a sua interpretação para os teus inimigos."*

O presente texto nos mostra o grande espanto do velho profeta. Ele viu logo o sentido daquela visão, e ficou atônito, porque tudo aquilo se referia ao rei, e era muito duro o que ele tinha de lhe dizer. Daniel era, sem dúvida, um homem muito fiel; acima de qualquer coisa, para ele o importante era a verdade. Acreditamos que, à proporção que o rei descrevia o sonho da grande árvore, o Espírito de Deus em Daniel desenvolvia a sua interpretação, conferida em cada detalhe; ele desejava o bem daquele monarca, mas percebia, em cada elemento do sonho, que o sonho, continha o anúncio de um julgamento contra o rei, da parte de Deus. Muitos servos do Senhor têm sofrido na vida só por causa da verdade, mas isso é sempre gratificante. Os mentirosos ficarão fora do Céu (Ap 22.15). Daniel não renunciou à interpretação, e a fez a contento, como se vê nos versículos seguintes.

4.20: *"A árvore que viste, que cresceu, e se fez forte, cuja altura chegava até ao céu, e que foi vista por toda a terra."*

No texto em foco, Daniel lembra ao monarca o que ele mesmo afirma ter visto em sonho no versículo 10 do presente capítulo. O rei babilônico nunca jamais tinha visto em toda a sua vida uma árvore que tivesse tal tamanho; sua altura ultrapassa qualquer possibilidade de uma árvore crescer na terra. As coisas ou meios pelos quais Deus sempre fala são grandes, porque Deus é um Deus grande. Deus é grande em todos os aspectos: 1) na sua misericórdia (Lm 3.22); 2) na sua fidelidade que é descrita também como sendo grande. (Ver Lm 3.23); 3) no seu amor (Rm 5.5); 4) na sua salvação que é mui grande (Hb 2.3). Os reinos do mundo também têm suas grandezas por algum tempo, mas depois declinam; o reino de Deus e de Cristo, pelo contrário: não terá fim. (Ver Lc 1.33)

4.21: *"Cujas folhas eram formosas, e o seu fruto abundante, e em que para todos havia mantimento; debaixo da qual morava os animais do campo, e em cujos ramos habitavam as aves do céu."*

Daniel, como já fizera num sonho anterior (cap. 2), continua na descrição, e, depois, inicia a interpretação. Nesse cenário favorável, a manifestação do poder de Deus, que revela os mistérios ou coisas ocultas, é indispensável nas interpretações feitas por Daniel. Na condição de muito superior a todos os magos, o profeta não fora consultado entre eles, pois desconhecia o poder das trevas que agia naqueles sábios caldeus. No versículo 19, vemos Daniel demorando para falar, até ser encorajado pelo rei e por Deus a fazê-lo. O verdadeiro crente é sempre "moderado"; ele primeiro medita e depois fala. O livro de Provérbios é o grande manual de instrução para todo o homem. A advertência divina nesse sentido é: "Não te precipites com a tua boca, nem o teu coração se apresse a pronunciar palavra alguma diante de Deus" (Ec 5.2). Daniel, como servo fiel, estava ali diante de Deus e do monarca babilônico, por isso toda prudência era pouca!

4.22: *"És tu, ó rei, que cresceste, e te fizeste forte; a tua grandeza cresceu, e chegou até o céu, e o teu domínio até a extremidade da terra."*

"A tua grandeza cresceu... até o céu". A presente expressão sempre tem conexão com Babilônia e o seu povo. O texto em foco também nos faz lembrar a semelhança do pecado de Sodoma (Gn 18.21), e o da cidade de Nínive (Jn 1.2); e o pecado da grande Babilônia descrita em Ap 18.5, que diz: "...já os seus pecados se acumularam até o céu..." Isso significa que o pecado concebido, nasce, cresce e, estando na sua fase de amadurecimento, toca nos céus. O profeta Jeremias segue um paralelismo semelhante a este, em seu livro (Jr 51.9). O julgamento de Babilônia, aí, atinge os céus, sendo elevado até o firmamento. O domínio de Nabucodonosor se processava em ordem crescente e já estava atingindo até o céu, e certamente o mau cheiro que sobe da

terra, conforme descreve João séculos depois, aborrece a alma de Deus. Qualquer dessas idéias nos fornece um indício de como o pecado pode acumular-se, produzindo, necessariamente, o amadurecimento para o juízo de Deus.

4.23: *"E quanto ao que viu o rei, um vigia, um santo, que descia do céu, e que dizia: Cortai a árvore, e destruí-a, mas o tronco com as suas raízes deixai na terra, e com cadeias de ferro e de bronze, na erva do campo; e seja molhado do orvalho do céu, e a sua porção com os animais do campo, até que passem sobre ele sete tempos."*

"...Um vigia, um santo..." A presente expressão é também citada no versículo 13, onde é retratado como sendo "um vigilante eterno", "um ser que não dorme". Somente um indivíduo é referido aqui. Todos os comentadores da atualidade têm seguido a mesma opinião quanto ao "guarda eterno", isto é, identificando-o como o Senhor a quem Daniel servia, aquele que "não dormita, nem dorme". (Ver Sl 121.4.) Ele tem poder para fazer decretos e cumpri-los, com o propósito de mostrar aos homens o fato de que o Altíssimo governa nas questões humanas. No decreto do Altíssimo, o juízo sobre o monarca era pesado mas não era total; ainda o tronco da árvore haveria de brotar. Nas palavras de Jó, há uma inferência sobre a presente passagem: "Porque há esperança para a árvore, que se for cortada, ainda se renovará, e não cessarão os seus renovos. Se envelhecer na terra a sua raiz, e morrer o seu tronco no pó, ao cheiro das águas brotará, e dará ramos como a planta" (Jó 14.7-9). Qualquer que fosse seu castigo, Deus o preservaria, como preservou dois ramos: Nabonido e Belsazar, no império babilônico.

4.24: *"Esta é a interpretação, ó rei: e este é o decreto do Altíssimo que virá sobre o rei meu senhor."*

O texto em foco mostra-nos como Daniel começou a interpretação da grande árvore que o rei tinha visto em sonho. Declarou que aquele monarca era a árvore e que realmente seria cortada como quando o lenhador corta a árvore do bosque. Mas Daniel acrescentou que um cepo fora deixado. Nabucodonosor devia saber que, ao passar o tempo de castigo, seria restaurado novamente no seu posto como governante do império babilônico. O Deus de Daniel que, por via de regra, é também o nosso Deus, sempre que aplica uma sentença, ela vem mesclada de misericórdia. (Ver 75.8 do livro de Salmos.) Porém, é evidente que chegará o dia quando não mais essa misericórdia insistirá, e, a partir daí, Deus dará aos seus inimigos um "vinho que se deitou, não misturado, no cálice da sua ira. (Ver Ap 14.10.) Na presente Era, os homens são convidados a tomarem parte no "dia da salvação", porém em breve chegará o momento em que eles tomarão parte no dia da ira de Deus e do Cordeiro. (Ver 2 Co 6.2 e Ap 6.17.)

4.25: *"Serás tirado de entre os homens, e a tua morada será com os animais do campo, e te farão comer erva como os bois, e serás molhado do orvalho do céu; e passar-se-ão sete tempos por cima de ti: até que conheças que o Altíssimo tem domínio sobre o reino dos homens, e o dá a quem quer."*

"Até que conheças que o Altíssimo tem domínio..." No livro de Daniel, a expressão "O Deus Altíssimo" é freqüente, em várias conexões (3.26; 4.17,24,25,32,34; 5.18,21; 7.18,22,25,27). No Antigo Testamento, Deus aparece pela primeira vez com este título, em Gn 14.18, quando o monarca Melquizedeque, trazendo pão e vinho, abençoou a Abraão. O vocábulo no original hebraico é "EL elyôn." – *O Deus Altíssimo* era o título de Deus, adorado pelo rei de Salém. Este nome de Deus, quando era usado, mostrava a superioridade dele sobre os ídolos do paganismo. Comumente, os antigos habitantes da velha Mesopotâmia usavam a expressão "Deus lá de cima". (Ver Jó 3.4.) O salmista Davi escolhia este nome para sua habitação. (Ver Sl 91.9.) É, portanto, evidente que Daniel usava a linguagem mais acessível para aquela gente babilônica. (Ver 1 Co 9.20,22.)

4.26: *"E quanto ao que foi dito, que deixasse o tronco com as raízes da árvore, o teu reino voltará para ti, depois que tiveres conhecido que o céu reina."*

O presente versículo enfatiza o que muitos psicólogos evangélicos já afirmaram em seus escritos: "doença mental". Aquele rei era um homem esmagado pelo ódio que, vez após outra, o dominava e que se tornou patológico. O homem iracundo virá a cair no mal, como bem é declarado, tanto pela Palavra de Deus como pelos psicólogos: "Para um homem esmagado pela consciência de culpa, a Bíblia oferece a certeza de perdão e graça. Mas, àquele que nega sua culpa, ela lhe traz ameaças terríveis, para fazer com que ele se auto-análise". A correção de Deus no monarca caldeu era a "operação severidade", mas não era o esmagamento completo, pelo contrário, era sua salvação. Deus precisava retirá-lo do círculo vicioso dos seus esforços naturais e cruéis contra seus semelhantes.

4.27: *"Portanto, ó rei, aceita o meu conselho, e desfaz os teus pecados pela justiça, e as tuas iniqüidades, usando de misericórdia com os pobres, se se prolongar a tua tranqüilidade."*

O presente texto e outros correlatos, mostram a coragem inaudita do profeta Daniel. Ele, após interpretar o sonho, aconselhou o que deveria ser feito, se o período de tranqüilidade, antes do julgamento, fosse prolongado. Geralmente é assumido que, se o monarca se tivesse arrependido, seria afastada a calamidade ameaçada. O texto, porém, não menciona o afastamento do julgamento previsto. Jerônimo e outros interpretam o versículo em foco como se dissesse: "Redime teus pecados por meio de esmolas e tuas iniqüidades, demonstrando misericórdia aos pobres". Eles invocam para essa interpretação At 10.1-4. Mas é evidente que as palavras de Daniel não significavam isso, e sim: "Redime teus pecados por meio de ações justas diante de Deus". Em outras palavras, isso queria dizer: "Arrependete, voltando do mal para praticar o bem". Seja como for, o rei não se arrependeu, e, como conseqüência disso, o castigo veio!

4.28: *"Todas estas coisas vieram sobre o rei Nabucodonosor."*

O versículo 27 do presente capítulo declara que Daniel insistiu com o monarca caldeu, para que ele se arrependesse, mas, caso Daniel tenha previsto isto, ou seja, uma mudança naquela vida, isto não aconteceu, porque tudo indica que o rei continuou a sua vida como antes. Herodes, o tetrarca idumeu, ao ser repreendido por João não se arrependeu, pelo contrário, acrescentou às suas maldades outras mais. (Ver Lc 3.19,20.) O monarca Faraó também, ao ser repreendido pelo castigo divino, não se arrependeu, pelo contrário, endureceu o seu coração dez vezes mais; e pereceu nas águas do mar Vermelho. (Ver Êx 14.10; 15.1,21;Sl 136.15). Aqueles que se endurecem maior dureza encontrarão; não é debalde que diz a Escritura: "Deus resiste aos soberbos, mas dá graça aos humildes" (1 Pe 5.5). Nabucodonosor não deu ouvidos à Palavra divina a clamar ao seu redor, e viu-se cercado por um montão de ruínas!

4.29: *"Ao cabo de doze meses, andando a passear sobre o palácio real de Babilônia."*

"Ao cabo de doze meses". O eterno Senhor deu ao rei doze meses, para que demonstrasse uma mudança de atitude, mas não houve nenhuma. Pelo contrário, no fim dos doze meses, ele entrou no seu grande palácio real, maravilhado por ter construído toda aquela glória com o seu próprio poder. Escrevendo sobre isso, diz o doutor Leon J. Wood: "Deus despreza o orgulho. O orgulho cobre o ego de honrarias, é voraz e ambicioso. O orgulho é bastante prejudicial quando se expressa em relação aos homens, mas pior ainda quando o demonstramos para com Deus. Deus quer que sejamos humildes e submissos. Mas, em vez de manifestar essas qualidades, Nabucodonosor continuou orgulhoso; portanto Deus permitiu o castigo profetizado". O homem humilde, vê sempre diante de si a humildade. Ele está sempre advertido pela Palavra divina, que diz: "A soberba precede a ruína, e a altivez do espírito precede a queda" (Pv 16.18).

4.30: *"Falou o rei, e disse: Não é esta a grande Babilônia que eu edifiquei para a casa real, com a força do meu poder, e para glória da minha magnificência?"*

"Não é esta a grande Babilônia?" O leitor deve observar como as Escrituras são proféticas e se combinam entre si em cada detalhe. Abrindo a nossa Bíblia no livro de Apocalipse, nos capítulos 17.5 e 18.2, verificamos que todos os sistemas ali apresentados continuam com este nome visto no presente texto: "A GRANDE BABILÔNIA". – A Babilônia que serviu de cenário ao ministério de Daniel, era a cidade maravilhosa do mundo antigo. Situada no berço da raça humana, próximo à região do Jardim do Éden, edificada a volta da Torre de Babel; foi a primeira sede impe-

rial, e residência favorita dos reis babilônicos, assírios e persas, e mesmo de Alexandre, o Grande. Babilônia foi levada ao apogeu do poder e da glória nos dias de Daniel, por Nabucodonosor, seu amigo, o qual durante seu reinado de 45 anos nunca se cansou de edificar e embelezar seus palácios e templos. AS DIMENSÕES DE BABILÔNIA, dizem historiadores antigos, eram gigantescas. "Seu muro media 96 km de extensão, 24 km de cada lado da cidade, por 90 m de altura, e 25 de espessura, medindo seus alicerces 12 m de profundidade, para que os inimigos não cavassem túneis por baixo deles; construída de tijolos de 30 cm quadrados, 8 a 10 cm de espessura; havia 400 m de espaço livre entre a cidade e o muro, por todo o seu circuito; o muro era protegido por valas (canais) largas e profundas, cheias de água; havia 250 torres no muro, salas de guarda para soldados, e 100 portões de cobre. O Eufrates dividia a cidade em duas partes quase iguais, ambas as margens protegidas por muros de alvenaria em toda a sua extensão, com 25 portas ligadas a ruas e a barcos de passageiros; uma ponte sobre pilastras de pedra, de 800 m. Sob o rio passava um túnel de 5 m de largura e 4 de altura. Escavações de anos recentes têm confirmado, em grande medida, as descrições aparentemente fabulosas desses historiadores antigos" (H.H.H.)

4.31: *"Ainda estava a palavra na boca do rei, quando caiu uma voz do céu: A ti se diz, ó rei Nabucodonosor: Passou de ti o reino."*

A Bíblia nos mostra que "a justiça exalta as nações, mas o pecado é o opróbrio dos povos" (Pv 14.34). O Senhor Jesus, em seu imortal ensino, referiu-se a um fariseu orgulhoso que dizia consigo mesmo: "Ó Deus, graças te dou, porque não sou como os demais homens, roubadores... etc." A justiça divina caiu sobre esse homem dizendo: "Não desceu justificado". (Ver Lc 18.14.) Nabucodonosor, monarca babilônico, não deu a glória ao Senhor no seu devido tempo, e ouviu uma "voz" personificada que "caiu do céu", dizendo: "A ti se diz, ó rei Nabucodonosor: Passou de ti o reino". Faraó, na sua glória, foi tragado pelas águas do mar Vermelho, numa sombria madrugada (Êx 14.27,28; Sl 136.15). Aqueles que opinam que Faraó não foi tragado pelo mar Vermelho, devem observar bem a frase: "Mas *derribou a Faraó* com o seu exército no mar Vermelho" (v 15). Exemplificando, temos o caso de Herodes, o tetrarca; ele se orgulhou de seu tão famoso discurso, sensibilizando seus súditos a ponto de exclamarem: "É voz de Deus, e não de homem". No mesmo instante um anjo do Senhor o feriu. E, comido de bichos, expirou (At 12.23). Nabucodonosor não foi comido por "bichos", mas, julgando-se um animal, comeu com os bichos (v 33).

4.32: *"E serás tirado dentre os homens, e a tua morada será com os animais do campo: far-te-ão comer erva como os bois e passar-se-ão sete tempos sobre ti, até que conheças que o Altíssimo tem domínio sobre os reinos dos homens, e os dá a quem quer."*

O texto em foco mostra como o julgamento veio a Nabucodonosor conforme fora predito, e ele foi expulso do meio dos homens, aparentemente afetado da enfermidade conhecida como *licantropia.* A doença aqui referida está atestada em tempos pré-científicos, não sendo mais hoje mencionada por esse nome. O doutor Montagu G. Barker, psiquiatra clínico, descreve o que segue: "No que tange à doença de Nabucodonosor, as características são de um bem agudo ataque de insanidade; a sua aparência dava idéia de que ele era de fato um animal. Porém, quanto à sua recuperação, podia ser imediata. Em outras pessoas, porém, não acontece assim". Continua ainda esse médico: "A pessoa que se recuperava da citada doença, o fazia imediatamente. Seu discernimento e bom-senso, como aconteceu com Nabucodonosor, voltava imediatamente". A autoridade acima citada, informa que, já teve em sua clínica dois pacientes com sintomas aparentes da mesma enfermidade, e que eles imitavam cães, lobos, etc.

4.33: *"Na mesma hora se cumpriu a palavra sobre Nabucodonosor, e foi tirado dentre os homens, e comia erva como os bois, e o seu corpo foi molhado do orvalho do céu, até que lhe cresceu pêlo, como as penas da águia, e as suas unhas como as das aves."*

Por ignorar todas as advertências, Nabucodonosor trouxe o desastre sobre si mesmo. Sua jactância foi interrompida por uma voz vinda do Céu, e que é entendida como sendo de Deus (v 32), dirigida ao rei pelo nome. As palavras de advertência de Daniel, nesta secção, são repetidas, porém com o prefácio "Passou de ti o reino". O texto em foco e aqueles que se seguem, dizem claramente "...foi tirado dentre os homens, e comia erva como os bois". O monarca quis colocar-se no lugar de Deus e Deus colocou-o no lugar próprio: com os "animais do campo". Quando não queremos a comunhão com os anjos Deus nos lança na companhia dos animais. Quando Ele adverte a respeito de um castigo, faz o que promete. Se a pessoa não se arrepende, é severamente castigada. Os cristãos que persistem no pecado precisam entender isso. Nabucodonosor sentiu a mão da ira divina, e nós também podemos experimentar a sua mão nos castigando; "...sirvamos a Deus agradavelmente, com reverência e piedade, porque o nosso Deus é um fogo consumidor" (Hb 12.28,29).

4.34: *"Mas ao fim daqueles dias, eu, Nabucodonosor, levantei os meus olhos ao céu, e tornou-me a vir o meu entendimento, e eu bendisse o Altíssimo, e louvei, e glorifiquei ao que vive para sempre, cujo domínio é um domínio sempiterno, e cujo reino é de geração em geração."*

O presente texto nos mostra que, depois dos sete anos de sofrimento, o monarca babilônico foi restaurado à sua posição, conforme a promessa de Deus; e então fez o que Deus desejava: deu-lhe a glória que era dele e para Ele. Assim a correção de Deus alcançou o seu propósito (Ver Hb 12.11.) Isso significa que Nabucodonosor, mesmo sem viver no tempo da graça, tornou-se um crente em Deus. Certamente, tudo indica que ele foi transformado em outro homem. Em uma ação retroativa, os versículos 1 a 3 do presente capítulo nos levam a entender isso claramente. Deus, em sua justiça e retidão, ao corrigir o homem, anela sempre ver nele um aproveitamento e não sua desgraça. É por isso que Paulo diz em 2 Co 7.9 a 10: "Agora, folgo, não porque fostes contristados, mas porque fostes contristados para o *arrependimento,* pois fostes contristados segundo Deus; de maneira que por nós não padecestes dano em coisa alguma. Porque a tristeza segundo Deus opera arrependimento..." Nabucodonosor foi contristado desta maneira!

4.35: *"E todos os moradores da terra são reputados em nada; e segundo a sua vontade, ele opera com o exército do céu e os moradores da terra: não há quem possa estorvar as suas mãos, e lhe diga: – Que fazes?"*

Devemos estar ainda lembrados da linguagem centrada em si no coração do rei Nabucodonosor. Padrões de pensamentos que foram mudados facilmente em sua pessoa, ao dizer: "Eu bendisse o Altíssimo. O doutor Leon, acredita que esta declaração feita por Nabucodonosor foi certamente contrária ao desejo dos sacerdotes do país. Sem dúvida, o povo ficou abalado, mas Nabucodonosor continuou firme no seu propósito, merecendo, portanto, a nossa admiração e a de Deus. O castigo divino operou uma mudança radical no seu coração. Quando Deus adverte a respeito de um castigo, Ele faz o que promete. Se a pessoa se arrepende, é perdoada. Se não se arrepende, é castigada duramente. Os cristãos que, mesmo salvos, persistem pecando, precisam entender isto. Nabucodonosor sentiu a mão pesada de Deus e nós também podemos senti-la se continuarmos lhe desobedecendo. Mas para aquele que sempre a ouve, a bênção o alcançará. (Ver Dt cap 28).

4.36: *"No mesmo tempo me tornou a vir o meu entendimento, e para a dignidade do meu reino tornou-me a vir a minha majestade e o meu resplendor, e me buscaram os meus capitães e os meus grandes; e fui restabelecido no meu reino, e a minha glória foi aumentada."*

O monarca Nabucodonosor, mesmo de forma versátil, teve várias oportunidades de ver o poder de Deus em sua vida e no seu reino. Porém não se comportava de maneira digna, porque lhe faltava a oportunidade de conhecer os seus pecados. "No capítulo dois vê-se como Deus revelou, na visão da imagem espantosa, o destino de seu reino. Ele tinha visto como Deus salvou os três hebreus na fornalha de fogo ardente. Tinha confessado que não há outro Deus como o Deus dos hebreus (Dn 3.29). Ainda mais, Deus tinha-o prevenido pela visão da árvore derribada (Ver Dn 4.14.) Foi aconselhado a desfazer seus pecados pela justiça e suas iniqüidades por manifestar misericórdia, porém, a despeito de tudo que Deus tinha feito e operado na sua vida e no seu reino, ele continuou pecando. Quantos atualmente continuam vivendo soberbamente, apesar das visões, admoestações e conselhos passados que, sem dúvida, admoestam sobre o futuro (Ver Rm 15.4.) Esses tais devem sentir em si mesmos que, sem mais delonga, devem se arrepender para com Deus. A misericórdia de Deus é infinita, mas é regida pela lei da sua justiça. Quando o homem não se arrepende, ela o executa!

4.37: *"Agora pois eu, Nabucodonosor, louvo, e exalço, e glorifico ao rei do céu; porque todas as suas obras são verdades; e os seus caminhos juízos, e pode humilhar os que andam na soberba."*

Um sábio declara o que segue: "Pode-se bater com toda a força no ferro frio sem efetuar coisa alguma. Porém, depois de aquecê-lo no fogo, cada pancada pode transformálo em objeto que nos agrada. Foi exatamente assim com o coração de Nabucodonosor. Estava tão frio e endurecido na arrogância, que não respondeu às grandes pancadas de Deus. Não é um argumento que pode transformar o errado, mas sim o calor do Espírito Santo". A declaração final do velho monarca é "sui generis": "...louvo, e exalço, e glorifico ao rei do céu". Nabucodonosor estava usando uma forma de locução que aparece somente aqui em toda extensão da Bíblia. Como sinônimo para Deus, a palavra "Céu" ocorre como uma espécie de lema neste capítulo: (versículos 13,20,26,34,37). Nabucodonosor, finalmente, foi restaurado, tanto da doença da carne como da alma. Deus o transformou através das provas. Ainda hoje Deus é o mesmo e pode "humilhar os que andam na soberba". Demoslhe lugar!

5

O banquete de Belsazar

5.1: *"O rei Belsazar deu um grande banquete a mil dos seus grandes, e bebeu vinho na presença dos mil."*

"...um grande banquete..." O presente versículo tem seu paralelo no primeiro capítulo do livro de Ester, livro que marca também um período do cativeiro. Ali há um banquete semelhante a este, em que alguém também perdeu sua coroa. Belsazar era um príncipe caldeu, e, como tal não devia beber, pois a Bíblia exorta a respeito. (Ver Pv 31.4.) A advertência divina é mais sublime do que a atitude deste monarca; ela recomenda a todos: "Melhor é ir a casa onde há luto do que ir a casa onde há banquete, porque ali se vê o fim de todos os homens" (Ec 7.2). O rei, em sua orgia e devassidão, viu o fim de seu reino e de seus grandes naquela mesma noite. Os homens sempre falham, mas a Palavra de Deus não (Jr 1.11,12). O rei Herodes pereceu ferido pela mão poderosa de um anjo, porque não deu glória a Deus, quando podia ter dado (At 12.23). A grande advertência divina é: "...qualquer que a si mesmo se exaltar será humilhado e aquele que a si mesmo se humilhar será exaltado". Belsazar, pelo que fica depreendido do texto em foco, não se humilhou e por essa razão foi reduzido a nada. Neste banquete real, podemos observar o

extremo descuido daquela gente. O inimigo estava às portas da cidade, enquanto que todos os grandes do reino se encontravam reunidos numa bebedeira. O comandante Ciro, já se encontrava desviando o curso do rio Eufrates, que passava pelo meio da cidade, e após, entrou pelo leito seco do rio. Ele tomou a cidade de "assalto" naquela mesma noite. Assim Babilônia foi sacudida pelos dois "tufões de vento do Sul, que tudo assola" (Dario e Ciro). (Ver Is 21.1.) Paulo diz que "os que se embebedam embebedam-se de noite" (1 Ts 5.7); o rei Belsazar escolheu essa hora sombria da noite, e nela pereceu.

5.2: *"Havendo Belsazar provado o vinho, mandou trazer os vasos de ouro e de prata, que Nabucodonosor, seu pai, tinha tirado do templo que estava em Jerusalém, para que bebessem por eles o rei, e os seus grandes, as suas mulheres e concubinas."*

"Mas em 562 a.C. Nabucodonosor morre e seus sucessores reinam por períodos curtos e insignificantes; não conseguem continuar sua obra grandiosa. Seu filho, Avil-Marduk [Evil-Merodaque (2 Rs 25.27,28)] foi assassinado." Em seguida, o rei da Babilônia mencionado nas Escrituras é Belsazar. Os críticos da Bíblia afirmavam que Daniel se enganara quando escreveu que Belsazar era filho de Nabucodonosor e, como tal, o rei na queda da Babilônia. Isso não importa em erro, visto que a palavra "pai" podia ser usada em oito acepções (pelo menos). No texto, pode até ser que o sentido seja "ancestral". Diziam mais que o rei nesse tempo era Nabonido, que não morreu na queda da cidade e afirmavam ainda que não existiu nenhum rei com o nome de Belsazar. "Os arqueólogos, porém, em meados do século XIX descobriram, na região da antiga Babilônia, um grande número de inscrições gravadas em tábuas de argila. E, como sempre, a Bíblia é que triunfa; nessas inscrições está provado que, na verdade, Nabonido foi o último rei de Babilônia, mas Belsazar, seu irmão, reinava em sua ausência." No entanto, os eruditos modernos concordam em que Belsazar não era irmão de Nabonido, mas seu filho.

5.3: *"Então trouxeram os vasos de ouro, que foram tirados do templo da casa de Deus, que estava em Jerusalém, e beberam por eles o rei, os seus grandes, as suas mulheres e concubinas."*

"...os vasos de ouro". A palavra vaso tem nas Escrituras uma significação ampla, e pode ser aplicada em vários sentidos: são palavras gerais para designar utensílios, equipamentos, etc., (1 Sm 10.1; At 9.15), pelo que, em muitos contextos, indicam vasos tantos reais (1 Sm 10.1; Jo 19.29), como em sentido metafórico (1 Pe 3.7). Para comer pão sagrado, os mancebos de Davi, precisavam ter seus vasos (mulheres) santos (1 Sm 21.5). No presente texto, porém, os vasos eram aqueles que foram utilizados na casa de Deus, em Jerusalém. Eles não podiam ser profanados por serem "vasos de honra"; Belsazar, porém, não teve nenhum respeito por aquilo que era "santo" e profanou os vasos santificados. Como conseqüência de seu erro, caiu sobre ele a ira divina. A Bíblia nos adverte, dizendo: "Não erreis: Deus não se deixa escarnecer!" (Gl 6.7).

5.4: *"Beberam o vinho, e deram louvores aos deuses de ouro, e de prata, e de cobre, e de ferro, e de madeira, e de pedra."*

O presente texto nos mostra quão grande foi o desrespeito daquela gente à santidade divina; eles não só beberam, mas deram também "louvores" àqueles que, por natureza, não são deuses. Deus adverte, através do profeta Isaías, quando diz: "Eu sou o Senhor; este é o meu nome; a minha glória pois a outrem não darei, nem meu louvor às imagens de escultura" (Is 42.8). O rei e seus grandes não deram ouvidos à mensagem divina, que está sempre a clamar. Eles não podiam dar, pois estavam embriagados; cinco vezes lemos nesse capítulo que eles beberam. Um escritor observa o seguinte: "Os adoradores, no festim de Belsazar, sentiram a animação do álcool e adoraram os ídolos mortos dando-lhes louvores". Mas, no Pentecoste, encontra-se o segredo da inspiração verdadeira: "Todos foram cheios do Espírito Santo... e falavam das grandezas de Deus" (At cap 2). Paulo, o apóstolo, adverte seus leitores: "Não vos embriagueis com vinho [como fez Belsazar], em que há contenda, mas enchei-vos do Espírito". Os efeitos nocivos do vício têm trazido conseqüências drásticas, tanto à pessoa humana (sentido individual), como também à própria sociedade (sentido coletivo). Portanto, é evidente que, principalmente as autoridades, não devem beber (Pv 31.4).

5.5: *"Na mesma hora, apareceram uns dedos de mão de homem, e escreviam, defronte do castiçal, na estucada parede do palácio real; e o rei via a parte da mão que estava escrevendo."*

"...o rei via a parte da mão..." A mão direita de Deus Pai, está em foco na presente passagem. O rei não pôde ver a mão completa, mas apenas uma parte; certamente apenas os dedos que escreviam; os magos de Faraó, no Egito, não puderam ver a mão de Deus, mas apenas o seu "dedo" (Êx 8.19). Existe um grande contraste entre "o justo e o ímpio; entre o que serve a Deus e o que não o serve" (Ml 3.18); enquanto o rei via apenas "a parte da mão" misteriosa, os profetas do Senhor puderam contemplar com exatidão, não só os dedos de Deus, mas de um modo particular: 1) suas mãos (1 Rs 22.19); 2) as palmas das mãos (Is 49.16); 3) a sombra da sua mão (Is 49.2). Aquela mão escrevia na "estucada parede". Segundo a Arqueologia, escavações contemporâneas têm demonstrado que as paredes do palácio tinham uma fina camada de emboço pintado. Esse emboço era branco, pelo que qualquer objeto, movendo-se à sua superfície, tornava-se distintamente visível.

5.6: *"Então se mudou o semblante do rei, e os seus pensamentos o turbaram: as juntas dos seus lombos se relaxaram, e os seus joelhos bateram um no outro."*

"...seus joelhos bateram um no outro". O presente texto descreve a situação do monarca diante do supremo poder divino; o rei foi achado por seu pecado, num momento inesperado (Ver Nm 32.23.) No dizer de Swete: "O que os pecadores mais temem não é a morte, e sim a presença revelada de Deus" (Comp com Ap 6.15 a 17). Isso pode ser observado em nossos primeiros pais, Adão e Eva; eles correram apavorados com medo da santidade de Deus, o qual, na viração do dia, passeava no Jardim (Gn 3.8-10). O famoso pintor Hashington Alliston, gastou mais de doze (12) anos experimentando pintar a festa de Belsazar; morreu deixando a obra incompleta! – O pintor não podia alcan-

çar, mesmo com todo o seu potencial de imaginação, o desespero duma alma sem redenção que, de repente, se encontra face a face com o julgamento de Deus; o veredicto judicial escrito na parede, por mão misteriosa do outro mundo, refletia toda aquela sentença pronunciada por Deus.

5.7: *"E ordenou o rei, com força, que se introduzissem os astrólogos, os caldeus e os adivinhadores: e falou o rei, e disse aos sábios de Babilônia: Qualquer que ler esta escritura, e me declarar a sua interpretação, será vestido de púrpura, e trará uma cadeia de ouro ao pescoço, e será no reino o terceiro dominador."*

O presente versículo tem muitas coisas importantes a serem analisadas, mas tomaremos como base a frase: "o terceiro dominador", por ser ela imprescindível no versículo em foco. O profeta Daniel, em sua visão apocalíptica, observa que o poderoso Leão visto no capítulo 7, versículo 4: "Tinha asas de águia". Na simbologia profética, isto pode significar o neto e o filho de Nabucodonosor, respectivamente, Belsazar e Nabonido (este o regente durante a doença do pai - Dn 4.25 - depois ocupou o trono por direito de sucessão). Nabonido não é nominalmente citado nas Escrituras, mas sim na História Universal; no entanto, ele pode ser uma das asas do Leão visto por Daniel em visão (Dn 7.4). Eis a razão por que o rei Belsazar só podia dar a Daniel o "terceiro lugar", pois o segundo era dele próprio (Dn 5.7,11,29). É observado por Zenofon que o povo da Babilônia se sentia seguro e zombava daqueles que sitiavam a cidade. Assim o rei foi levado a fazer essa promessa que nada valia, porque ele tinha de morrer dentro de pouco, e o reino passaria para os medos e os persas.

5.8: *"Então entraram todos os sábios do rei, mas não puderam ler a escritura nem fazer saber ao rei a sua interpretação."*

O presente versículo, bem como outros correlatos neste livro de Daniel, nos faz lembrar dos magos de Faraó diante do supremo poder de Deus, na terra do Egito. Houve uma hora em que eles tiveram de parar, em virtude de Deus ter neutralizado todo o avanço das forças do mal (Êx 8.18). Os sábios podiam ter feito uma interpretação falsa sem que qualquer coisa os descreditassem, mas não o fizeram. Até os mais infames propósitos não podem ir além daquilo que Deus permite. O mal que permeia todo o Universo não pára de alastrar-se, mas sempre há um momento em que Deus entra em ação conforme lhe apraz: "Operando eu, quem impedirá?" – é a sua grande declaração pela boca de Isaías. Deus não deixou desviar-se o seu plano, mas o executou de uma maneira sublime.

5.9: *"Então o rei Belsazar perturbou-se muito, e mudou-se nele o seu semblante; e os seus grandes estavam sobressaltados."*

A Bíblia descreve que o "salário do pecado é a morte" (Rm 6.23). E foi esta a "paga" que Belsazar, com "seus grandes", escolheu: este "salário mortal", e ainda podemos verificar que o lugar em que havia tanta alegria (da carne), transforma-se agora, numa verdadeira "perturbação". "O caminho do homem ímpio é sempre trevas", diz a palavra divina. A Bíblia diz literalmente, que o rei naquela noite ficou "perturbado". Ele também literalmente, ouviu a voz de Deus no recôndito da alma, que lhe dizia: "Louco, esta noite pedirão a tua alma; e o que tens preparado para quem será?" (Lc 12.20). O banquete de Herodes começou com muita alegria da carne, mas foi encerrado com tristeza da alma (Mt 14.9).

O Senhor Jesus sempre tinha em mãos uma "bacia e uma toalha" para seus discípulos (Jo 13.4,5). Ao contrário, para seus inimigos, Ele chegou a usar um azorrague de cordéis" (Jo 2.15). No dia da vinda de Jesus para seus santos, Ele virá como a "estrela da manhã", no dia da vingança, porém, como "o sol da justiça". O monarca Belsazar estava bem instruído sobre o grande poder de Deus e suas manifestações, mas escolheu o "caminho largo" e nele pereceu (Mt 7.13).

5.10: *"A rainha, por causa das palavras do rei e dos seus grandes, entrou na casa do banquete: e falou a rainha, e disse: Ó rei, vive para sempre! não te turbem os teus pensamentos nem se mude o teu semblante."*

"A rainha". O presente texto, fala de uma "senhora rainha" que subentendemos ser a mãe do rei Belsazar. O fato de a rainha se ter dirigido ao rei, também atesta a no-

tável exatidão do presente capítulo. Em Babilônia, a rainha-mãe ocupava a mais proeminente posição no palácio real e, aí, devido à sua intervenção, foi chamado Daniel. Ele rejeitou a recompensa real e, após pregar ao rei no tocante à sua perversidade, prosseguiu para a interpretação do estranho escrito. João Batista não teve acesso ao banquete de Herodes, mas apenas a sua cabeça! Mas certamente o tetrarca, olhando para aquele prato manchado de sangue, contemplou a cabeça cuja "boca" um dia repreendera a sua maldade!

5.11: *"Há no teu reino um homem que tem o espírito dos deuses santos; e, nos dias de teu pai, se achou nele luz, e inteligência, e sabedoria, como a sabedoria dos deuses; e teu pai, o rei Nabucodonosor, sim, teu pai, ó rei, o constituiu chefe dos magos, dos astrólogos, dos caldeus, e dos adivinhadores."*

"...deuses santos". A expressão no original é realmente "Elohim", mas como a palavra "Deus", saiu dos lábios de uma mulher "pagã", os tradutores acharam por bem, traduzir por "deuses". Mesmo assim, a expressão em si, faz uma revelação da Santíssima Trindade: O Pai, o Filho e o Espírito Santo.

5.12: *"Porquanto se achou neste Daniel um espírito excelente, e ciência e entendimento, interpretando sonhos, e explicando enigmas, e solvendo dúvidas, no qual o rei pôs o nome de Beltessazar: chame-se pois agora Daniel e ele dará interpretação."*

O leitor deve observar que, em diversas passagens do livro de Daniel, ocorre: "sonho" ou "visão da noite". (Ver 1.17; 2.3,4,5,6,7,9,19,45; 7.1,7, etc.) Os antigos povos criam muito nos sonhos de caráter significativo, e freqüentemente era uma das maneiras pelas quais Deus podia manifestar a sua vontade (Jó 33.14-16). O termo denota as idéias presentes ao espírito durante o sono. Os sonhos podem ser classificados da seguinte forma: 1) Sonhos vãos (Jó 20.8; Sl 73.20; Is 29.8). 2) Sonhos que Deus usa para fins especiais. Produzindo estes sonhos, Deus age de conformidade com as leis do espírito, e talvez empregue causas secundárias. O doutor J. Davis define os sonhos especiais da seguinte maneira: 1) Os que tinham por fim impressionar a vida psíquica dos indivíduos. Assim se deu com os midianitas, cujo sonho abateu o ânimo das hostes inimigas e elevou o espírito de Gideão que, providencialmente, ouviu a sua narrativa (Jz 7.13). Da mesma sorte aconteceu com o sonho da mulher de Pilatos. O que esta senhora (Claudia Procla, segundo a tradição) sofreu no sonho, foi, provavelmente, o horror de ver um homem inocente ser ferido até a morte, vítima do inflamado ódio do mundo. (Ver Mt 27.19.) Muitos outros sonhos, porém, têm sido revelações nos tempos modernos. João Newton foi impressionado com a salvação da sua alma, quando teve um sonho que veio esclarecer-lhe o caminho a seguir. João Bunyan, quando se encontrava preso na cadeia de Bedford, em 1660, teve um sonho que imortalizou o seu nome. O resultado foi "O Peregrino", hoje a mais famosa alegoria do mundo. 2) Sonhos proféticos instrutivos de que Deus se servia (quando a revelação era ainda incompleta) e que tinham em si mesmos as credenciais divinas. Os exemplos são: 1) Abimeleque (Gn 20.3). 2) Jacó (Gn 28.12; 31.10). 3) Labão (Gn 31.29). 4) José (Gn 37.5,9,10,20). 5) Com Faraó (Gn 41.7,15). 6) O padeiro e o copeiro mor de Faraó (Gn 40.5). 7) Salomão (1 Rs 3.5). 8) Nabucodonosor (duas vezes - Dn caps 2,4). Os magos do Oriente (Mt cap 2). 10) José, esposo de Maria (Mt 21.20 e ss).

5.13: *"Então Daniel foi introduzido à presença do rei. Falou o rei, e disse a Daniel: És tu aquele Daniel, dos cativos de Judá, que o rei, meu pai, trouxe de Judá?"*

"És tu aquele Daniel?" O presente versículo nos apresenta uma pergunta do rei, de singular estranheza: É estranho que o rei Belsazar e seus grandes não conhecessem a Daniel. Mas isso não é de espantar, pois o mundo também não conhece os verdadeiros filhos de Deus. Naamã, o comandante sírio, não conhecia o profeta Eliseu, apesar de ter ele mais glória do que o rei (1 Rs 5.8). O rei Saul conhecia Davi muito bem, mas, após sua grande vitória "no vale do Carvalho", o próprio monarca o desconheceu (1 Sm 17.55-58). Desde os dias da igreja primitiva, o seu alvo principal era tornar conhecida ao mundo a pessoa de Deus. Paulo, em seu grande discurso no Areópago, tomou como tema principal a existência de Deus. O grande sábio, em

poucas palavras, declarou a sua grande missão, pois era fazer conhecido deles esse Deus desconhecido. E argumentou, então, que Deus não podia ser adorado segundo sistema idolátrico de Atenas e do mundo pagão em geral.

5.14: *"Tenho ouvido dizer a teu respeito que o espírito dos deuses está em ti, e que a luz, e o entendimento e a excelente sabedoria se acham em ti."*

O texto em foco revela que Daniel tinha por trás de si um belo testemunho. O rei disse com firmeza: "Tenho ouvido dizer a teu respeito", etc. Certamente alguns daquela corte davam bom testemunho deste grande servo de Deus. No original, a expressão "Tenho ouvido dizer" é usada a fim de indicar que se tratava de um testemunho permanente, que se dava daquele ex-ministro da corte real. O seu valor em potencial foi reconhecido, e ele já havia demonstrado, com o passar dos anos, os seus talentos e a sua dedicação àquela gente. Daniel, durante sua vida, foi um homem muito recomendado, tanto na terra como no Céu. (Ver cap 10.11-19.) O salmista Davi declara com muito respeito: "Os passos de um homem bom são confirmados pelo Senhor" (Sl 37.23). Aqueles que são fiéis em qualquer circunstância são o sal da terra, e a luz do mundo!

5.15: *"Acabam de ser introduzidos à minha presença os sábios e os astrólogos, para lerem esta escritura, e me fazerem saber a sua interpretação; mas não puderam dar a interpretação destas palavras."*

O presente versículo mostra a grande declaração do rei, quanto àqueles seus súditos. Ele declara a incapacidade deles diante daquele mistério. Pois aquilo que a mão misteriosa escrevera não se achava inserido em nenhum código deste mundo. Não é em vão que as Escrituras falam: "O segredo do Senhor é para os que o temem; e ele lhes fará saber o seu concerto" (Sl 25.14). Os magos de Faraó foram até onde puderam, mas depois não puderam mais prosseguir; o poderio humano vai até uma certa distância, mas depois, como sempre, estaciona; porém o poder e a sabedoria de Deus triunfam em qualquer circunstância, tempo ou lugar. A Bíblia diz que "Jesus Cristo é o mesmo ontem, e hoje, e eternamente". Isso significa: Que Ele é o mesmo quanto ao tempo e a importância.

5.16: *"Eu porém tenho ouvido dizer de ti que podes dar interpretações e solver dúvidas: agora, se puderes ler esta escritura, e fazer-me saber a sua interpretação, serás vestido de púrpura, e terás cadeia de ouro ao pescoço, e no reino serás o terceiro dominador."*

"Se puderes ler..." O presente texto nos faz lembrar de Faraó, o monarca egípcio; aquele soberano demonstrou a mesma fraqueza, ocasionada, evidentemente, pela dúvida; ele disse a José: "Eu sonhei um sonho, e ninguém há que o interprete". José, porém, cheio de confiança, respondeu ao monarca: "Isso não está em mim: Deus dará resposta de paz a Faraó" (Gn 41.15,16). No campo da "fé", a expressão "se tu podes" (Mc 9.22) não deve ser intercalada no Código Divino, pois, diante do poder de Deus, é mais nobre e mais correto dizer: "Se tu queres" (Mt 8.2), porque "poder" Deus pode! Daniel demonstra todas essas qualidades divinas; ele reconhece que ele mesmo não pode fazer ou realizar coisa alguma, mas sim Deus, que o capacitou para desvendar todos os mistérios existentes naquela corte.

5.17: *"Então respondeu Daniel, e disse na presença do rei: Os teus dons fiquem contigo, e dá os teus presentes a outro; todavia lerei ao rei a escritura, e lhe farei saber a interpretação."*

Fazer saber ao rei aquela interpretação era algo muito sério, mas o profeta do Senhor estava revestido da autoridade divina, e não trastejou nem sequer numa vírgula daquela escritura feita por uma mão de outro mundo: o mundo espiritual. Daniel viu as palavras que determinavam o tempo de existência daquele monarca pecaminoso e rejeitou os seus dons perecíveis, pois sua alma desejava ardentemente os "dons espirituais" (1 Co 12.31 e 14.1). Daniel, introduzido de repente na presença do rei, é nosso exemplo: cheio do Espírito Santo, pronto e capacitado para revelar coisas significativas, que se coadunavam com o plano de Deus. Daniel declarou a verdade, doesse em quem doesse. O verdadeiro pregador não deve trastejar em sua mensagem, pois ele está revestido de autoridade divina.

5.18: *"Ó rei! Deus, o Altíssimo, deu a Nabucodonosor, teu pai, o reino e a grandeza, e a glória, e a magnificência."*

O profeta Daniel numa breve, mas precisa interpretação, começa com um relato sobre a vida do velho monarca Nabucodonosor; ele declara que todo o poder e a glória daquele reino não foi simplesmente adquirido pela espada do rei, mas que Deus foi quem o elevou dando-lhe glória e magnificência. (Ver Rm 13.1,2.) Agora, porém, Daniel lhe mostra que o mesmo Deus que dá, é também aquele que tira (Jó 1.21), e que Belsazar se encontrava presentemente numa posição de servo inútil, e, por essa razão, não podia mais continuar à frente daquele governo. Se certos governantes do mundo atual tomassem esse exemplo, jamais seus governos seriam abalados. Deus levanta reinos e abate reinos: Ele é o Deus que governa tudo, tanto na terra como nos céus. O cetro de Deus é o símbolo de todo o poder.

5.19: *"E por causa da grandeza que lhe deu, todos os povos, nações e línguas tremiam e temiam diante dele: a quem queria matava, e a quem queria dava a vida; e a quem queria engrandecia, e a quem queria abatia."*

O profeta descreve a biografia do rei Nabucodonosor, como tendo sido um poderoso rei, guerreiro; sua mão realmente foi uma mão de ferro; isso pode ser bem entendido pelas suas grandes conquistas. Nabopolassar, pai de Nabucodonosor, vice-rei da Babilônia, sacudiu o jugo assírio, em 626 a.C. Fez a independência de Babilônia e governou a cidade, de 727 a 605 a.C. Em 609 a.C., Nabucodonosor pôs-se à frente dos exércitos do pai. Invadiu os países ocidentais, arrebatou ao Egito o domínio da Palestina (em 605 a.C.) e levou alguns cativos para Babilônia, entre os quais Daniel. No mesmo ano, 605 a.C., tornou-se regente com o pai; e governou a cidade sozinho desde o fim do ano. Provou-se realmente, como declara Daniel a seu filho, o mais poderoso monarca de todos os tempos.

5.20: *"Mas quando o seu coração se exaltou, e o seu espírito se endureceu em soberba, foi derribado do seu trono real, e passou dele a sua glória."*

Pela declaração do presente texto, fica comprovado que poder absoluto corrompe a criatura humana. Há certos homens que vão à ruína porque fazem como o pastor de Laodicéia, que dizia consigo mesmo: "Rico sou" e não se deixava mais admoestar (Ec 4.13). Nabucodonosor foi, de fato, um grande guerreiro, mas o orgulho lhe cegou os olhos. Isso serve de advertência para todos nós, pois o orgulho é pecado (Pv 21.4), mas dificilmente existe algo mais importante que o orgulho para o indivíduo carnal. "Consideremos sobre o orgulho os seguintes pontos: a) O orgulho é odioso para Cristo (Pv 8.12,13). b) Origina-se na justiça própria (Lc 18.11). c) Deriva-se da inexperiência espiritual (1 Tm 3.6). d) Contamina o homem (Mt 7.20,22). e) Endurece a mente. Nabucodonosor teve o seu "espírito" endurecido (Dn 5.20, o texto em foco). f) Impede a inquirição espiritual (Sl 10.4). g) É uma das grandes características do Diabo (1 Tm 3.6), e também do ímpio (Rm 1.30). h) Impede o aprimoramento espiritual (Pv 26.12). i) Os orgulhosos certamente serão humilhados (Is 2.12). j) O orgulho espiritual torna-se-á muito comum nos últimos dias (2 Tm 3.2). O rei Belsazar tinha atrás de si o exemplo de Nabucodonosor como magna advertência. Ele não aceitou a correção de Deus em seu devido tempo, e por isso tombou!

5.21: *"E foi tirado dentre os filhos dos homens, e o seu coração foi feito semelhante ao dos animais, e a sua morada foi com os jumentos monteses: fizeram-no comer erva como os bois, e pelo orvalho do céu foi molhado o seu corpo, até que conheceu que Deus, o Altíssimo, tem domínio sobre os reinos dos homens, e a quem quer constitui sobre eles."*

Daniel, o profeta de Deus, faz referência aos acontecimentos que tiveram lugar durante a doença do rei Nabucodonosor, conforme o capítulo 4 do livro em foco. Nabucodonosor foi atacado por uma moléstia chamada na medicina moderna "Licantropia". (Doença mental em que o paciente se sente transformado em um animal, e, como resultado disso, não se adapta mais às condições confortáveis exigidas à vida humana, e a tendência é procurar logo o mato, como se fosse mesmo um animal selvagem). A forma de contraí-la é o orgulho, do que já falamos no comentário do capítulo 4, versículo 33 deste livro.

5.22: *"E tu, seu filho Belsazar, não humilhaste o teu coração, ainda que soubeste de tudo isto."*

O presente texto, nos fala de um homem que, mesmo tendo sido advertido pela Palavra divina e acontecimentos passados, que constantemente admoestam sobre o futuro, não se arrependeu. Ele não se humilhou, para que a misericórdia de Deus viesse sobre ele. O monarca Adade-Merare, sussessor de Salmanezer II, foi um exemplo de humilhação na cidade de Nínive, e alcançou de Deus a misericórdia: (Adade-Merare, foi o grande monarca convertido pela pregação de Jonas). Consideremos alguns pontos importantes sobre a humilhação. 1) Ela é necessária para o serviço de Deus (Mq 6.8). 2) Cristo é o exemplo supremo de humildade (Mt 11.29). 3) Ela deve caracterizar os santos (Sl 34.2). 4) Os humildes serão ouvidos por Deus (Sl 138.6). 5) Serão libertados por Deus, no tempo da prova (Jó 22.29). 6) A humildade leva à honra e à vida (Pv 22.4). 7) A humildade é uma excelente qualidade para o serviço divino (Pv 16.19). O monarca Belsazar não escolheu nenhuma destas coisas e por isso pereceu naquela mesma noite!

5.23: *"E te levantaste contra o Senhor do céu, pois foram trazidos os vasos da casa dele perante ti, e tu, os teus grandes, as tuas mulheres e as tuas concubinas, bebestes vinho por eles; além disto, destes louvores aos deuses de prata, de ouro, de cobre, de ferro, de madeira e de pedra que não vêem, não ouvem, nem sabem; mas a Deus, em cuja mão está a tua vida, e todos os teus caminhos, a Ele não glorificaste."*

De acordo com a declaração de Daniel neste versículo, e outros do mesmo gênero, o rei Belsazar não só ofendeu a santidade divina, mas, de um modo particular, levantou-se contra o próprio Senhor. A profanação dos vasos que serviam no templo de Jerusalém pôs termo à misericórdia de Deus naquela noite, para com essa nação pecaminosa. O rei e seus grandes podiam: "ter escolhido a humildade real, a humildade mental, que é a maior virtude e mãe de todas as virtudes". Trata-se de um senso de pequenez que resulta da visão da grandiosidade da existência. Não pode haver humildade enquanto não houver consciência de atingir um ponto mais alto. A humildade resulta do fato de descobrir um homem que tudo quanto ele é e possui se deriva de Deus. Tal humildade confere força, e não fraqueza. Se o rei e seus amigos tivessem escolhido esta virtude teriam triunfado.

5.24: *"Então dele foi enviada aquela parte da mão, e escreveu-se esta escritura".*

"Então dele foi enviada aquela parte da mão". O leitor deve observar bem que, neste capítulo, a frase "então" ocorre por (8) vezes. Essa expressão "então" (tote) tem aqui, e noutras passagens, significado cronológico na divisão dos fatos, como se pode ver em Mt 25.1 e ss. Ela sempre marca o término de uma coisa e o início de outra. (Ver neste livro cap 5.3,6,8,9,13,17,24,29). O profeta agora começa a chamar a atenção do rei para o lado da estucada parede, onde aquela "parte" (no original os dedos) escrevia a sua sentença. Podemos observar que a "cabeça de ouro" sentiu a severidade da mão de Deus por quatro vezes, e em cada vez com mais severidade: 1) Essa primeira vez teve, em parte, um caráter mais brando, foi no sonho da imagem espantosa. 2) Com mais dureza, no episódio da fornalha ardente. 3) O golpe maior, na sua doença por sete anos. 4) A quarta vez foi uma grande catástrofe na qual o rei Belsazar morreu e o reino passou ao "peito e braços de prata" (os medos e os persas). A história do mundo mostra que Deus continua a castigar com destruição repentina seja quem for.

5.25: *"Esta pois é a escritura que se escreveu: MENE, MENE, TEQUEL, UFARSIM."*

Alguém já disse com sabedoria que a balança de Deus tem dois pratos, mas um só fiel. Ninguém se engane, Deus pesa até as montanhas (Is 40.12), e não somente isso, mas pesa também: 1) O andar do homem (Is 26.7). 2) O espírito do homem (Pv 16.2). 3) A sinceridade do homem (Jó 31.6). Devemos observar que cada uma das palavras da misteriosa escritura contém um duplo sentido: MENE, enumerado; isto é, Deus havia enumerado (mena) os dias da duração do reino. TEQUEL, um siclo, que indicava que Belsazar havia sido pesado (na balança divina) e encontrado deficiente. PERES, teu reino é dividido (peres) e dado aos medos e persas (paras). A palavra "paras" parece salientar que os persas seriam o poder dominante perante a Babilônia que sucumbiria naquela noite festiva. Seja como for, tudo se cumpriu do mesmo modo que fora lido por Daniel.

5.26: *"Esta é a interpretação daquilo: MENE: Contou Deus o teu reino e o acabou."*

A interpretação que segue é baseada, não neste substantivo mas nos verbos a ele associados. A habilidade de Daniel consistiu em traçar a conexão entre o sinal dado e a condenação que ele sabia ser iminente. Mene é explicado como o particípio passado de um verbo, "menē" ou "menã", "designado", isto é, em outras palavras: "os dias de teu reino já foram contados". O reino babilônico cresceu, mas amadureceu para a ceifa. A profecia divina dizia claramente: "teu reino foi acabado"! A mão que escreveu ali foi exatamente aquela que escrevera os "Dez Mandamentos" (a balança de Deus) em tábuas de pedras; escrevera a sentença eterna de Belsazar. As palavras na parede significavam literalmente: Contado, pesado e dividido. Deus anuncia, através daquela escritura, que faltava justiça para a Babilônia e, simultaneamente, é decretada a destruição do reino.

5.27: *"TEQUEL: Pesado foste na balança, e foste achado em falta."*

"TEQUEL". O texto em foco é a segunda palavra na interpretação. Tequel (heb. seqel) é tomada na sua forma verbal, significando "pesado" ou "avaliado". A idéia está presente em 1 Samuel 2.3, "...porque o Senhor é o Deus da sabedoria, e por ele são as obras *pesadas* na balança". Tal como o salmista, tinha em mente os homens maus (Sl 62.9). Belsazar não consegue dar equilíbrio à balança e revela a falta em si de verdadeiros valores, segundo a escala de Deus. Jó, o patriarca de UZ, desejava ser pesado por "balanças fiéis" (Jó 31.6). Os dez mandamentos de Deus e a "Graça e a Verdade", que veio por Jesus Cristo, são balanças divinas que regulam as nossas vidas. Deus pesa os homens de acordo com esse padrão. Todos os homens querem pesar as suas vidas nas suas próprias balanças, mas somente a balança inevitável de Deus é sempre fiel!

5.28: *"PERES: Dividido foi o teu reino, e deu-se aos medos e aos persas."*

"PERES". Ao ler o escrito final (peres), Daniel leu "U-FARSIM". Observe-se o versículo 25 do cap. em foco; mas, ao dar a interpretação, empregou a forma "PERES". O "U" é a conjunção aramaica "e", que seria omitida ao ser dada a interpretação. "FARSIM" é a forma plural, enquanto que "PERES" é singular (2 Sm 6.8). "A antiga versão da Bíblia continha a palavra "UPHARSIM", sendo o "U", na língua aramaica, equivalente à nossa conjunção "e". A versão Revista e Atualizada da SBB traz esta, mas sem o "U" e com a conjunção "e", seguida da palavra "Parsim". Como já ficou demonstrado acima, "peres" é forma plural. Isso tomava o sentido de dividido, compartilhado; o reino de Belsazar está para ser dividido entre os medos e os persas.

5.29: *"Então mandou Belsazar que vestissem a Daniel de púrpura, e que lhe pusessem uma cadeia de ouro ao pescoço, e proclamassem a respeito dele que havia de ser o terceiro dominador do reino."*

"...o terceiro dominador..." o texto em foco, já foi citado no versículo sete do presente capítulo.

5.30: *"Naquela mesma noite foi morto Belsazar, rei dos caldeus."*

"Naquela mesma noite..." A história diz que a cidade de Babilônia foi tomada de noite, durante uma orgia, sem que o rei e os habitantes oferecessem qualquer resistência. Ciro, o general das tropas, comandando os exércitos medo-persas, desviou o curso do Eufrates, que passava pela cidade, e entrou pelo leito do rio, seco. O anúncio dessa captura repentina, que paralisava a cidade, é dado pelo profeta Isaías, cap 21.9: "E eis agora vem um bando de homens, e cavaleiros aos pares (medo e persas). Então respondeu e disse: Caída é Babilônia, caída é! e todas as imagens de escultura dos seus deuses se quebraram contra a terra". Assim como está escrito, assim aconteceu: Babilônia foi, realmente, tomada de improviso, e seu rei foi morto no estado de embriaguês. (Ver Jr 51.8 e ss.) No capítulo 18 do livro de Apocalipse, se descreve a grande queda da Babilônia escatológica. Ela também cairá num momento. Nos es-

critos dos profetas do Antigo Testamento, a palavra *Babilônia* quando não se refere à cidade, como no texto em foco, é empregada ao estado de "confusão" em que tem caído toda a ordem social. Seja como for, todo e qualquer "sistema" denominado "Babilônia" um dia cairá!

5.31: *"E Dario, o medo, ocupou o reino, na idade de sessenta e dois anos."*

O presente versículo tem sido muito contestado, porquanto alguns estudiosos da Bíblia afirmam que Dario jamais governou Babilônia. "A interpretação que se tem é que Ciro continuou à frente de suas tropas, dominando o resto do Império ou pretendendo ir mais além, até a Índia (como desejou mais tarde Alexandre Magno), entregando assim o governo a Dario. De qualquer modo, para nós, Dario foi rei de Babilônia. Daniel não se enganou, e nem confundiu nomes nem funções dos dois reinantes". Os textos citados afirmam que Dario assumiu ali as rédeas do governo e cremos que Ciro só subiu ao trono medo-persa um ano depois (Dn caps 8.3 e 9.1). Daniel, mesmo já sendo muito idoso, continuou como ministro da corte Babilônica, que, agora, se transformaria numa nova dinastia denominada Medo-persa. O homem de Deus prospera em qualquer tempo e em qualquer lugar. (Ver Dt cap 28.)

6
Daniel na cova dos leões

6.1: *"E pareceu bem a Dario constituir sobre o reino a cento e vinte presidentes, que estivessem sobre todo o reino."*

"...pareceu bem a Dario..." Daniel menciona quatro reis da Babilônia e da Pérsia: – Nabucodonosor; Belsazar; Dario, o Medo, e Ciro. O primeiro é bem conhecido. O segundo é citado em Daniel como sendo filho de Nabucodonosor (já se deu explicação sobre isso no capítulo anterior). Heródoto, o historiador (185-188) registra que Belsazar era filho de Nabonido. As inscrições recentes, encontradas, declaram que o exército persa, sob Gobrias, tomou Babilônia sem luta; que foi morto o filho do rei; e que Ciro entrou mais tarde. Sob o reinado de Dario, Daniel foi lançado à cova dos leões, isso não é mencionado nas inscrições, mas é evidenciado no capítulo em foco. Pensa-se que ele foi o Gobrias, referido nas placas babilônicas, ou, como diz Josefo, Ciaxares, medo, sogro de Ciro. Seja como for, Dario comandou também os exércitos que conquistaram Babilônia; enquanto Ciro se ocupava em suas guerras, no Norte e no Oeste, Dario reinava em seu lugar. Fora predito que os medos seriam os conquistadores de Babilônia. (Ver Is 13.17; Jr 51.11,29.) Até Ciro assumir o poder, a ordem era

"medos e persas" (5.28 e 6.8). Depois, falava-se "persas e medos" (Et 1.14,18,19 etc). (Ver notas sobre isso em 5.31.)

6.2: *"E sobre eles três príncipes, dos quais Daniel era um, aos quais, estes presidentes dessem conta, para que o rei não sofresse dano."*

"E sobre eles três príncipes, dos quais Daniel era um". O presente versículo é continuidade do versículo primeiro desta série de 28 que este capítulo contém. Dario nomeou 120 "sátrapas" ou "protetores do reino" para cuidar do novo país conquistado. O texto em foco nos informa que, desde que Daniel se distinguiu em sua posição, a inveja apareceu entre os outros e procuravam um meio de destruí-lo. Na simbologia profética das Escrituras, o número cento e vinte tem sentido especial: 1) Deus reduziu a idade humana para "cento e vinte anos" (Gn 6.3). Essa expressa ordem de Deus teve cumprimento real na vida de Moisés que, viveu "cento e vinte anos" (Dt 34.7). 2) Deus fez referência a "120.000" ninivitas a seu servo Jonas (Jn 4.11). 3) No Pentecoste, o Espírito Santo desceu sobre "120" irmãos que estavam reunidos (At 1.15; 2.1-13 e ss). Seja como for, no presente texto, cada príncipe dos acima mencionados, tinha sob sua regência cerca de "40 satrapias" e Daniel era um deles naquela corte.

6.3: *"Então o mesmo Daniel se distinguiu destes príncipes e presidentes, porque nele havia um espírito excelente; e o rei pensava constituí-lo sobre todo o reino."*

"...um espírito excelente". O espírito humano representa a natureza suprema do homem, e nessa peculiaridade rege a qualidade de seu caráter. Aquilo que domina o espírito torna-se atributo de seu caráter. Por exemplo, se o homem permitir que o orgulho o domine, ele tem um "espírito altivo" (Pv 16.18). Conforme as influências respectivas que dominem, o homem pode ter: um espírito perverso (Is 19.14); um espírito rebelde (Sl 106.33); um espírito impaciente (Pv 14.29); um espírito perturbado (Gn 41.18). Pode estar dominado por um espírito de servidão (Rm 8.15), ou ser impelido pelo espírito de inveja, (Nm 5.14). Essa é a lista negra daqueles que não dominam seu espírito; porém, é evidente que, aqueles que, como Daniel, têm "um espírito excelente", devem: dominar seu

espírito (Pv 16.32); guardar seu espírito (Ml 2.15); pelo arrependimento, criar um novo espírito (Ez 18.31) e, finalmente, confiar em Deus, para que Ele transforme seu espírito (Ez 11.19). Daniel era possuidor de todas essas qualidades em grau supremo (v 2).

6.4: *"Então os príncipes e os presidentes procuravam achar ocasião contra Daniel a respeito do reino; mas não podiam achar ocasião ou culpa alguma; porque ele era fiel, e não se achava nele nenhum vício nem culpa."*

"...ele era fiel". Hodge, declara: "A grande exigência básica para o ofício dos despenseiros é a fidelidade. Um ministro (político ou religioso) deve, acima de tudo, primar pela fidelidade. Daniel foi exemplo durante a sua vida naquela corte. No campo religioso, o despenseiro é um servo e, como tal, deve ser fiel ao seu Senhor. Na qualidade de um discípulo, deve ser fiel àquele que o supervisiona. O despenseiro não deve mostrar-se negligente ao distribuir o alimento; não deve adulterá-lo nem substituí-lo por um inferior. Assim também se dá no caso dos ministros da Palavra". Os servos infiéis se empenham mais em servirem-se a si mesmos: esquecem-se das verdadeiras funções de um servo de Deus, que consiste em anunciar a mensagem *do Senhor*, dedicando-se inteiramente a Ele. Daniel era fiel em tudo que fazia, tanto para o rei como para Deus. Por isso foi perseguido, mas triunfou!

6.5: *"Então estes homens disseram: Nunca acharemos ocasião alguma contra este Daniel, se não a procurarmos contra ele na lei do seu Deus."*

"Nunca acharemos ocasião..." O espírito de inveja é, sem dúvida alguma, um espírito destruidor. O rei Saul era um rei poderoso, mas a inveja o destruiu. Ele, após o grande triunfo do jovem guerreiro Davi, ao invés de agradecer o que ele fez, quis matá-lo (1 Sm cap 18). O jovem José era justo e santo e seus irmãos o venderam como escravo para o Egito (At 7.9). Em toda a extensão da Bíblia, encontramos sempre a inveja associada à traição. Evidentemente, o invejoso é um traidor. Judas Iscariotes traia a Jesus e, por essa razão, "buscava oportunidade para entregá-lo sem alvoroço" (Lc 22.1-6). O verdadeiro obreiro pode ter sido no passado até um Pedro (precipitado), mas nunca um Judas

(traidor). Daniel, em sua missão de estadista naquela corte, foi sempre traído, mas nunca foi traidor!

6.6: *"Então estes príncipes e presidentes foram juntos ao rei, e disseram-lhe assim: Ó rei Dario, vive para sempre!"*

"...foram juntos ao rei". O presente versículo, nos lembra o Salmo dois (2), onde o furor das nações se levanta contra o Senhor e contra o seu ungido. O poema representa o mundo organizado contra o Senhor, deliberadamente contra o seu governo. Historicamente, o objeto do ataque dos ímpios era o ungido do Senhor, Davi. (Ver 1 Sm 24.6.) Profeticamente falando, era o Messias, Jesus. (Ver At 4.25-27.) Porém, quanto ao campo prático da vida, podemos aplicar isso à vida de Daniel, na corte de Babilônia; ele também foi vítima de ataques mortais da disputa ruidosa daqueles que imaginavam coisas vãs, isto é, que se rebelaram contra a fidelidade daquele servo fiel. Eles se "mancomunaram" e juntos compactuaram contra Daniel. Ainda hoje muitos servos de Deus têm sofrido as mesmas injustiças. Só o Deus de Daniel nos pode socorrer destes golpes mortais!

6.7: *"Todos os príncipes do reino, os prefeitos e presidentes, os capitães e governadores, tomaram conselho, a fim de estabelecerem um edito real e fazerem firme este mandamento: que qualquer que, por espaço de trinta dias, fizer uma petição a qualquer deus, ou a qualquer homem, e não a ti, ó rei, seja lançado na cova dos leões."*

"...uma petição a qualquer deus...e não a ti". A sugestão, tomada de maneira falsa, tinha como objetivo envaidecer o ego do rei e dar uma expressão à sua nova autoridade. Tal mostra de lealdade da parte dos seus funcionários civis seria muito bem-vinda, sem dúvida, para aquele que durante sua vida vivia da própria glória. Os antigos Césares arrogavam também para si adoração divina e sob pena de morte que sofreria aquele que se recusasse a adorá-los. O Anticristo invocará também para si essa mesma prática, durante seu sombrio governo, "de sorte que se assentará, como Deus, no templo de Deus, querendo parecer Deus". (Ver 2 Ts 2.4.) O rei Dario, segundo nos parece, assinou aquele edito para beneficiar-se a si mesmo, sem se lembrar

de que, por trás disso havia um inocente a ser condenado. Seus vassalos bem o sabiam. E é evidente que o rei só teve conhecimento da tragédia horas depois. Mas, existem pessoas como Herodes: só se arrependem depois. (Ver Mt 14.9 e ss).

6.8: *"Agora pois, ó rei, confirma o edito e assina a escritura, para que não seja mudada, conforme a lei dos medos e dos persas, que se não pode revogar."*

"Ó rei, confirma o edito e assina a escritura". O doutor Leon J. Wood, descreve o que segue: "Na qualidade de cristãos, precisamos ficar avisados contra a lisonja. Satanás usa essa ferramenta para realizar o seu trabalho maldoso. A lisonja já causou a queda de muitos dos servos do Senhor. Foram influenciados a fazer coisas que não fariam de outro modo. Isto tem causado sérios problemas para eles mesmos e para o trabalho de Deus como resultado". A última parte do pedido – para que o rei sancionasse o decreto – seria a segurança de que não poderia ser mudado. Quando os decretos persas e medos eram sancionados e assinados pelo rei, tornavam-se irrevogáveis. Passavam a fazer parte da imutável lei dos medos e dos persas. (Ver Et 1.19; 8.8, etc.) A lisonja fizera a sua obra, e o rei concordou em assinar. Seu orgulho levou-o a ser enganado por aqueles que alegavam querer honrá-lo.

6.9: *"Por esta causa o rei Dario assinou esta escritura e edito."*

"Por esta causa". O texto em foco, dá continuidade à narrativa. Depois de organizada a conspiração contra o grande servo de Deus, os homens se aproximaram do rei. Vocês leitores são capazes de imaginar como fizeram, elogiando-o exageradamente para fazê-lo crer que realmente desejavam honrá-lo! Depois apresentaram o pedido de forma mentirosa, declarando que todos os presidentes, governadores, príncipes, conselheiros e prefeitos desejavam que o decreto proposto fosse assinado. Mas a justiça divina não falha! O profeta Isaías, assim descreveu em seu livro, capítulo 10.1,2: "Ai dos que decretam leis injustas, e dos escrivães que escrevem perversidade, para prejudicarem os pobres em juízo, e para arrebatarem o direito dos aflitos do meu povo..." Este "ai" vem da parte de Deus e recai sobre

aqueles inimigos de Daniel; eles nos versículos que se seguem, foram colhidos por suas próprias armadilhas. (Ver Ec 10.8.)

6.10: *"Daniel, pois, quando soube que a escritura estava assinada, entrou em sua casa (ora havia no seu quarto janelas abertas da banda de Jerusalém), e três vezes no dia se punha de joelhos, e orava, e dava graças, diante de seu Deus, como também antes costumava fazer."*

"...três vezes ao dia se punha de joelhos, e orava". O versículo nos dá interessante evidência a respeito da oração no período bíblico posterior ao cativeiro, e ao mesmo tempo o cumprimento das palavras de Salomão em 1 Rs 8.46-49a, que diz: "Quando pecarem contra ti (pois não há homem que não peque), e tu te indignares contra eles, e os entregares nas mãos do inimigo, para que os que os cativarem os levem em cativeiro à terra do inimigo, quer longe ou perto esteja; e na terra aonde forem levados em cativeiro tornarem em si, e se converterem, e na terra do seu cativeiro te suplicarem, dizendo: Pecamos, e perversamente obramos, e cometemos iniqüidade; e se converterem a ti com todo o seu coração e com toda a sua alma, na terra de seus inimigos que os levaram em cativeiro, e orarem a ti para a banda da sua terra que deste a seus pais, para esta cidade que elegeste, e para esta casa que edifiquei ao teu nome, ouve então dos céus..." Daniel, o grande servo de Deus, foi inspirado nesta oração de Salomão e, a exemplo do salmista, orava de *manhã,* ao *meio-dia* e à *tarde.* Isto é, 9.00hs, 12.00hs, 15.00hs, respectivamente. (Ver Sl 55.17.)

6.11: *"Então aqueles homens foram juntos, acharam a Daniel orando e suplicando diante do seu Deus."*

"Acharam a Daniel orando". O presente texto e outros correlatos abordam um tema muito vasto nas Escrituras. A oração! Ela é vista por toda a extensão da Bíblia, tanto no Antigo como no Novo Testamento. "Quem quer que levante problemas difíceis só obterá resposta após uma luta longa e sincera com o Criador, quando, simultaneamente, deixará de questionar". A oração é a primeira providência a tomar. Neste caso a Bíblia defende a tese a respeito da questão mais delicada: – Como é possível que um homem, embora íntegro, possa sofrer e só vencer orando? Mas na

Bíblia, esta questão é apresentada como sendo da vontade de Deus, pois através deste método, Ele também mostra seu grande amor, tanto a seus filhos como a seus inimigos. O Senhor Jesus neste campo é o divino modelo: Ele entrou no mundo orando, viveu orando, e morreu orando. (Ver Lc 23.46; Hb 5.7; 10.5-7.)

6.12: *"Então se apresentaram, e disseram ao rei: No tocante ao mandamento real, porventura não assinaste o edito pelo qual todo o homem que fizesse uma petição a qualquer deus, ou a qualquer homem, por espaço de trinta dias, e não a ti, ó rei, seria lançado na cova dos leões? Respondeu o rei, e disse: Esta palavra é certa, conforme a lei dos medos e dos persas, que se não pode revogar."*

O presente versículo abrange uma série de fatores discutidos pelos inimigos de Daniel. No versículo anterior, os presidentes e príncipes que estavam por trás desse sombrio esquema foram observar a liberdade de Daniel para com seu Deus. Paulo, cerca de 595 anos depois, fala em seus escritos de falsos "irmãos", e salienta: "E isto por causa dos *falsos irmãos* que se tinham entremetido, e secretamente entraram a espiar a nossa liberdade, que temos em Cristo Jesus, para nos porem em servidão" (Gl 2.4). Na verdade, o próprio Satanás é chamado de o grande "acusador dos irmãos" (Ap 12.10). Ele é assim chamado devido à sua oposição a Deus e aos homens. Os cristãos precisam tomar muito cuidado para que o Diabo não tenha motivos reais de acusação. Seja como for, o homem acusador de seus irmãos está sendo um agente de Satanás e, por essa razão, põe por terra o valor do sangue de Jesus Cristo, nosso Senhor. (Ver 1 Jo 1.7 e ss.)

6.13: *"Então responderam e disseram diante do rei: Daniel que é dos transportados de Judá, não tem feito caso de ti, ó rei, nem do edito que assinaste, antes três vezes por dia faz a sua oração."*

"Não tem feito caso de ti". Observamos neste versículo o mesmo espírito malicioso que existia no grupo que acusou Sadraque, Mesaque e Abdenego; eles disseram também a Nabucodonosor: "Há uns homens judeus, que tu constituíste sobre os negócios da província de Babilônia: Sadraque, Mesaque, Abdenego: estes homens, ó rei, não fi-

zeram *caso* de ti; a teus deuses não servem, nem à estátua de ouro, que levantaste, adoram" (cap 3.12). Certamente a coragem de Daniel é um desafio para todos nós. Ele estava pronto a colocar os interesses de Deus em primeiro lugar e a sua própria segurança em segundo. Por amor do seu testemunho, estava pronto a enfrentar a cova dos leões famintos. Paulo foi também um crente abnegado no serviço do mestre, chegou até dizer: "...estou pronto..." (Rm 1.15). O verdadeiro cristão está sempre pronto, pois não é mais ele que vive, mas Cristo é que "vive" em sua vida.

6.14: *"Ouvindo então o rei o negócio, ficou muito penalizado, e a favor de Daniel propôs dentro do seu coração livrá-lo; e até o pôr-do-sol trabalhou por o salvar."*

"E até o pôr-do-sol trabalhou por o salvar". O versículo em foco diz que o rei, ao ouvir que Daniel tinha caído na armadilha, "ficou muito penalizado". Isso, sem dúvida, pelo motivo de ser aquela lei por ele assinada irrevogável. Montgomery cita um exemplo no reinado de Dario III (336-331 a.C.), em que este rei condenou à morte um homem que sabia ser inocente: "Imediatamente ele se arrependeu e se lastimou por ter errado grandemente; mas não era possível anular o que havia sido feito com autoridade real". O texto em foco diz que o rei tentou salvar Daniel. Aqui se cumprem as palavras proféticas ditas por Daniel na interpretação do sonho do rei, descrita no capítulo dois deste livro. Isto é, o reino agora é de "prata" e não de "ouro". O monarca Nabucodonosor matava a quem queria e conservava em vida a quem queria (Dn 2.38 e 5.19), coisa que Dario não podia fazer, pois era apenas representante do reino de "prata".

6.15: *"Então aqueles homens foram juntos ao rei, e disseram ao rei: Sabe, ó rei, que é uma lei dos medos e dos persas que nenhum edito ou ordenança, que o rei determine, se pode mudar."*

O presente texto mostra como os tiranos inimigos não permitiam ao rei ganhar tempo. A sentença que eles queriam tinha de ser pronunciada ali mesmo. A lei decretada pelo monarca medo era de caráter irrevogável, e aqueles servos maus, aproveitando-se da armadilha em que o rei caíra prevaleciam-se da própria honra do rei, sempre juntos, dizendo: "Sabe ó rei, que uma lei dos medos e dos persas..." Diante de tal oposição daqueles ministros, o rei só tinha um dos caminhos a seguir: ou transgredir a lei ou permitir que Daniel fosse lançado na cova dos leões. Ele optou pelo segundo caminho, ainda que contrário à vontade de Deus e à sua, mas é evidente que o falso decreto, para condenar o justo Daniel, passou por falta de vigilância da parte do monarca. (Ver 1 Pe 5.8.)

6.16: *"Então o rei ordenou que trouxessem a Daniel, e o lançaram na cova dos leões. E, falando o rei, disse a Daniel: O teu Deus, a quem tu continuamente serves, ele te livrará."*

O texto em foco nos mostra o momento cruciante na vida daquele servo de Deus! É evidente que o rei mandou chamar Daniel, por certo, para se certificar de que as testemunhas falavam a verdade. Daniel confirmou que sim. O texto não nos informa o diálogo havido entre o rei e o velho profeta, mas, pela linguagem do mesmo rei, fica demonstrado que houve um diálogo com o rei, antes de Daniel ser lançado. Há grande discrepância entre os comentadores quanto às palavras do rei ao dizer: "O teu Deus...ele te livrará". Para alguns, o rei disse apenas: "ele que te livre", mas o texto, em si, parece não autenticar essa interpretação. Ao lançar Daniel na cova, o rei disse categoricamente e com firmeza: "O teu Deus, a quem tu continuamente serves, ele te livrará". Os descrentes, mesmo na ignorância espiritual, sabem que servimos a Deus continuamente. "A religião é para todos os dias e não somente para o tempo em que estamos nos cultos públicos".

6.17: *"E foi trazida uma pedra e foi posta sobre a boca da cova; e o rei a selou com o seu anel e com o anel dos seus grandes, para que se não mudasse a sentença acerca de Daniel."*

"...foi trazida uma pedra e foi posta sobre a boca da cova". Tem sido interpretado que, a "cova dos leões" onde Daniel foi lançado, tinha duas entradas: a primeira era uma espécie de "rampa" pela qual os animais entravam e a segunda uma espécie de "buraco", na extremidade superior, pelo qual os animais eram alimentados. Seja como for, Daniel foi lançado ali, e certamente só haveria uma

saída, talvez a do teto como já ficou explícito acima. Foi provavelmente para evitar que alguém trouxesse uma corda e a colocasse por aquela porta, que foi trazida uma pedra e foi colocada ali. Para que a entrada da cova não fosse violada, o rei, à semelhança do que fez Pilatos, mandou que trouxessem o selo real (o anel) e o selo de seus grandes, selando assim a pedra. Era esse o costume daqueles dias: selar a entrada duma cova, quando havia nela alguém vivo ou morto. (Ver Josué 10.16 e ss; Dn 6.17; Mt 27.66.)

6.18: *"Então o rei dirigiu-se para o seu palácio, e passou a noite em jejum, e não deixou trazer à sua presença instrumentos de música; e fugiu dele o sono."*

O texto em foco nos mostra quão grande é a segurança daquele que habita no esconderijo do Altíssimo, como bem descreve o salmista, no Salmo 91.1 e ss. Daniel, na cova dos leões famintos, estava mais sossegado do que o rei no palácio real. Assuero não dormiu uma noite e nela descobriu a dignidade e a nobreza de Mardoqueu, um judeu cativo (Et cap 6). Para o servo fiel a seu Deus, sua confiança jamais será abalada por coisa alguma. Ainda que lhe seja necessário morrer por Cristo, ele permanece firme em seu propósito. (Ver At 7.55 a 60.) João Evangelista foi deportado para a ilha de Patmos, só porque deu seu testemunho de que Jesus Cristo era o Filho de Deus; ali teve visões sublimes da glória de Cristo e das venturas eternas. Daniel também permaneceu firme e, como recompensa, teve a companhia dos anjos (Hb 11.33).

6.19: *"E pela manhã cedo se levantou, e foi com pressa à cova dos leões."*

"E foi com pressa à cova..." O monarca medo, não conseguindo dormir aquela noite, levantou-se muito cedo e, com grande pesar na sua alma, foi à referida cova, onde, num estado de tranqüilidade, encontrava-se Daniel! O rei era possuidor, não de uma culpa simulada, mas sim, de uma culpa real. Um olhar introspectivo e retrospectivo colocou-o a par destas razões, que provocavam a intranqüilidade mental. No entanto, tais observações não são conseguidas facilmente. O homem tem a tendência de fugir da realidade a seu respeito. A declaração bíblica sobre isso é: "Os homens amaram mais as trevas do que a luz; porque

as suas obras eram más. Porque todo aquele que faz o mal aborrece a luz..." (Ver Jo 3.19,20.)

6.20: *"E, chegando-se à cova, chamou por Daniel com voz triste; e, falando o rei, disse: – Daniel, servo de Deus vivo! dar-se-ia o caso que o teu Deus, a quem tu continuamente serves, tenha podido livrar-te dos leões?"*

"Daniel, servo do Deus vivo!". O profeta Jeremias, diz que o nosso Deus "é o Deus vivo e o rei eterno" (Jr 10.10). O fato da existência de Deus era tão natural, que não temos na Antiguidade remota nenhum vestígio de especulações sobre a origem ou o destino de Deus, embora a teologia ocupasse um lugar considerável nas crenças dos antigos povos. Assim, como a vida é uma realidade misteriosa que apenas se pode constatar e que ninguém sonha contestar, assim Deus é uma realidade que se impõe. Desde que Ele aparece nas primeiras páginas da Bíblia e da História, já aparece como um Deus grande e soberano, por ser um Deus vivo. Assim sendo, a expressão "Deus vivo" possui um caráter teológico menos contestado que outras afirmações que são dedicadas à sua existência. E "porque Deus é vivo, podemos falar dele como um ser vivo; mas também, porque dele falamos como de um ser vivo, não deixamos nunca de lembrar que Ele está vivo".

6.21: *"Então Daniel falou ao rei: Ó rei, vive para sempre!"*

"...vive para sempre!". A resposta de Daniel funciona como resposta à pergunta do rei que também se refere ao Deus vivo. (Ver Dt 5.26; Js 3.10; Jr 10.10; Mt 16.16; 1 Tm 3.15; Ap 7.2; 10.6, etc.) A resposta em foco é uma prova de que Deus realmente vive, e foi capaz de socorrê-lo. A eternidade de Deus é duração sem princípio e sem fim: é existência sem intermediação, sem limites ou dimensões; é um *presente* com ausência de limitações; em qualquer tempo Deus é vivo, sem passado ou futuro quanto à medição de sua vida. Sua eternidade é juventude sem infância ou velhice: vida sem nascimento ou morte; é hoje, sem o ontem ou o amanhã. A eternidade de Deus é, sem dúvida alguma, um sempiterno presente; Ele há de permanecer para sempre em majestade, e isolamento em si mesmo. Ele é sem-

pre o mesmo quanto ao tempo e à importância. Ele vive para sempre. Não morre jamais!

6.22: *"O meu Deus enviou o seu anjo, e fechou a boca dos leões, para que não me fizessem dano, porque foi achada em mim inocência diante dele; e também contra ti, ó rei, não tenho cometido delito algum."*

"O meu Deus enviou o seu anjo". O escritor da epístola aos Hebreus diz que os anjos são espíritos ministradores enviados para servir a favor daqueles que hão de herdar a salvação (Ver Hb 1.14.) Não só as Escrituras, mas também a teologia judaica helenista desenvolveu uma noção sobre como Deus faz os anjos servirem aos homens, protegendo-os, ajudando-os, de inúmeras maneiras. Vários versículos do Antigo Testamento refletem algo sobre isso. Em o Novo Testamento, o testemunho também sobre os anjos é abundante: Um anjo anunciou o nascimento de João Batista (Lc 1.11-14), e deu-lhe o nome (Lc 1.13); um anjo anunciou a Maria o nascimento de Jesus (Lc 1.26-37), e deu-lhe o nome (Mt 1.21); Um anjo anunciou a José o mesmo acontecimento. Isso que apresentamos aqui é apenas o início da vasta missão dos anjos no Novo Testamento. Por mais de 175 vezes essas criaturas são mencionadas aí.

6.23: *"Então o rei muito se alegrou em si mesmo, e mandou tirar a Daniel da cova: assim foi tirado Daniel da cova, e nenhum dano se achou nele, porque crera no seu Deus."*

"Então o rei muito se alegrou em si mesmo". Nas páginas áureas da Bíblia Sagrada, aparece a alegria com vários sentidos: Há a alegria de caráter nacional e cultural (Ver o livro de Ester, como exemplo.) Já nas páginas de Deuteronômio, cap 12.7 a 12, aparece a alegria como manifestação da piedade familiar; mas, sobretudo nos Salmos, encontra ela acento verdadeiramente religioso e pessoal, expressando a adoração transbordante de regozijo, própria de quem sabe estar na presença de Deus (16.8 e ss), e conhece sua lei como refrigério da alma (Salmo 119); suas promessas, seu perdão (Sl 51), suas libertações. Há também referências específicas de alegria escatológica, como por exemplo em Is 9.1; e, nos últimos capítulos desse livro, ela se desabrocha em alegria cósmica (Exemplificando: 49.13;

55.12). No texto em foco, a alegria do rei foi motivada pela grande libertação que Deus deu à pessoa de Daniel. O crente fiel sempre se alegra no Senhor, mas como o monarca não tinha Deus na sua vida, "alegrou-se em si mesmo".

6.24: *"E ordenou o rei, e foram trazidos aqueles homens que tinham acusado Daniel, e foram lançados na cova dos leões, eles, seus filhos e suas mulheres; e ainda não tinham chegado ao fundo da cova quando os leões se apoderaram deles, e lhes esmigalharam todos os ossos."*

Finalmente chegou o momento da lei da semeadura entrar em vigor; Paulo, o apóstolo dos gentios, recomenda: "Não erreis: Deus não se deixa escarnecer; porque tudo o que o homem semear, isto também ceifará (Gl 6.7). Quem semeia vento só colherá tempestade, é essa a advertência divina, tanto no Antigo, como no Novo Testamento. (Ver Pv 11.18; Os 10.12, etc.) O texto em foco mostra a recompensa daqueles cruéis inimigos de Daniel, e das suas mulheres e familiares. Isso é registrado como um fato acontecido, sem nenhuma conotação de aprovação ou desaprovação. A solidariedade da família, quando uma punição era infligida, é atestada no tempo dos persas e medos (Heródoto, 111.119). O rei Dario não conhecia o ensino da Palavra divina que, regulamentava esse princípio, ao dizer: "Mas cada um morrerá pela sua iniqüidade" (Jr 31.30; Êx 18.4 e ss), mas agiu de acordo com os padrões comuns da sociedade persa. (Ver Ester 9, etc.)

6.25: *"Então o rei Dario escreveu a todos os povos, nações e gente de diferentes línguas, que moram em toda a terra: A paz vos seja multiplicada."*

"A paz vos seja multiplicada". Esta era uma saudação oriental muito antiga. (Ver Ed 7.12.) No campo religioso, porém, a graça é um dom de Deus, que intercala a paz que é o próprio Jesus Cristo: "Ele é a nossa paz" (Ef 2.14-17). Essa paz que Ele estabeleceu é chamada "a paz pelo seu sangue da sua cruz" (Cl 1.20). Por isso a pregação do Evangelho da paz também comporta as exortações: "Viver em paz", "Ter paz", e "Seguir a paz com todos". A saudação do rei Dario, conforme é descrita no presente texto, compreendia o estado de paz que seu reino desfrutava durante a sua gestão. Ele diz: "A paz vos seja multiplicada".

Ainda o decreto em foco lembra o de Nabucodonosor (3.29); contudo, enquanto o dele fora expresso em termos negativos, no sentido de punir qualquer palavra contra o Deus dos três hebreus, aqui o temor a Deus é positivamente recomendado por toda a extensão do Império. Seja como for, em ambas as passagens Deus é sempre quem triunfa!

6.26: *"Da minha parte é feito um decreto, pelo qual em todo o domínio do meu reino os homens tremam e temam perante o Deus de Daniel; porque ele é o Deus vivo e para sempre permanente, e o seu reino não se pode destruir; o seu domínio é até o fim".*

O presente texto, repete o designativo "o Deus vivo" visto no versículo 20 do capítulo em foco. Essa afirmativa do rei compreende o pensamento expresso na saudação convencional ao rei humano: "Vive para sempre", afirmando, contudo, que há um Deus, em relação ao qual, isto é verdadeiro; o seu reino é eterno e jamais terá fim, como aquela dinastia medo-persa que, certamente em breve, chegaria ao seu fim. O Deus vivo de Daniel não é apenas um deus territorial, cujo governo alcança somente uma nação, mas o Senhor de um reino eterno, que alcançará todas as nações quanto à sua extensão, e chegará a todos os séculos, quanto à sua duração. É, portanto, o Milênio de Cristo que está em foco aqui e em outras passagens paralelas.

6.27: *"Ele livra e salva, e opera sinais e maravilhas no céu e na terra; ele livrou Daniel, do poder dos leões."*

"...sinais e maravilhas..." O termo grego "semeon" era a palavra que comumente significava "sinal" ou "marca distintiva"; mas, nos Evangelhos e no livro de Atos dos Apóstolos, com freqüência é usado para indicar um "milagre didático", uma "maravilha", cuja finalidade é a de convencer os homens acerca de uma intervenção divina. A expressão ocorre setenta e sete vezes no Novo Testamento. Sendo que, nos Evangelhos, aparece quarenta e oito vezes. Treze vezes ocorre somente em Atos, oito nas Epístolas de Paulo, sete no Apocalipse de João, e uma vez em Hebreus. No Evangelho de João aparece com o significado de "sinal milagroso". (Ver Jo 2.11,18,23.) Os sinais operados por Jesus eram operados em resposta a uma necessidade, ou necessidades prementes, porém tinham um significado mais

profundo, comunicando ensinos espirituais e contendo elementos proféticos. No texto em foco, ainda que as palavras "sinais e maravilhas" foram pronunciadas por lábios pagãos, contudo, têm o mesmo significado, isto é, convencer os homens acerca de uma intervenção divina.

6.28: *"Este Daniel, pois, prosperou no reinado de Dario, e no reinado de Ciro, o persa."*

"...Daniel, pois, prosperou..." O presente capítulo termina com uma declaração sobre a prosperidade de Daniel no reinado de Dario e de Ciro, o persa: Dario era de uma nação diferente da de Ciro, isso é visto na designação do jogo de palavras: "medo e persa". Seja como for, Daniel prosperou ali; ele era, sem dúvida, um varão bem-aventurado, como bem descreve o salmista Davi, no salmo primeiro, onde afirma ser o homem fiel "...como a árvore plantada junto a ribeiros de águas, a qual dá o seu fruto na estação própria, e cujas folhas não caem, e tudo quanto fizer prosperará" (v 3). Este capítulo seis (6) é a primeira divisão de uma série de doze (12), sendo porém, essa primeira parte histórica, enquanto que, a segunda parte: os seis (6) últimos, são de conotação profética ou de caráter escatológico. Neles são desenvolvidos temas de vasto alcance que, atravessarão o Milênio de Cristo e entrarão na eternidade. (Ver Daniel 12.)

7

A visão dos quatro animais

7.1: *"No primeiro ano de Belsazar, rei de Babilônia, teve Daniel, na sua cama, um sonho e visões da sua cabeça: escreveu logo o sonho, e relatou a suma das coisas."*

O capítulo em foco trata do mesmo tema, em outras composições, do segundo capítulo – elevação e queda do sistema gentílico mundial. No capítulo dois (2), os impérios são vistos sob o ponto de vista político, com relação à sua degeneração quanto à forma de governo. No capítulo sete, porém, são vistos sob o ponto de vista moral, com relação ao seu caráter feroz e destrutivo, como se exprime por simbolização de bestas ferozes. O profeta Daniel situa esta visão das quatro feras, como tendo sido no "primeiro ano de Belsazar, rei de Babilônia". Isto indica que, Daniel teve a visão no tempo do Império Babilônico, no primeiro ano do reinado Belsazar, isto é, depois dos acontecimentos narrados no capítulo quatro e antes do capítulo cinco deste livro. Ao lermos o livro do profeta Daniel, ficamos admirados da perfeição que existe na simbologia profética nele apresentada: Os reinos deste mundo não são representados por ovelhas, mas por feras bravias. O instinto da fera, seja qual for o animal, é sempre em defesa própria; ela guarda o que tem, custe o que custar e luta para adquirir aquilo que não tem; estão sempre prontas a derramar sangue para resistir a qualquer afronta, porque, realmente, têm o instinto e natureza de fera.

7.2: *"Falou Daniel, e disse: Eu estava olhando, na minha visão da noite, e eis que os quatro ventos do céu combatiam no mar grande."*

"...os quatro ventos do céu..." No livro de Apocalipse 7.1, encontramos uma passagem quase semelhante à do texto em foco, sendo que, ali, os ventos são da terra e não do céu como aqui. Os antigos povos pensavam que a terra fosse quadrada, e, portanto, dotada de quatro pontos cardeais (um em cada canto). Os filósofos gregos (600 a.C.) modificaram esse conceito, pensando ser a terra um disco. Na presente passagem, Daniel fala como se estivesse na praia do mar Mediterrâneo. Ele ali contempla, em sua visão futurística, "os quatro ventos do céu combatendo o mar grande". O profeta Zacarias (520 a.C.) viu também, em sua visão apocalíptica, algo semelhante ao que neste versículo é presenciado (Zc 6.5). No livro de Apocalipse, isto significa: "os quatro pontos cardeais: Norte, Sul, Leste e Oeste". Na simbologia profética, o mar, simboliza a humanidade num estado de inquietação e angústia. (Ver Sl 18.4,16 e 124.14; Is 8.7.) Durante o reinado cruel da Besta, estas águas representam o estado de depressão e confusão pelo qual passarão os habitantes da terra (Lc 21.25 e Ap 17.15). A Besta que tinha sete cabeças e dez chifres "subiu do mar" com autoridade e grande poder (Ap 13.1); isso significa que ela subirá do meio do sistema político-mundial. Em alguns lugares das Escrituras, os quatro ventos simbolizavam também os poderes celestes que põem em movimento e estado de guerra as nações do mundo. (Ver Jr 4.11; 25.32; Hc 1.11.)

7.3: *"E quatro animais grandes, diferentes uns dos outros, subiram do mar."*

"...quatro animais..." O presente versículo encontra sua interpretação no versículo 17 do capítulo em foco. Ele ali é interpretado pelo anjo do Senhor da seguinte maneira: "Estes grandes animais, que *são quatro, são quatro reis, que se levantarão da terra*". A história descreve estes quatro reinos como sendo: 1) Império Babilônico (Nabuco-

donosor, Nabonido e Belsazar). 2) Império Medo-persa (Dario, Ciro, Cambises, Esmerdis, Dario, o Persa, e Xerxes). 3) Império Greco-macedônio (Alexandre Magno e seus sucessores). 4) O Império Romano. Em Apocalipse 13, encontramos a consolidação de todas estas composições em uma só personagem: a Besta que subiu do mar. O apóstolo João, em sua visão profética futurística, descreve a continuação e consumação destes quatro animais emergidos do mar. "1) O leopardo representa o reino greco-macedônio (Dn 7.6), rápido, veloz, e conquistador incansável. O Anticristo terá essas qualidades em grau supremo (Ap 13.2). 2) Os pés do urso representam o Império Medo-persa (Dn 7.5), dando a idéia de força, estabilidade, consolidação. O Anticristo também incorpora esses aspectos em seu poder. 3) A boca de leão representa a monarquia babilônica (Dn 7.4). Subentendendo ruína ameaçadora, rugidos de blasfêmia, perseguição e matança. O Anticristo será possuidor em grau supremo dessas qualidades". (Ver Ap 13.1 e ss.)

7.4: *"O primeiro era como leão, e tinha asas de águia: eu olhei até que lhe foram arrancadas as asas, e foi levantado da terra, e posto em pé como um homem; e foi-lhe dado um coração de homem."*

"O primeiro era como leão". Todos os estudiosos das profecias de Daniel concordam nesta passagem, com o mesmo simbolismo. O leão é Babilônia, compreendendo seu rei. (Ver Jr 4.7; 49.19; Hc 1.8.) Podemos observar que, nas próprias composições que são empregadas para representar este reino, diz-se que seus sucessores cresceriam naquele reino sempre apontando para baixo (Dn 2.39,40). Três composições nas visões de Daniel, que representam Babilônia e o monarca, formam um simbolismo evidentemente perfeito: 1) A cabeça de ouro. 2) O leão. 3) A águia. A cabeça é a parte mais nobre do corpo humano e, sendo de ouro, é mais evidente. O leão e a águia são dois animais nobres da fauna: o primeiro, como o rei dos animais terrestres, e a águia, como a rainha das aves do céu. Esse simbolismo sempre representou Babilônia, em várias conexões das Escrituras Sagradas. O leão, majestoso, corajoso, representa perfeitamente essa grande cidade. Babilônia, de

fato, era representada em seu escudo por um leão com asas de águia. A águia é outro animal majestoso, a rainha das alturas, como o leão o é das planuras. O leão representa a brutalidade, a força e a violência. É fera de mandíbula trituradora. Na simbologia profética das Escrituras Sagradas, é o Império Babilônico "um destruidor de nações" (Jr 4.7). A águia, por sua vez, metaforiza a rapidez e a voracidade. Esse Império é considerado nas Escrituras como "uma nação feroz" que voa como a águia (Dt 28.49-50; Mq 1.6-8).

"E tinha asas de águia". Na simbologia profética, isso bem pode, como em outras partes das Escrituras, simbolizar Nabonido e Belsazar.

"E foi levantado da terra". A presente passagem, descreve em resumo, a humilhação, a doença, a exaltação do poderoso monarca Babilônico, o rei Nabucodonosor. No capítulo quatro deste livro, Deus o feriu de licantropia. O doutor Montagu G. Barker, a descreve também como segue: "Licantropia", uma condição freqüentemente mencionada em tempos antigos. Muitas vezes ligada à hidrofobia, em que parecia que as pessoas afetadas imitavam cães e lobos. Nabucodonosor, uma vez ferido por Deus desta doença, foi colocado junto com os animais do campo (Dn 4.33), onde passou "sete tempos". Sete tempos ("sete anos"). A palavra "iddãnin" não denota especificamente "anos", mas pode significar "estações". É a mesma palavra traduzida por "tempo" em 2.8 e "momento" em 3.8, do livro em foco. A sua situação é indefinida, mas, no conceito geral, isso significa mesmo "sete anos" (Dn 7.25; 12.7; Ap 12.14. Um tempo nessas passagens significa um ano).

"E posto em pé como um homem". O texto em foco descreve, em resumo, o estado normal e o restabelecimento do rei Nabucodonosor, e, com certeza, também o seu restabelecimento no posto e trono, como ele mesmo descreve: "Mas ao fim daqueles dias, eu, Nabucodonosor, levantei os meus olhos ao céu, e tornou-me a vir o meu entendimento, e eu bendisse o Altíssimo, e louvei... no mesmo tempo me tornou a vir o meu entendimento, e, para a dignidade do meu reino, tornou a vir a minha majestade e o meu resplendor" (cap 4.34-36).

"E foi-lhe dado um coração de homem". O coração deste monarca estava muito endurecido no início do reinado; era realmente "um coração de leão" (Jr 4.7). Ele tornou-se um Faraó. Faraó foi um monarca, também de coração endurecido. Dez vezes lemos que ele endureceu seu coração e dez vezes lemos, também, que Deus o endureceu (Ex 7.13,14,22; 8.15,19,32; 9.7,34,35; 13.15 - Faraó). (Êx 4.22; 7.3; 9.12; 10.1,27; 11.10; 14.4,8,17 - Deus). Theodoret assim explica o caso: "O sol pelo seu calor torna a cera mole e o barro duro, endurecendo um e amolecendo outro, produzindo, pela mesma ação, resultados contrários. Assim a longanimidade de Deus faz bem a alguém e mal a outros. - Por quê? - Porque alguns apresentam-se amolecidos e outros endurecidos". O juízo de Deus caiu sobre Faraó quando se exaltou. O juízo de Deus caiu também sobre Nabucodonosor quando se exaltou. Diferença: Faraó se endureceu; Nabucodonosor se humilhou. Teve seu "coração" mudado de "leão" para "coração de homem". Nabucodonosor morreu, e seus dois sucessores, as asas, foram arrancadas, terminando, assim, aquela dinastia Babilônica (Dn 5.30; 7.4).

7.5: *"Continuei olhando, e eis aqui o segundo animal, semelhante a um urso, o qual se levantou de um lado, tendo na boca três costelas entre os seus dentes; e foi-lhe dito assim: Levanta-te, devora muita carne."*

"...o segundo animal." No capítulo 2 versículos 32 e 39 do livro em foco, o Império Medo-persa é representado pelo "peito e braços" de prata da estátua "terrível" do sonho do monarca Nabucodonosor. O "peito do colosso, na simbologia profética, representava a unificação dos dois reinos (Média e Pérsia) em um só. Os "braços", porém, geograficamente falando, são seus dois monarcas: Dario e Ciro, respectivamente. 1. O braço esquerdo representava Dario. 2. O braço direito representava Ciro (Is 45.1). São eles os dois "Tufões de vento do Sul, que tudo assolam..." (Is 21.1). No capítulo 4 de Daniel, esse Império, bem pode ser visto nos "ramos" da árvore que o rei Nabucodonosor viu em sonho.

"...um urso". O segundo animal presenciado por Daniel, nesta visão é "um urso". É quase tão temível quanto

o leão, o primeiro animal. O urso marrom da Síria pode chegar a 250 kg de peso e tem um apetite voraz. "Embora o urso não seja considerado o rei dos animais, atinge maior estatura e peso, como já ficou demonstrado, do que o leão. Diz-se que sua espécie foi encontrada na Média, país montanhoso, acidentado e frio. Seus quarenta e dois (42) dentes ponteagudos, suas garras aguçadas, sua malícia, o seu enorme peso, a sua coragem e a sua astúcia, fá-lo grandemente terrível. No que diz respeito à sua crueldade, ferocidade e sede de sangue, não tem rival". Todos esses requisitos possuídos por essa fera, foram realmente incorporados em grau supremo ao Império Medo-persa, e mais ainda. Dele está escrito: "Levanta-te, devora muita carne."

"...levantou-se de um lado". O presente versículo põe em foco Dario e Ciro se "levantando do sudeste" da Babilônia; nessa região se encravavam a Média e a Pérsia; os medos predominaram antes dos persas. A frase: *"levantou-se de um lado"* é interpretada na maneira de haver a fera se levantado de um lado, isto é, no sentido literal, o urso levantou-se sobre duas patas, ficando as duas outras suspensas, como se quisesse andar com os pés. Esses dois reinos, após conquistarem Babilônia, cada um queria andar só. Eis a razão por que Ciro depois vence Dario e reina com grande poder.

"Tendo na boca três costelas..." O presente texto mostra algo admirável no urso faminto, como fora presenciado no majestoso leão do versículo 4. As três costelas em foco, que o urso trazia na sua boca, na simbologia profética significam as três primeiras potências conquistadas pelo Império Medo-persa. São elas: 1) Babilônia. 2) A Lídia, na Ásia Menor. 3) O Egito. Esses três reinos (costelas) fizeram uma coligação pensando suplantar as ameaças do inimigo. Mas não tiveram nenhum êxito nisso, pois a conquista por Dario e Ciro dessas nações já estava vaticinada cerca de 80 anos antes, como está descrito pelo profeta do Senhor: "O Senhor despertou o espírito dos reis da Média; porque o seu intento *contra Babilônia* é para a destruir. (Jr 51.11,29). Dario e Ciro fizeram com estas três costelas (nações) o que antes já fora vaticinado. As nações aí mencio-

nadas foram, em suma, as primeiras a caírem nas garras do urso voraz. Ele as subjugou.

"...entre os seus dentes". O profeta Daniel, observa um detalhe importante na presente visão: as três costelas acima mencionadas, vinham presas "entre" os dentes da fera. Foi realmente o que aconteceu com as três potências aludidas: Babilônia, Lídia, e Egito. Elas foram conquistadas pelos poderosos dentes (exércitos) do urso faminto. Segundo a história natural, um urso da Média, é portador de 42 dentes ponteagudos. Nas conquistas mencionadas foram usados 42 exércitos em revezamento. As Escrituras são proféticas e se combinam em cada detalhe. (Ver Ec 7.27.)

"Levanta-te, devora muita carne". Essa voz que ordena ao "urso" que devore muita carne é a voz de Deus. Refere-se a Ciro, também chamado o "pastor" de Deus (Is 44.28) e seu "ungido", em Is 45.1. Esses títulos lhe são dados, não por causa do seu caráter, pois ele era ignorante quanto à pessoa de Deus (Is 45.5). Ele não conhecia a Deus, e é chamado "uma ave de rapina" em Is 46.11, mas Deus o predestinou para executar a destruição de Babilônia e a obra de restauração de Israel. No texto de Is 45.1,2, lemos a seu respeito: "Assim diz o Senhor ao seu ungido, a Ciro, a quem tomo pela mão direita, para *abater* as nações diante de sua face, eu soltarei os lombos dos reis, para abrir diante dele as portas e as portas não se fecharão. Eu irei diante de ti, e endireitarei os caminhos tortos; quebrarei as portas de bronze e despedaçarei os ferrolhos de ferro". O leitor deve observar que os elementos apresentados nesta profecia existiam de fato em Babilônia. No cap. 8.3-22 deste livro, o poderoso Império Medo-persa ainda continua, porém, já enfraquecido: não é mais representado por um "urso voraz", mas por um animal doméstico. Não está mais diante do mar (v 3) mas diante do rio (8.3).

7.6: *"Depois disto, eu continuei olhando, e eis aqui outro, semelhante a um leopardo, e tinha quatro asas de ave nas suas costas: tinha também este animal quatro cabeças, e foi-lhe dado domínio."*

"...eis aqui outro". No texto em foco, é o Império Greco-macedônio que entra em cena. No capítulo 2, versículos 35 a 39 deste livro, esse Império é representado pelo "ven-

tre e coxas" de cobre da estátua vista pelo monarca Nabucodonosor, em seu majestoso sonho. Como na representação anterior dos dois reis, Dario e Ciro, o mesmo acontece aqui. "O ventre" como é descrito pelo profeta do Senhor, simboliza a unificação dos reinos Grego e Macedônio em um só. As "coxas" falam de duas nações que se uniram, depois, porém se dividiram com o "andar" das coxas. O ventre e as coxas formam uma extensão maior do que a cabeça. Contudo, a cabeça é mais nobre. O Império Babilônico era de fato maior do que todos em riquezas e glórias, mas foi menor em extensão territorial do que o reino de Alexandre Magno. Na simbologia profética, esse Império Greco-macedônio pode ser visto nas "folhas" da árvore do sonho do rei Nabucodonosor (4.21). O profeta Daniel diz, na sua interpretação, que as "folhas eram formosas". Alexandre, foi de fato o maior em sua geração: foi chamado de Magno (o Grande). Ele foi um vulto muito culto e inteligente, mas, ao mesmo tempo, era violento e traiçoeiro até para com seus generais.

"...um leopardo". O simbolismo usado na presente passagem se coaduna com a etimologia da palavra que dá nome ao animal do texto em foco. "Leo" (leão) e "pardo" (pantera). É realmente perfeito o que foi o reino de Alexandre Magno: duas naturezas. As duas naturezas interligadas deste Império Greco-macedônio eram vistas em vários aspectos, mas tomemos como exemplo: 1) Os dois povos (gregos e macedônios) eram diferentes em temperamento: os gregos sempre foram diferentes dos macedônios; isto pode ser visto e examinado em Atos dos Apóstolos e nas Epístolas de Paulo. Esse apóstolo foi enviado por Deus a esses dois povos. (Ver At 16.9 a 40 e 17.15 a 34; 1 Co 16.5, etc.) 2) Sentido geográfico: A Grécia ficava "no sudeste da Europa, ocupando a parte Sul da península dos Balcãs e numerosas ilhas do mar Jônico e do mar Egeu, no Mediterrâneo". 3) A Macedônia. A região geográfica da antiga Macedônia compreende hoje "a Iugoslávia, o Sul da Bulgária e a Turquia européia". Vejamos onde se encravam essas três nações: a. Iugoslávia. Sua situação geográfica, Sudeste da Europa. É limitada ao norte pela Áustria e pela Hungria, a leste pela Romênia e Bulgária, ao sul pela Grécia e

pela Albânia e a oeste pelo mar Adriático e pela Itália . b. A Bulgária. Sua situação geográfica, sudeste da Europa, na parte oriental da península balcânica. A Bulgária é limitada ao norte pela Romênia, a leste pelo mar Negro, ao sul pela Turquia e a Grécia, e a oeste pela Iugoslávia". c. A Turquia Européia. É separada da parte asiática pelo estreito de Dardanelos, pelo mar de Mármara e pelo Bósforo. A parte européia é constituída de colinas próprias para a agricultura.

"E tinha quatro asas de ave nas suas costas". O profeta Daniel, em sua visão futurística, observa algo mais no "leopardo" como vira no leão e no urso, respectivamente. Ele notifica que, nas costas do animal, vinham quatro asas. Na simbologia profética e em outras representações simbólicas, asas têm sempre o sentido de insígnia militar. Verdade é que pode trazer também o sentido de rapidez. Um fato notável que deve ser observado no texto em foco é que essas asas estavam postas nas "costas" do animal. Elas representam, sem dúvida, os "quatro generais" de Alexandre que, após sua morte, fundaram quatro realezas. São eles: 1) *Ptolomeu.* 2) *Selêuco.* 3) *Lisímaco.* 4) *Cassandro.* Esses generais, de fato, estavam por "trás" de Alexandre em tudo que ele fazia. Cada um deles começou por implantar-se na região que lhe fora designada, e não ficaram somente nisso, pois a ambição de glória e de poder, levou-os a lutarem entre si, para novas conquistas.

"Tinha também este animal quatro cabeças". O profeta do Senhor, Daniel, continua em sua descrição sobre o famoso "leopardo". Ele observa algo mais naquela fera: ela tinha quatro cabeças. A cabeça, que é de um animal quadrúpede, está diante de si. Na simbologia profética, isso significa as quatro realezas que estavam por vir. Após a morte de Alexandre, seus quatro generais, já mencionados, fundaram quatro realezas dentro da divisão do Império. São elas: 1) Egito (Ptolomeu). 2) Síria (Selêuco). 3) Macedônia (Lisímaco). 4) Ásia Menor (Cassandro).

"E foi-lhe dado domínio". Esse domínio, do texto em foco, dado a Alexandre, foi, sem dúvida, concedido pelo próprio Deus (Ver Rm 13.1-6.) Mas em breve surgiram dissensões entre seus próprios generais, que, ao todo, eram

sete (7): Ptolomeu, Selêuco, Lisímaco, Cassandro, Pérdicas, Antípatro e Polispercon. Os três últimos era os primeiros agentes do reino, mas foram afastados do poder. Enquanto que os quatro primeiros dividiram-se em quatro formas ideológicas (4 cabeças) e fundaram as 4 realezas já mencionadas. Cumpriu-se, assim o que está escrito a respeito de Alexandre, em 11.4: "O seu reino será quebrado, e repartido para os quatro ventos do céu mas não para a sua posteridade". O domínio que foi dado, ele não soube aproveitar, e, assim, foi-lhe tirado, mas não para seus filhos, isto é, para a sua posteridade.

7.7: *"Depois disto, eu continuava olhando nas visões da noite, e eis aqui o quarto animal, terrível e espantoso, e muito forte, o qual tinha dentes grandes de ferro; ele devorava e fazia em pedaços, e pisava aos pés o que sobejava; era diferente de todos os animais que apareceram antes dele, e tinha dez pontas."*

"...eis aqui o quarto animal". O presente versículo coloca em cena o quarto Império Mundial. É o Império Romano. Esse poderoso Império, desde sua fundação, tem como capital a cidade de Roma. É cidade das mais antigas da península itálica, está edificada sobre "sete colinas" que João, o apóstolo do amor, chama de "sete montes" (Ap 17.9). Nos dias do Império, essas sete colinas eram chamadas: Aventino, Palatino, Célio, Esquilino, Vidimal, Quirinal e o Capitólio. A cidade ficava à margem esquerda do rio Tibre, a 24 quilômetros da desembocadura desse rio no mar Tirreno, na costa ocidental da península itálica. O seu fundador foi um habitante do Lácio (donde vem a palavra latino), chamado Rômulo, que, junto com seu irmão Rêmulo, foi amamentado pela loba do Capitólio. (Lenda.) No capítulo 2.33, deste livro, esse Império é representado pelas "pernas de ferro" do majestoso colosso visto pelo monarca Nabucodonosor, em seu sonho escatológico. Não é contemplado com os dois Impérios (Medo-persa e o Grecomacedônio) anteriores, que eram unificados pelo "peito e ventre" da imagem; mas segue um paralelismo até sua consumação. Na simbologia profética, esse paralelismo é representado pelas pernas da estátua. (Ver notas expositivas sobre isso em 2.33.) No campo simbólico, esse Império

pode ter também sua representação nos "frutos" da árvore do sonho do rei Nabucodonosor (Dn 4.14). A maneira como os romanos conquistaram o Império Greco-macedônio todos conhecem. Os romanos conquistaram o Ocidente e voltaram depois suas vistas para o Oriente. Apoderaram-se da Grécia, Síria, Palestina e outros países. Tornaram-se senhores do mundo. Quando Matatias começou a lutar pela independência de seu país, os romanos eram fracos; agora, porém, eram os dominadores do mundo. O anjo deixou bem claro para Daniel quem seria o quarto animal, quando disse: "O quarto animal será o quarto reino na terra" (v.23). Todos os estudiosos das profecias de Daniel sabem a quem esta passagem se refere. É ao Império Romano, o quarto reino mundial. Esta fera terrível não há nada a que ela se compare. A descrição salienta apenas o caráter destruidor da fera, como segue:

"Terrível..." O Império Romano foi, de fato, "terrível" em todos os seus aspectos; Jesus Cristo, o nosso Senhor, foi morto sob a força brutal deste terrível poder. Os próprios judeus sofreram muito sob esse sistema de governo desumano. O Velho Testamento deixa a Palestina como uma satrapia persa. Abrimos o Novo Testamento e ali encontramos a dominação romana no apogeu da sua força.

"...espantoso". O texto em foco, se consolida em uma profecia de alcance muito vasto. A própria história secular diz que este Império deixou atrás de si um rastro de sangue. Ele era espantoso até mesmo para seus próprios governantes; ali havia muita traição e maldade. Só em falar na palavra "romano" todo o mundo tremia. (Ver Jo 19.12,13; At 16.37-39.)

"...muito forte". Essa expressão e outras correlatas se coadunam muito bem com a natureza desse império, que é o ferro visto nas pernas do majestoso colosso do sonho do rei, conforme Dn 2. Esse Império desenvolveu os três emblemas consolidados nas composições anteriores: O domínio do leão, a força do urso e a rapidez do leopardo; por essa razão, tornou-se "terrível, e espantoso, e muito forte".

"...tinha dentes grandes de ferro". O animal tinha a mesma natureza das pernas e pés da estátua descrita em

Daniel 2.33,41. Isto é, composto de ferro e barro. O Império Romano tinha o mais poderoso arsenal militar em sua época. Seus dentes (exércitos) ponteagudos, eram adversários velozes como cavaleiros, fortes como leões, venenosos como serpentes, e lançavam elementos que cegavam e queimavam com poder mortal. É descrito, portanto, que eles eram forças mortais poderosas, maliciosas, e incansáveis. Eram, em suma, como diz a profecia divina: verdadeiros dentes grandes de ferro.

"Ele devorava..." O presente texto, fala do que fez de fato o Império Romano. Ele conquistou, em pouco tempo, o mundo civilizado; subjugou todos os reinos, dominou todos os povos, tornando-se, assim, o senhor do mundo. Ele fez mesmo, como diz o texto em foco: devorou toda a terra. Essa foi a interpretação dada pelo próprio ser angelical, no versículo 23, do presente capítulo: "O quarto animal será o quarto reino na terra, o qual será diferente de todos os reinos; e devorará toda a terra..."

"...fazia em pedaços". A primeira coisa que fazia o Império Romano após conquistar uma nação, era dividir suas terras em regiões, tetrarquias, províncias e distritos. Roma, depois de conquistar o mundo, dividiu-o em regiões chamadas "províncias". A divisão dos romanos era semelhante às satrapias dos persas. A Judéia foi anexada à Síria, e ambas, com outros pequenos países, constituíram uma província romana. Nos dias de Jesus como pessoa humana, encontramos o território da Palestina dividido em 4 ou 5 regiões, como por exemplo: Galiléia, Samaria, Judéia, Peréia e Decápolis. Os próprios judeus foram despedaçados por esses dentes (exércitos) de ferro, e, ainda hoje (1986 d.C.) encontram-se judeus em todas as partes do mundo. (Ver Mt 21.44.)

"E pisava aos pés o que sobejava". O texto em foco salienta o que já ficou demonstrado no capítulo 2.33 da estátua terrível que tinha os seus pés de ferro. O Império Romano só tinha dois objetivos consigo em suas grandes conquistas: matar e reduzir à escravidão. As Sagradas Escrituras falam com intensidade sobre esses "pés" em várias partes (Ver Dn 2.33,34,41,42; 7.7,19,23; 8.10,13.) Outras expressões com o mesmo sentido são vistas no Novo Testa-

mento (Ver Lc 21.24, "pisada", "pisarão"; Ap 11.2 "pisarão"; Ap 13.2, observe a expressão "seus pés"). As Escrituras são proféticas e se combinam entre si em cada detalhe! Até o "mapa geográfico" do país sede deste Império é a "figura de um pé" (mapa da península Itálica)!

"Era diferente de todos os animais". Na interpretação feita pelo anjo a Daniel, ele lembra isso ao profeta do Senhor, dizendo: "o quarto animal *será* o quarto reino na terra, o qual *será diferente* de todos os reinos. Realmente é o que diz a profecia de Daniel; o Império Romano, durante sua existência, de 754 a.C. a 455 d.C. (1209 anos), foi diferente de todos os reinos que já existiram no mundo. Ele era, no campo profético, o emblema expressivo do reinado cruel do Anticristo, a Besta que subiu do mar (Ver Ap 13.1 e ss.)

"E tinha dez pontas". O animal espantoso do texto em foco tinha dez pontas como tinham dez dedos os pés da estátua do capítulo 2. Isso já tivemos a oportunidade de ver em outras notas expositivas sobre este livro, isto é, as dez pontas vistas em alinhamento na cabeça da fera simbolizam dez reis que "se levantarão" no tempo do fim. Eles não existiram nos dias do Império. Observe bem a frase: "se levantarão". João, o vidente de Patmos, descreve a mesma coisa em Ap 13.1. O fato de estarem em alinhamento como em alinhamento estavam os dez dedos da estátua do cap 2, quer dizer que esses reis escatológicos governarão ao mesmo tempo (Ap 17.12). Alguns deles (três) receberão poder apenas por "uma hora" mas depois cairão (Ap 17.12).

7.8: *"Estando eu considerando as pontas, eis que entre elas subiu outra ponta pequena, diante da qual três das pontas primeiras foram arrancadas; e eis que nesta ponta havia olhos, como olhos de homem, e uma boca que falava grandiosamente."*

"Estando eu considerando..." A presente passagem nos dá a entender que existia um espaço de tempo para que essas pontas se mobilizassem. Os intérpretes históricos procuram encaixar essas profecias dentro da história secular. Segundo eles, nesta identificação ocorre um fato a comprovar sua exatidão perfeita, quando diz: "...diante da qual

[do pequeno chifre] três das pontas primeiras foram arrancadas". Com efeito, em prol da ascensão do "papado" foram extirpadas três nações representadas pelas dez pontas. Essas três nações, alojadas por sinal na península Itálica, são os povos Hérulos, Ostrogodos e Lombardos. Para nós, essa maneira de interpretar o texto é muito lógica, mas não se coaduna com a tese principal. Os intérpretes contemporâneos são de opinião que o Mercado Comum Europeu é o princípio de formação desta grande profecia. Para os intérpretes futuristas (o que nós aceitamos), a ponta pequena que subiu por último, é o Anticristo que, após estar tudo pronto aparecerá no cenário mundial. Ele fará uma aliança com dez monarcas escatológicos, porém com sua ascensão, três destes reis serão afastados, e apenas sete lhe apoiarão. (Ver Dn 7.8,20,24; Ap 17.12,16 e ss.)

7.9: *"Eu continuei olhando até que foram postos uns tronos, e um ancião de dias se assentou: o seu vestido era branco como a neve, e o cabelo da sua cabeça como a limpa lã; o seu trono chamas de fogo, e as rodas dele fogo ardente."*

O presente versículo, e os que seguem, encontram paralelos nos de Ap 1.13 a 16, onde cena similar está em foco. Ali o Senhor Jesus é o filho do "Ancião de dias", e por essa razão tem a mesma natureza do Pai. É aquele que morreu com trinta e três (33) anos de idade. Depois de levar os nossos pecados na cruz e suportar uma eternidade de dores; tem cabelos brancos como a neve. Entre o povo de Deus, a "coroa de honra são as cãs" (Pv 16.31). Certamente a alvura dos cabelos na pessoa de Cristo provém, em parte, da intensidade de glória celestial, e em parte da sua sabedoria e, sobretudo, da sua idoneidade moral. No "ancião" do texto em foco, a brancura dos cabelos não significa velhice, antes sugere a eternidade, indicando também pureza e divindade.

7.10: *"Um rio de fogo manava e saía de diante dele: milhares de milhares o serviam, e milhões de milhões estavam diante dele: assentou-se o juízo, e abriram-se os livros."*

"...milhões de milhões" (de anjos). O presente versículo tem seu paralelo em Ap 5.11, onde lemos que "milhões

de milhões e milhares de milhares" de anjos estavam ao redor do trono de Deus. Os anjos são mencionados em toda a extensão das Escrituras Sagradas, onde são vistos por mais de 273 vezes, e, no caso do texto em foco, encontramos "milhões de milhões e milhares de milhares". A angelologia do Antigo Testamento afirma que os anjos são tão numerosos, que o seu número é incalculável para a habilidade humana. O doutor Bancroft, citando Gabelein diz que "em Hb 12.22 os anjos são indicados como uma inumerável companhia, literalmente, miríades. De acordo com Lc 2.13, multidões de anjos apareceram na noite do nascimento de Cristo; claramente foram vistos cruzando o céu da Palestina, clamando de alegria em vista do início da nova criação, como tinham feito no princípio da primitiva criação. Quão vasto é o número deles! somente o sabe aquele cujo nome é Jeová-Sabaote, o Senhor dos Exércitos".

7.11: *"Então estive olhando, por causa da voz das grandes palavras que provinha da ponta: estive olhando até que o animal foi morto, e o seu corpo desfeito, e entregue para ser queimado pelo fogo."*

"...o seu corpo desfeito, e entregue para ser queimado..." O presente versículo tem seu cumprimento literal em Ap 19.20, onde lemos: "E a besta foi presa, e com ela o falso profeta, que, diante dela, fizera os sinais, com que enganou os que receberam o sinal da besta, e adoraram a sua imagem. Estes dois foram lançados vivos no ardente lago de fogo e de enxofre". O Anticristo e o seu falso profeta serão lançados vivos no ardente lago de fogo, no juízo, pois mereceram. O fato de que os dois serão lançados "vivos" no lago de fogo significa, para alguns eruditos, que não poderão ser homens ordinários, e, sim, seres demoníacos, que se apresentarão como homens. Mas a verdade é que serão homens, embora possuídos por Satanás. O texto em foco diz que o corpo da terrível fera será queimado. A besta e o falso profeta, serão os dois agentes diretos do dragão, preparados como "filhos da perdição". Eles inaugurarão o ardente lago de fogo. Isso se coaduna realmente com sua natureza: ela (a Besta) saiu do abismo (Ap 11.7) e irá à perdição (Ap 17.8), seu destino final.

7.12: *"E, quanto aos outros animais, foi-lhes tirado o domínio; todavia foi-lhes dada prolongação de vida até certo espaço de tempo."*

"Foi-lhes tirado o domínio". O texto em foco prediz a ruína dos três primeiros impérios mundiais: Babilônico, Medo-persa e o Greco-macedônio. Mas a palavra divina dizia, ao mesmo tempo, que eles continuariam a existir, mas sem o poder de governar. A sua continuação de existência deve relacionar-se com a vinda do tempo determinado por Deus. As grandes dinastias do mundo tiveram seus períodos áureos na história, mas depois declinaram; alguns destes exemplos podemos deduzi-los, tanto das profecias como da própria história. O Egito dos Faraós, a Grande Babilônia dos caldeus e a Roma dos Césares, foram, em verdade, verdadeiros impérios de ferro que subjugaram, mataram, destruíram e reduziram nações inteiras à escravidão. Mas, com o passar do tempo, Deus, pouco a pouco, foi-lhes tirando o domínio; hoje os impérios babilônicos, Medo-persa, Greco-macedônio e Romano, não mais existem, e os países situados nos seus antigos territórios não têm projeção mundial como potências.

7.13: *"Eu estava olhando nas minhas visões da noite, e eis que vinha nas nuvens do céu um como o Filho do homem: e dirigiu-se ao ancião de dias, e o fizeram chegar até ele."*

"...um como o Filho do homem". Filho do homem é um título que freqüentemente é aplicado à pessoa de Cristo (Mt 16.13). Cerca de 79 vezes esta expressão ocorre nos Evangelhos, e 22 destas somente em Apocalipse. Daniel (cerca de 607 a.C.), na presente visão, faz esta referência específica sobre o "Filho do homem". Em Ezequiel, o profeta do cativeiro, a expressão "filho do homem", é empregada por Deus, quando fala com o profeta, cerca de 91 vezes. Em Ap 14.14, há m quadro sobre o "Filho do homem". Jesus é o "Filho do homem", porque, de um modo especial, é Ele o representante da humanidade perante a pessoa do Pai. Ele é declarado "Filho de Davi segundo a carne" (Rm 1.3). Ele se tornou o "Filho do homem" para que nós, humanos, nos tornássemos filhos de Deus" (Jo 1.12).

7.14: "*E foi-lhe dado o domínio e a honra, e o reino, para que todos os povos, nações e línguas o servissem: o seu domínio é um domínio eterno, que não passará, e o seu reino o único que não será destruído.*"

"*...foi-lhe dado o domínio*". O presente versículo coloca em foco o Milênio de Cristo, o Ungido do Senhor. Isso acontecerá diante do toque da sétima trombeta escatológica de Apocalipse 11.15. Esse toque de trombeta assinala o tempo em que "O mistério" de Deus deve ser cumprido, "no Céu e na Terra". Na Bíblia temos uma série de mistérios, mas o que está em foco, fala do "mistério da sua vontade, segundo o seu beneplácito, que propusera em si mesmo, de tornar a congregar em Cristo todas as coisas, na dispensação da plenitude dos tempos [o Milênio], tanto as que estão nos céus como as que estão na terra" (Ver Ef 1.9 a 10). O domínio e reino do presente texto, para que todos os povos, nações e línguas o servissem, é o estabelecimento do Reino de Deus sobre a terra, que começará com o reino milenar de Cristo (Ap 20.1-6). O reino de Deus e de Cristo é um só. Em Ef 5.5, encontramos menção do "reino de Cristo e de Deus".

7.15: "*Quanto a mim, Daniel, o meu espírito foi abatido dentro do corpo, e as visões da minha cabeça me espantavam.*"

"*O meu espírito foi abatido dentro do corpo*". O presente versículo põe em foco a constituição tríplice do homem, isto é, corpo, alma e espírito. O próprio Jesus Cristo, quando se humanizou, tomando forma humana, constituiu-se da mesma forma que nós: corpo, alma e espírito. Vejamos a seguir a tríplice constituição de Jesus: 1) O seu corpo (Mt 26.12). 2) Sua alma (Mt 26.38). 3) O espírito de Cristo (Lc 23.36). O homem também, à semelhança de Cristo, toma essa forma: O corpo do homem ("soma", em grego). A alma do homem. O espírito do homem (1 Co 9.27; 1 Ts 5.23; At 20.10). O espírito é o órgão de comunhão com Deus; a alma é a sede da personalidade; e o corpo, o tabernáculo da morada de ambos. No texto em foco, se diz que Daniel sentiu-se abatido no espírito dentro do seu próprio corpo, isso nos faz entender que, o espírito representa a natureza suprema do homem regendo. A qualidade do seu caráter e do seu ser como um todo.

7.16: *"Cheguei-me a um dos que estavam perto, e pedi-lhe a verdade acerca de tudo isto. E ele me disse, e fez-me saber a interpretação das coisas."*

O presente texto nos mostra a grande humildade do profeta Daniel; ele não fez sua própria interpretação baseado em fatos anteriores, mas apelou para um ser superior, que lhe desse a interpretação de tudo aquilo. A humildade é, sem dúvida, uma das características da vida espiritual do cristão, mediante a qual ele se torna parecido com aquele que disse: "...aprendei de mim, que sou manso e humilde de coração". (Mt 11.29). Quem é humilde nunca se estriba em seu próprio entendimento, mas teme ao Senhor. Daniel buscou entender aquela visão, mas não a pôde entender de uma maneira satisfatória. Buscou então o auxílio de um ser angelical. Daniel foi um servo exaltado na terra e no céu, porque soube sempre se humilhar: "...humilhai-vos pois debaixo da potente mão de Deus, para que a seu tempo vos exalte", é o conselho divino (1 Pe 5.6).

7.17: *"Estes grandes animais, que são quatro, são quatro reis, que se levantarão da terra."*

"São quatro reis". A grande visão dada a Daniel se adapta perfeitamente com a interpretação verdadeira. Aqueles grandes impérios eram de fato discernidos quanto ao seu verdadeiro caráter de bestas ferozes. Em linhas gerais, esses grandes animais são discernidos pelo tempo e pela história, como segue: 1) O leão (tipificando o Império da Babilônia). O versículo 4 do capítulo em foco, determina essa interpretação: Numa simbologia perfeita, o monarca caldeu é ali representado. Tem também respaldo bíblico em outras partes das Escrituras Sagradas (Jr 4.7; 49.19; Hc 1.8; ver Ez 17.3). 2) O urso simbolizava o Império Medo-persa. Já tivemos a oportunidade de explicar, em outras notas, porque esta fera se "levantou de um lado". As três costelas na sua boca representam as três primeiras potências conquistadas por Ciro (Babilônia, Lídia, na Ásia Menor, e Egito). 3) O leopardo representa o Império Greco-Macedônio. As 4 asas, significam seus 4 generais; as

4 cabeças, as quatro realezas fundadas por estes generais depois da morte de Alexandre. 4) A fera terrível representa o Império Romano.

7.18: *"Mas os santos do Altíssimo receberão o reino, e possuirão o reino para todo o sempre, e de eternidade em eternidade."*

Este versículo e outros correlatos do livro de Daniel, apontam em sentido profético, para o Milênio de Cristo. Nessa época, todos "os reinos do mundo virão a ser de nosso Senhor e do seu Cristo, e Ele reinará para todo o sempre" (Ap 11.15), e os santos recebê-lo-ão como algo que lhes será confiado pelo "Filho do homem", e o possuirão para sempre. O presente capítulo apresenta o "Filho do homem" como uma figura central na posse do Reino. Há uma outra possível interpretação para este capítulo, no que diz respeito ao "Filho do homem". Os advogados da posição esboçada acima identificam a figura celestial semelhante a "um filho do homem" com o povo de Israel, "os santos do Altíssimo". Em apoio a essa interpretação, apelam para 7.18 e 27, onde nos é dito que o reino será entregue aos santos. Essa interpretação é muito lógica, mas não coaduna com o argumento principal.

7.19: *"Então tive desejo de conhecer a verdade a respeito do quarto animal, que era diferente de todos os outros, muito terrível; cujo dentes eram de ferro e as suas unhas de metal; que devorava, fazia em pedaços e pisava a pés o que sobrava."*

"Então tive desejo de conhecer a verdade a respeito do quarto animal." O grande interesse de Daniel, na presente visão, não se prendia tanto ao futuro dos santos, pois esse ele sabia que estava controlado e já estabelecido pelo próprio Deus, mas está concentrado no "terrível" animal, cujo governo deveria perdurar por um pouco, mas precederia aquele que, apesar de ser tão glorioso, ainda se encontrava distante (comp Mc 1.15). "Além da explicação dada pelo anjo a Daniel, os dentes dessa fera, cujo simbolismo se encontra já comentado no versículo 7 deste capítulo, correspondem a um dos elementos da estátua".

"...as suas unhas de metal". Na visão presenciada por Daniel, logo a princípio, quando descreve o caráter des-

truidor da fera (v 7) não se mencionam as "unhas" do animal espantoso, mas elas agora, aparecem na interpretação dada pelo ser celestial. Isso esclarece o que ficou demonstrado. O Império Romano não só usava seus "dentes", isto é, seus exércitos destruidores, mas também, após conquistar todo o mundo civilizado, se servia das pequenas "unhas" (pequenas tribos), nas fronteiras do Império, que trabalhavam na defesa contra possíveis tribos invasoras.

7.20: *"E também das dez pontas que tinha na cabeça, e da outra que subia, de diante da qual caíram três, daquela ponta, digo, que tinha olhos, e uma boca que falava grandiosamente, e cujo parecer era mais firme do que os das suas companheiras."*

"...tinha olhos". Isso também nos é dito na descrição do animal do versículo 8 deste capítulo. O Anticristo, como já ficou demonstrado, possuirá, no campo cultural, um notável saber (Ver 7.8,20; Ap 13.5.); ele será um elemento altamente inteligente, por isso será um grande orador e, sem dúvida, um filósofo notável (comp 7.23 e 11.34), e um político habilidoso (Ap 13.4), tudo isso, e mais ainda, são características que farão dele um super-homem de Satanás; ele será possuído por forças invisíveis do mal, pois nos é dito, em Ap 13.2, que o dragão "lhe deu o seu poder, e o seu trono, e grande poderio". Todas essas habilidades possuídas pelo homem do pecado, são verdadeiros "olhos da inteligência".

"...uma boca que falava grandiosamente". A presente expressão encontra seu paralelo em Ap 13.5, onde lemos: "E foi-lhe dada uma boca para proferir grandes coisas e blasfêmias; e deu-se-lhe poder para continuar por 42 meses". Isso é dito porque, conforme já vimos, esse homem, apesar de possuir naturalmente grande inteligência e autoridade, não poderá ser explicado somente sobre bases humanas. Por isso seis vezes (o número de homem) é dito que esse poder "lhe foi dado" (Ap 13.2,5,14,15).

7.21: *"Eu olhava, e eis que esta ponta fazia guerra contra os santos, e os vencia."*

O presente versículo tem seu contexto em Ap 13.7, onde lemos: "E foi-lhe permitido fazer guerra contra os santos, e vencê-los; e deu-se-lhe poder sobre toda a tribo, e língua, e nação". O texto em si, tem também sua base histórica na pessoa de Antíoco Epifânio, monarca seleuco que feriu e maltratou o povo de Israel (Ver Ap 11.7, onde são usadas palavras similares acerca das duas testemunhas escatológicas.) Historicamente, conforme o apóstolo João encarava a questão, o Anticristo toma o lugar do "pequeno chifre". Profeticamente falando, o Anticristo será a culminação desse poder satânico vindo do exterior. Quando o Anticristo surgir no grande cenário mundial o mundo inteiro sofrerá perseguições atrozes. Os santos serão vencidos, não no sentido espiritual, pois, nesse sentido, são "mais do que vencedores", mas serão vencidos no sentido físico. Alguns deles morrerão à míngua, por falta de alimentos, medicamentos, etc. (comp Ap 13.17).

7.22: *"Até que veio o ancião de dias, e foi dado o juízo aos santos do Altíssimo; e chegou o tempo em que os santos possuíram o reino."*

O presente versículo, além de outros elementos escatológicos, expressa o resultado final da guerra que a "pequena ponta" fará contra o povo de Deus. Mas isso acontecerá por um tempo determinado: "...e deu-lhe poder para continuar por 42 meses". São apenas três anos e meio, depois esse poder terminará, e justiça será feita por Deus a favor do seu povo, que, em eterna segurança, possuirá o reino eterno de Deus e de Cristo. Daniel diz que os santos sofreriam até que o "ancião de dias" viesse ao seu encontro. Essa vinda do "Ancião de dias" cronologicamente falando, terá lugar com o que Paulo descreve em 2 Ts 1.7 e 8: "E a vós, que sois atribulados, descanso conosco, quando se manifestar o Senhor Jesus, desde o céu com os anjos do seu poder; como labareda de fogo, tomando vingança dos que não conhecem a Deus e dos que não obedecem ao evangelho de nosso Senhor Jesus Cristo". Essas palavras de Paulo, são aplicáveis a esse tempo do fim.

7.23: *"Disse assim: O quarto animal será o quarto reino na terra, o qual será diferente de todos os reinos; e devorará toda a terra, e a pisará aos pés, e a fará em pedaços."*

"O quarto animal será o quarto reino na terra". O presente texto descreve, com muita precisão, o que fez o Império Romano no apogeu da sua glória. Ele reduziu todos

os povos à escravidão; devorou toda a terra. Os romanos conquistaram primeiro o Ocidente e voltaram depois suas vistas para o Oriente. Apoderaram-se primeiro da Grécia, Síria, Palestina, incluindo a "terra formosa" (a terra de Israel) e outras nações circunvizinhas. Tornaram-se senhores do mundo, isso já estava predito: "...o quarto reino... devorará toda a terra". Quando Matatias começou a lutar pela independência de seu país, os romanos eram fracos em poderio político; agora, porém, eram os dominadores do mundo. Este Império fez, de fato, tudo quanto estava predito a seu respeito. Semelhantemente, num futuro próximo, o Anticristo, fará tudo, e mais ainda, do que ele (o Império Romano) realizou durante sua existência. (Ver o comentário ao versículo 7 deste capítulo, pois aqui repetimos algo, para fixar.)

7.24: *"E, quanto às dez pontas daquele mesmo reino, se levantarão dez reis; e depois deles se levantará outro, o qual será diferente dos primeiros, e abaterá a três reis."*

O presente versículo e outros correlatos mostram a ascendência e desenvolvimento, e consumação do Império Romano. Mas, a profecia diz que daquele mesmo reino, no futuro, "se levantarão dez reis". Isso significa que durante o período sombrio da Grande Tribulação, se levantarão dez reis dentro dos limites do antigo Império Romano. São eles as dez pontas que João contemplou na cabeça da Besta que subiu do mar (Ap 13.1). Em Ap 17.12, o anjo celestial faz a interpretação para João daqueles chifres, dizendo: "...os dez chifres que viste são dez reis, que ainda não receberam o reino, mas receberão o poder como reis, por uma hora, juntamente com a besta". Esses dez monarcas escatológicos serão dez agentes de Satanás, que, auxiliados por ele, ajudarão o Anticristo em sua política sombria pela conquista do mundo. (Comp Ap 17.13.)

7.25: *"E proferirá palavras contra o Altíssimo, e destruirá os santos do Altíssimo, e cuidará em mudar os tempos, e a lei; e eles serão entregues na sua mão por um tempo", e tempos, e metade dum tempo."*

"...um tempo, e tempos, e metade dum tempo". O texto em foco, tem seu paralelo em Dn 12.7 e 14. O famoso comentador G. H. Pember diz que o sentido é: "um ano, dois

anos, e metade de um ano". Então, porque se diz "tempo, e tempos, e metade de um tempo, em vez de três tempos e meio? Parece que não é sem razão, pois, segundo o modo judaico de calcular, três anos juntos precisariam o acréscimo de um mês. De maneira que o período seria 1.290 dias em vez de 1.260, mas referindo-se a um dos anos, separadamente, evita-se este resultado. Isto é confirmado em Ap 11.2,3 (diz Geo Lang) quando a cidade de Jerusalém será pisada pelos gentios pelo espaço de tempo de 42 meses.

7.26: *"Mas o juízo estabelecer se-á, e eles tirarão o seu domínio, para o destruir e para o desfazer até o fim."*

O Apóstolo Paulo fala a seu filho Timóteo, na segunda carta, cap 4.1 o que segue: "Conjuro-te pois diante de Deus, e do Senhor Jesus Cristo, que há de julgar os vivos e os mortos, na sua vinda [parousia] e no seu reino [Milênio]..." O texto em foco diz, de fato, o que acontecerá na vinda de Cristo com poder e grande glória. A Besta e seus agentes serão julgados naquele grande dia da ira de Deus e do Cordeiro. (Ver 2 Ts 2.8 e Ap 19.20.) O supremo juízo de Deus desfará todo e qualquer império do mal; o reino será estabelecido para que os santos do Altíssimo reinem e o Senhor Jesus Cristo reine sobre eles. Esses acontecimentos terão lugar sete anos após o arrebatamento da igreja, aqui na terra. Todo o domínio das trevas será aniquilado ante a face do Senhor em glória, e todo o domínio e a majestade dos reinos debaixo de todo o céu serão dados ao povo dos santos do Altíssimo.

7.27: *"E o reino, e o domínio, e a majestade dos reinos debaixo de todo o céu serão dados ao povo dos santos do Altíssimo: o seu reino será um reino eterno, e todos os domínios o servirão, e lhe obedecerão."*

O presente versículo terá sua consumação em Ap 11.15, onde lemos: "E tocou o sétimo anjo a sua trombeta, e houve no céu grandes vozes que diziam: Os reinos do mundo vieram a ser de nosso Senhor e do seu Cristo, e ele reinará para todo o sempre". Ali haverá, após a grande vitória de Cristo no vale do Armagedom, o estabelecimento do reino milenar, então o domínio, e a majestade dos reinos do mundo serão dados ao povo dos santos do Altíssimo. Em Ap 10.7, é previsto este grande acontecimento, e em 11.15, a sua consumação. Este grande "segredo de Deus" mencionado na passagem anterior, é, sem dúvida, o estabelecimento do reino de Deus na terra, que começará com o reino milenar de Cristo, como pode ser depreendido do texto em foco, de Daniel. O reino de Deus e de Cristo é um só. Em Ef 5.5, encontramos menção do "reino de Deus e de Cristo".

7.28: *"Aqui findou a visão. Quanto a mim, Daniel, os meus pensamentos muito me espantavam, e mudou-se em mim o meu semblante; mas guardei estas coisas no meu coração."*

"Aqui findou a visão". Daniel, o profeta daquela corte Babilônica, estava familiarizado com visões e sonhos misteriosos. E a expressão vista no presente texto: "Aqui findou a visão" não quer dizer que esta "fonte" de inspiração terminou, mas sim, a visão que terminou é a do capítulo 7 (sete) por ele presenciada numa "visão da noite". Pois, a partir do capítulo 8, haveria mais visões até o capítulo 12, mas cada uma separadamente e completa em si mesma.

"Mas guardei estas coisas no meu coração". A grande humildade de Daniel nos faz lembrar a humildade de Maria, a mãe de nosso Senhor (Lc 2.51). Maria não ficou totalmente sem compreender, mas continuava a entesourar todas essas coisas em seu coração, arquivando todos os acontecimentos que circundavam a vida de seu Filho e refletindo a respeito deles; e assim, sem dúvida, gradualmente foi obtendo um conhecimento mais profundo sobre o que significaria a vida de Jesus, no tocante à sua identidade especial. As visões de José quase que perturbavam seu velho pai, mas Jacó "guardava todas aquelas visões" esperando no tempo determinado a sua realização (Gn 37.11). Podemos ver também em Paulo, o grande apóstolo, outro exemplo de humildade e prudência: ele teve uma visão celestial e só 14 anos depois passou a relatá-la (2 Co 12.1 e ss; Gl 2.1 e ss). Isso, para nós, é uma verdadeira advertência divina, pois alguns têm feito errar a alguém (e a eles mesmos) baseados em profecias meramente humanas.

8
A visão do carneiro e do bode

8.1: *"No ano terceiro do reinado do rei Belsazar apareceu-me uma visão, a mim, Daniel, depois daquela que me apareceu no princípio."*

"...uma visão, a mim, Daniel". Alguém já considerou Daniel, como sendo o profeta das visões. Seu livro é completamente um tratado de escatologia histórica e profética, pois nada menos de 15 alusões ao "tempo do fim" nele se encontram. Cerca de cinco destas referências são encontradas no capítulo 12.

Daniel situa também sua visão, quanto ao tempo, "no terceiro ano do reinado do rei Belsazar". A dinastia fundada por Nabucodonosor estava chegando ao fim. O ano terceiro de Belsazar era o último ano de sua existência. Daniel, como profeta apocalíptico, teve várias "visões de Deus" na corte babilônica, sobre povos, reinos, nações, etc. A linha divisória entre "visão" e "sonho" ou "êxtase" é difícil de ser traçada, se não mesmo impossível de ser determinada. Isto é refletido até mesmo pelo vocabulário que as Escrituras empregam para indicar "visão". O termo hebraico "hãrôn" vem de uma raiz empregada para descrever a contemplação de uma visão por um vidente, quando ele está em estado de êxtase (Is 1.1 e Ez 12.27). Era também uma das maneiras de Deus falar através da palavra ou da imagem que se lhe apresentava (Jó 4.12-17 e 33.14-16; At 10.10-16).

8.2: *"E vi na visão (acontecendo, quando vi, que eu estava na cidadela de Susã, na província de Elão), vi pois, na visão, que eu estava junto ao rio Ulai."*

"...na cidadela de Susã". O texto em foco, coloca em referência a "Cidadela de Susã". Algumas versões traduzem: "No Castelo de Susã". Tratava-se da Susã, capital do Império Persa, que, no Antigo Testamento, é constantemente designada como sendo "Susã, a fortaleza" (Ne 1.1). O profeta, pois, faz referência como se estivesse ali, quando contemplou aquela grande visão que o deixara doente alguns dias. (Ver versículo 27.)

"...ao rio Ulai". Os escritores clássicos têm identificado o "Ulai" como o rio que corria a leste de Susã, na província de Elão, na Pérsia, onde Daniel ouviu a voz de um homem (8.16). Esse rio (no hebraico, "ulãi", nos clássicos, Eulaeus), nos tempos modernos alterou o seu curso superior; e Carum (Pastigres), curso inferior. Talvez fossem, então, uma única corrente que escoava para o delta que há ao norte do golfo Pérsico, nos territórios do Iraque e do Irã, respectivamente. Esse rio é ilustrado nos relevos assírios que mostram o ataque de Assurbanipal contra Susã, em 640 a.C.

8.3: *"E levantei os meus olhos, e vi, e eis que um carneiro estava diante do rio, o qual tinha duas pontas; e as duas pontas eram altas, mas uma era mais alta do que a outra; e a mais alta subiu por último."*

"...um carneiro..." O presente texto descreve a continuidade do Império Medo-Persa, representado por Dario e Ciro, respectivamente. Não mais aquele "urso" faminto, mas, já enfraquecido, é agora, representado ao profeta Daniel como sendo um animal doméstico (carneiro), em vez de uma fera selvagem (o urso). Daniel contempla na sua visão da noite, que o audacioso carneiro se encontrava "diante do rio". Isso descreve o momento em que o general Ciro, comandando seus exércitos medo-persas já se encontrava às margens do rio Ulai preparando-se para o "assalto" à Babilônia. O profeta observa que o valente carneiro

"tinha duas pontas", pontiagudas; mas uma delas era mais alta do que a outra. A simbologia profética aqui apresentada, é a mesma do capítulo 2 deste livro. Lá, os dois braços da estátua vista por Nabucodonosor representam Dario e Ciro. Eles, ali, são representados respectivamente, pelo peito e braços da imagem; enquanto que, no presente texto: pelo carneiro audaz. O profeta ainda continua em sua grande visão: "as duas pontas do animal eram altas, mas uma era mais alta do que a outra". Exatamente, como já ficou demonstrado acima, o simbolismo aqui é perfeito: a ponta mais alta foi, evidentemente, a que chamou a atenção do profeta, porque subiu por último; ela representa Ciro, o monarca da Pérsia; ele subiu ao trono de Babilônia um ano depois de Dario; e também em suas grandes conquistas foi mais ilustre e poderoso do que Dario.

8.4: *"Vi que o carneiro dava marradas para o ocidente, e para o norte e para o meio-dia; e nenhuns animais podiam estar diante dele, nem havia quem pudesse livrar-se da sua mão; e ele fazia conforme a sua vontade, e se engrandecia."*

O presente texto descreve o carneiro audaz dando marradas em três direções, isto é, para o Ocidente, e para o Norte e para o Meio-dia . O simbolismo aqui empregado é o mesmo do capítulo 7, só mudam as composições. Estas três regiões combatidas pelo valente carneiro, compreendem as três "costelas" que o urso faminto, descrito por Daniel no cap. 7.5, trazia na sua boca, entre os seus dentes. Isso significa as três primeiras potências conquistadas pelo Império Medo-persa, são elas: 1) A Babilônia. 2) A Lídia, na Ásia Menor. 3) O Egito. Durante as grandes conquistas de Ciro, a Babilônia, a Lídia e o Egito, foram, realmente, suas primeiras presas. Mas este poderoso monarca, Ciro, não só conquistou as potências aí mencionadas, mas ainda todas as demais nações daqueles dias. Foi, realmente o que diz e representa a visão contemplada: "Nenhuns animais [povos e reinos] podiam estar diante dele".

8.5: *"E, estando eu considerando, eis que um bode vinha do ocidente sobre toda a terra, mas sem tocar no chão; e aquele bode tinha uma ponta notável entre os olhos."*

"...um bode..." O profeta Daniel, em sua grande visão, deixa um pouco de lado o carneiro (Império medo-persa) e entra em cena com o Império Greco-Macedônio. No capítulo dois (2) deste livro, o Império Greco-Macedônio é representado pela composição de cobre, que forma "o ventre e coxas" da colossal imagem vista por Nabucodonosor em sua visão noturna. Enquanto que, no capítulo quatro (4), versículo quatorze, ele pode ser visto nas "folhas" da grande árvore, vista também em um sonho. No capítulo 7.6, ele é representado pelo "Leopardo" ali descrito. Agora, porém, no texto em foco, o reino Greco-Macedônio é representado pelo "bode voador". Em sentido profundo da exegese, o bode representava o poderoso exército comandado por Alexandre, enquanto que a "ponta notável entre os olhos" representava o próprio Alexandre (v 21). Daniel observa que aquele "bode" vinha do "Ocidente" em direção ao Oriente; isso indicava que o bode vinha da Grécia (Ocidente) em direção a Babilônia (Oriente). O exército de Alexandre era considerado um "exército-relâmpago", e por essa razão, o profeta de Deus registra que ele não "tocava no chão". Daniel, como em outras oportunidades, ficou sem entender a visão, mas o anjo Gabriel, passou a explicar-lhe todos aqueles pormenores: "...o bode peludo é o rei da Grécia; e a ponta grande que tinha entre os olhos é o rei primeiro". É evidente que o rei primeiro do texto em foco é Alexandre Magno. O "bode peludo", além de poderoso, "tinha uma ponta notável entre os olhos". O leitor deve observar bem a frase: "entre seus olhos". – Mas por que entre seus olhos? – A história diz que Alexandre, quando jovem, educou-se aos pés de Aristóteles, como Paulo aos pés de Gamaliel (At 22.3). Aristóteles foi discípulo de Platão. Juntos, esses dois filósofos eram chamados de "os dois olhos da Grécia".

8.6: *"Dirigiu-se ao carneiro que tinha as duas pontas, o qual eu tinha visto diante do rio; e correu contra ele com todo o ímpeto da sua força."*

Os amantes da história antiga reafirmam a descrição de Daniel no presente texto, sobre a corrida de Alexandre Magno "com todo o ímpeto da sua força" contra os medos e persas. "Conta-se que ele, quando freqüentava uma escola na Grécia (era macedônio), costumava dizer que um dia se vingaria com todo o ímpeto das agressões dos persas, que, sendo senhores do mundo, ainda desejavam dominar a Grécia. A célebre batalha do Passo de Dardanelos e a batalha naval de Salamina falam bem alto do tipo de guerra que os persas, de tão longe, iam fazer à Grécia. Tão logo Alexandre pôde convencer os gregos de que era tempo de se desforrarem dos persas, reuniu tudo que tinha, e com uma coragem indômita, que lhe era peculiar, atirou-se pelo Oriente, nada estorvando a sua incrível coragem". Alexandre não perdia tempo. Dali em diante nada lhe resistiria. Por isso Daniel o vê como um bode que vinha voando.

8.7: *"E o vi chegar perto do carneiro, irritar-se contra ele; e feriu o carneiro, e lhe quebrou as duas pontas, pois não havia força no carneiro para parar diante dele; e o lançou por terra e o pisou a pés: não houve quem pudesse livrar o carneiro da sua mão."*

O presente versículo foi escrito antes de seu cumprimento (talvez 200 anos antes). Alexandre combateu, de fato, o Império Medo-persa, mais ou menos em 331 a.C. E esta profecia foi escrita por Daniel, mais ou menos em 539 a.C. É uma predição notável o choque de dois Impérios mundiais. Em nossos dias (isto é, em 1986), poderíamos imaginar um choque de duas grandes potências mundiais, como os Estados Unidos da América do Norte e a União Soviética. Isso significaria, uma catástrofe mundial que envolveria todo o mundo. As duas pontas quebradas, vistas por Daniel no grande impacto dos dois animais, significam o fim do império medo-persa, fundado por Dario e Ciro. Esta dinastia só deixou de existir com a implantação do novo sistema mundial dos gregos, que helenizaram o mundo daqueles dias.

8.8: *"E o bode se engrandeceu em grande maneira: mas, estando na sua maior força, aquela grande ponta foi quebrada: e subiram no seu lugar quatro também notáveis, para os quatro ventos do céu."*

"Aquela grande ponta foi quebrada". O simbolismo aqui apresentado é perfeitamente verdadeiro em seu cumprimento. Alexandre foi um exímio guerreiro, e, ao terminar todas suas grandes conquistas, entregou-se aos vícios

mais hediondos daquela época; isto lhe ocasionou morte prematura. Morreu aos trinta e três (33) anos de idade. O chifre ilustre foi quebrado, como disse a profecia acima.

"E subiram no seu lugar quatro também notáveis". As quatro pontas notáveis do texto em foco, compreendem também, as quatro "asas" que o "Leopardo" trazia em suas costas (Dn 7.6). Na simbologia profética aplicada nas notas expositivas do cap 7.6, elas compreendem os quatro generais que se "levantaram" depois da morte de Alexandre, que são: 1) Ptolomeu. 2) Seleuco. 3) Antípater e 4) Filétero. Esses generais, após a morte de Alexandre Magno, fundaram quatro realezas para os quatro ventos do céu: Egito (Ptolomeu), Síria (Seleuco), Macedônia (Antípater), e Ásia Menor (Filétero). Eles foram, de fato, governantes "notáveis", mas não atingiram a glória de Alexandre.

8.9: *"E de uma delas saiu uma ponta mui pequena, a qual cresceu muito para o meio-dia, e para o oriente, e para a terra formosa."*

"...de uma delas saiu uma ponta mui pequena". O pequeno chifre que saiu de uma das pontas, de Seleuco, representa, em seu primeiro estágio, Antíoco Epifânio, monarca selêucida, do ramo sírio do Império Grego, o qual fez um esforço extremo para extinguir a religião judaica. Antíoco Epifânio, sem dúvida alguma, foi o princípio de formação do cumprimento desta grande profecia. Em seu cumprimento final, a personagem em foco é o Anticristo, a Besta que subiu do mar (Ap 13.1).

"A qual cresceu muito para o meio-dia, e para o oriente, e para a terra formosa". A "terra formosa" de que fala o texto, é Israel (Jr 3.19). Antíoco Epifânio, durante o seu governo, cresceu muito para o "sul e para o oriente", ou seja, para o Egito e a Mesopotâmia, respectivamente. Porém, depois virou-se para a "terra formosa", ou seja, para a Palestina, especialmente Israel. No capítulo 11.16 deste livro, essa terra é chamada de "terra gloriosa". Isso sem dúvida alguma, como já ficou demonstrado, refere-se à terra de Israel pela sua fertilidade e excelência. Ela, de fato, é "uma terra que mana leite e mel, e é a glória de todas as terras" (Ez 20.6). Evidentemente, é por isso que ela é cha-

mada de "terra desejada" pelos profetas do Senhor (Zc 7.14). O Anticristo também, durante os dias sombrios da Grande Tribulação, armará suas tendas (fortalezas de guerra) na terra gloriosa (Dn cap 11.45). Mas ali, no vale do Armagedom, ele encontrará o seu fim: Cristo o aniquilará!

8.10: *"E se engrandeceu até o exército do céu; e a alguns do exército, e das estrelas, deitou por terra, e os pisou."*

"...estrelas". Em Apocalipse 12.4, a expressão "estrelas do céu" se refere aos anjos decaídos; porém esta palavra não tem sentido uniforme nas Escrituras: é maleável. Em alguma parte ou lugar, refere-se aos exércitos celestes, isto é, ao mundo estelar (Gn 1.16); pode ser aplicado aos anjos bons e maus, dependendo do contexto (Jó 38.7 e Ap 12.4). Os anjos (pastores) das sete igrejas da Ásia Menor, eram chamados de "estrelas" (Ap 1.20). No presente texto, a palavra em foco, é usada para descrever os chefes supremos de Israel. (Ver Gn 37.9.) O simbolismo se refere aos santos também em algum sentido (Jr 33.22). O que foi feito por Antíoco Epifânio em suas atrocidades contra os santos, durante o seu reinado de trevas, que, de um certo modo, "pisou" o povo de Deus, isso mesmo e mais ainda será feito pelo Anticristo durante o tempo da angústia. Antíoco "pisou" o povo de Deus, por "2.390 tardes e manhãs" (Sete anos e meio, aproximadamente). O Anticristo "pisará" também, por esse espaço de tempo, os convertidos durante a Grande Tribulação.

8.11: *"E se engrandeceu até o príncipe do exército: e por ele foi tirado o contínuo sacrifício, e o lugar do seu santuário foi lançado por terra."*

"...se engrandeceu até o príncipe do exército". Observe bem a expressão do texto em foco: "se engrandeceu". Em seu orgulho e propósito último, ele se aventura a desafiar o "príncipe", tanto das estrelas como dos monarcas, e seu criador é Deus. Este desafio tomou forma de um ataque sacrílego ao templo, tal como o que já uma vez havia tido lugar com Belsazar (Ver cap 5.) Isso significa que ele desafiou o próprio Deus. O Anticristo fará também isso; ele abrirá a sua boca contra Deus, e blasfemará dos "poderes

do mundo superior", ridicularizando a própria existência de Deus (Ap 13.6). O primeiro personagem (Antíoco) visto neste versículo, é a figura do segundo (o Anticristo).

"...por ele foi tirado o contínuo sacrifício". Pensamos que nenhuma interpretação única pode esgotar o sentido destes sinais do tempo que Daniel emprega, visto que as Escrituras são proféticas e se combinam entre si em cada detalhe. É possível tomá-las tanto, literal como figurada e simbolicamente. As profecias podem ter suas apresentações em seus estágios históricos e em suas consolidações proféticas. A profanação do santuário por Antíoco Epifânio, a destruição da cidade de Jerusalém por Tito, e muitos outros acontecimentos que tiveram lugar na vida de Israel e na igreja, podem ser precursores e símbolos dos acontecimentos que terão lugar durante o reinado do Anticristo. (Ver Ec 3.15.) "Nos dias de Antíoco, ele fez um decreto em que todo o povo havia de se conformar com a idolatria da Grécia. Um grego iníquo foi enviado a sustentar esse decreto. Todos os 'sacrifícios' cessaram, e o ritualismo judaico dado por Deus terminou. O templo foi contaminado com carne de porco e dedicado ao deus Júpiter Olímpios". (Ver notas expositivas sobre isso em 11.31.)

8.12: *"E o exército lhe foi entregue, com o contínuo sacrifício por causa das transgressões; e lançou a verdade por terra; fez isso, e prosperou."*

O presente texto descreve realmente o que fez Antíoco. Ele não só desejou helenizar toda a Palestina, mas lutou também para levar alguns (e até conseguiu) a abandonar a verdadeira religião de Deus. Em sua cobiça demasiada, atacou o povo eleito, profanou também o templo de Jerusalém, suprimindo o "contínuo sacrifício" das nove (9) horas da manhã e das três (3) horas da tarde, estabelecido por Deus desde Moisés (Êx 29.38-42; Lv 6.13). Proibiu qualquer divulgação da lei de Moisés, e assim "a verdade foi lançada por terra". A parte escatológica, porém, terá sua aplicação durante os dias do Anticristo, em seu governo de trevas (Ap 13.7 e ss). Cremos que o grande princípio de formação e cumprimento desta grande profecia será a introdução do "homem do pecado" no santuário de Deus (2 Ts 2.4 e ss).

8.13: *"Depois ouvi um santo que falava; e disse outro santo àquele que falava: até quando durará a visão do contínuo sacrifício, e da transgressão assoladora para que seja entregue o santuário, e o exército, a fim de serem pisados?"*

"...um santo que falava". Este santo que falava a outro santo podemos confrontá-lo com aquele personagem que "gritou" ao anjo Gabriel nas margens do rio Ulai (v 16). O segundo "santo" que faz a pergunta, não é "onisciente", mas o primeiro é. O segundo ser celestial que fez a pergunta pode bem ser o anjo Gabriel, enquanto que o segundo, é a pessoa do Pai que está em foco. Observando a pergunta feita pelo "santo" ao outro de elevado poder, Scofield salienta que este trecho no livro de Daniel é uma das partes mais difíceis de serem compreendidas. A pergunta do santo foi: "Até quando durará a visão do contínuo sacrifício, e da transgressão assoladora?" A dificuldade aí é aumentada pelo estado atual do texto. Historicamente falando, isso foi cumprido por Antíoco Epifânio. Profeticamente falando, porém, isso apenas antecipa a terrível blasfêmia do "chifre pequeno", de Daniel 7.8,24,25; 9.27; 11.36-45 e 12.11. Lendo em Daniel 8.10 a 14 as ações de ambos, vemos que os "chifres pequenos" se combinam.

8.14: *"E ele me disse: Até duas mil e trezentas tardes e manhãs; e o santuário será purificado."*

"...duas mil e trezentas tardes e manhãs". O presente versículo tem seu paralelo no versículo 26 do mesmo capítulo. Ali o anjo Gabriel esclarece a Daniel que aquela "visão da tarde e da manhã, que foi dita, é verdadeira". Podemos salientar que o primeiro período, ou seja, a participação das "duas mil e trezentas tardes e manhãs" dentro da profecia, descreve o período das atrocidades de Antíoco Epifânio, o monarca selêucida. Em sua aplicação profético-escatológica, elas serão desenvolvidas durante o período sombrio da Grande Tribulação. Sobre as "duas mil e trezentas tardes e manhãs" existe uma infinidade de opiniões, mas podemos entender o sentido correto dentro daquilo que se pode depreender dos próprios contextos bíblicos: 2.300 tardes e manhãs não significam apenas 1.150 dias, mas, literalmente, dois mil e trezentos dias comple-

tos. A expressão "tardes e manhãs" quer dizer dias completos e não apenas metade de um dia (Gn 1.5 e ss). Como já ficou bem claro acima, as 2.300 tardes e manhãs cobrem os dias em que o monarca Seleuco Antíoco Epifânio implantou suas abominações na cidade santa e no templo. (Em seu primeiro estágio, isso teve início em 171 a 165 a.C.). Isso porém, não foi o seu cumprimento em sentido pleno; sua consolidação só terá lugar no final da Grande Tribulação, quando o Senhor Jesus vier à terra como o Libertador esperado. (Ver caps 8.14 e 9.24; Rm 11.26.) Então o "santuário será purificado".

8.15: *"E aconteceu que, havendo eu, Daniel, visto a visão, busquei entendê-la e eis que se me apresentou diante uma como semelhança de homem."*

"Busquei entendê-la..." O presente versículo, diz que Daniel ao ver a visão, procurou entendê-la. Certamente ele orou pedindo a interpretação daquilo que para ele era um verdadeiro mistério. O crente fiel não se precipita na interpretação das coisas, mas procura interpretar as Escrituras de acordo com o sentido divino. Pedro, o apóstolo, salienta, em sua segunda carta: "Sabendo primeiramente isto: que nenhuma profecia da Escritura é de particular interpretação" (2 Pe 1.20). Enquanto Daniel, em sua mente, através do intelecto, da memória e da imaginação, buscava compreender a visão, um homem (o varão Gabriel) se pôs ao seu lado com a sublime interpretação. Os anjos são mensageiros de Deus, e podem cooperar conosco, não somente nos problemas da vida diária, mas também, e de um modo especial, na salvação dos pecadores. (Ver Mt 18.10; Hb 1.14.)

8.16: *"E ouvi uma voz de homem nas margens do Ulai, a qual gritou, e disse: Gabriel, dá a entender a este a visão."*

"...gritou, e disse: Gabriel, dá a entender a este a visão". A poderosa "voz" que "gritou" é a "voz" de Deus Pai, pois dada a posição elevada do "Anjo Gabriel", um anjo comum não se poderia dirigir a um tão elevado poder da forma que se dirigiu:

"Gabriel". O anjo Gabriel aparece 4 vezes nas Escrituras: 1) Em Dn 8.16 (o texto em foco), ele explica a Daniel a

visão do carneiro e do bode peludo. 2) Em Dn 9.21, ele esclarece a Daniel o segredo das "setenta semanas" escatológicas. 3) Em Lc 1.11, ele é enviado a anunciar o nascimento de João Batista; do versículo 26 em diante, ele é novamente apresentado como tendo sido comissionado por Deus à virgem Maria, para predizer o nascimento de Jesus Cristo. Em Lc 1.19, ele se identifica, dizendo: "Eu sou Gabriel". Essa palavra significa "homem de Deus", ou "embaixador de Deus". Somente dois anjos recebem nome nas Escrituras, a saber, Gabriel e Miguel. (Ver Dn 8.16; 9.21; 12.1; Lc 1.19,26; Jd v.9; Ap 12.7.) Segundo a tradição judaica, Gabriel era o guardião do tesouro sagrado. Miguel era o destruidor do mal, o agente de Deus contra o mal. Esse nobre mensageiro "assiste diante de Deus". (Ver 1.19.) É, portanto, um embaixador da corte celestial.

8.17: *"E veio perto donde eu estava; e vindo ele, fiquei assombrado, e caí sobre o meu rosto; mas ele me disse: Entende, filho do homem, porque esta visão se realizará no fim do tempo."*

"...caí sobre o meu rosto". Esta expressão é também repetida no versículo seguinte. A aproximação de Gabriel fez Daniel "tombar" no chão com extremo assombro, como acontecera com Ezequiel, o profeta do cativeiro, em suas grandes visões (Ez 1.28; 3.23; 44.4). Gabriel diz a Daniel que esta visão se cumprirá somente no "tempo do fim". Já tivemos oportunidade de falar sobre isso, em outras notas expositivas. Este "tempo do fim", no livro de Daniel, refere-se a septuagésima semana profética, descrita em Dn 9.2-27, com especial referência à metade dela, na parte final, que, no Apocalipse, é chamada "A Grande Tribulação". No Novo Testamento, a expressão "os últimos dias", em At 2.17; 2 Tm 3.1; Hb 1.1, é equivalente, no grego, ao "tempo do fim", e, o sentido geral, é mais amplo que em Daniel, pois é aplicado à época do Evangelho de Cristo, à época do Espírito Santo em sua plenitude. E também para os "últimos dias maus".

8.18: *"E, estando ele falando comigo, caí com o meu rosto em terra, adormecido; ele, pois, me tocou, e me fez estar em pé."*

O personagem a falar com Daniel é ainda o anjo Gabriel; ele veio revestido de uma tremenda majestade, que impunha temor e respeito em qualquer mortal. Evidentemente, a presença dum anjo é "terribilíssima" (Jz 13.6). Zacarias, ao contemplá-lo, ficou muito apreensivo e cheio de temor (Lc 1.12). Daniel temeu muito e caiu com o rosto em terra. Os habitantes do Céu têm uma presença bastante agradável, mas temível. A glória de Cristo, vista pela alma, reduz o indivíduo a nada, dentro de si mesmo, ao mesmo tempo, porém, leva essa pobre alma aos seus pés, onde pode ser obtida a grandeza autêntica e ideal, que é o anelo da alma humana. A presença da pessoa da divina visão trouxe temor a Daniel, um homem tão santo e irrepreensível! – Que farão, pois, aqueles que andam numa vida dissoluta, no grande dia do Senhor?! (Ver Ap 1.14 a 17.)

8.19: *"E disse: Eis que te farei saber o que há de acontecer no último tempo da ira; porque ela se exercerá no determinado tempo do fim."*

Já tivemos oportunidade, em versículos anteriores a este, de falar sobre o "tempo do fim". Esse tempo não se refere exclusivamente ao fim de todas as coisas, nem ao fim do julgamento, mas, sim, ao fim da presente Era, que terminará com a Grande Tribulação e a manifestação de Cristo em glória. (Ver At 1.6,7). No Apocalipse de João, as expressões "tempo da ira" e "tempo da ira de Deus" são termos técnicos usados para descrever o tempo da Grande Tribulação. Isso é usado, tanto pelos escritores do Antigo como do Novo Testamento, designando também, a vinda do Anticristo. A expressão é equivalente, no grego clássico, aos "últimos dias" do livro de Daniel (cerca de 15 vezes na extensão de seu livro).

8.20: *"Aquele carneiro que viste com duas pontas são os reis da Média e da Pérsia."*

O leitor deve observar que o capítulo oito (em estudo), dá detalhes do segundo e terceiro impérios mundiais, isto é, os reinos de prata e de bronze do capítulo dois deste livro e o "urso e o leopardo do capítulo 7, isto é, os reinos históricos da Média e da Pérsia e da Grécia. Agora, podemos ver como o anjo Gabriel explica detalhadamente tudo a Daniel, isto é, colocando o terceiro (o Grego) em ação. "Aquele carneiro [o anjo se refere ao animal que Daniel tinha visto no v 3], que viste, com duas pontas são os reis da Média e da Pérsia". A identificação específica dos dois animais forma a própria compreensão do autor com relação à seqüência dos eventos futuros. Jesus, nosso Senhor, usou também em vários de seus ensinos doutrinários, métodos semelhantes. Exemplificando, temos a parábola do Bom Semeador, em Mt 13.4-9,18-23 e ss. No texto em foco, o anjo mostrou a Daniel, em cada interpretação, que todos aqueles reinos mundiais estavam em fase de transição, e recomendou que ficasse firme e prosseguisse até o fim. (Comparar Dn 12.13.)

8.21: *"Mas o bode peludo é o rei da Grécia, e a ponta grande que tinha entre os olhos é o rei primeiro."*

O *"rei primeiro"* do presente versículo, é Alexandre o Grande. Este poderoso guerreiro era filho de Filipe da Macedônia. Alexandre foi educado aos pés de Aristóteles, um genial filósofo da Grécia. Sempre ao lado de seu pai, Alexandre o ajudava nos planos bélicos. Admirador apaixonado de Homero, o poeta cego da mitologia grega, sonhava com glória e conquista. Viram-no chorar um dia ao ouvir das vitórias de Filipe, quando exclamou: "Meu pai não me deixará, pois, nada a fazer!" Alexandre era o homem providencial para derribar e levantar impérios. Salvou a vida de seu pai das mãos dos bárbaros, no Danúbio. Atribuem-lhe a vitória de Querinéia. Aos 20 anos, por morte de seu pai, assumiu as rédeas do governo do Império Macedônio. Agora, porém, nesta nova dinastia greco-macedônia, torna-se o seu primeiro rei, como diz o texto.

8.22: *"O ter sido quebrada, levantando-se quatro em lugar dela, significa que quatro reinos se levantarão da mesma nação, mas não com a força dela."*

"Levantando-se quatro em lugar dela, significa que quatro reinos se levantarão". As quatro dinastias de que fala o texto levantaram-se após a morte de Alexandre. Foram as seguintes: Egito, Síria, Macedônia e Ásia Menor. Os representantes destas realezas foram: Ptolomeu, Seleuco, Antípater e Filétero. Isso já ficou demonstrado no cap 7 deste livro. Estes quatro generais não se adaptaram com o

novo sistema de governo implantado pela viúva de Alexandre, e também não aceitaram outros generais: Pérdicas, Antípatro e Polisperco. Os quatro outros generais, porém, inconformados, "se levantaram", como diz o texto, literalmente, e formaram as quatro realezas já mencionadas acima, e, assim, o reino de Alexandre, foi "repartido para os quatro ventos do céu" como diz a profecia (Dn 11.4). As profecias da parte de Deus são imortais, em qualquer tempo ou lugar!

8.23: *"Mas, no fim do seu reinado, quando os prevaricadores acabarem, se levantará um rei, feroz de cara, e será entendido em adivinhações."*

"...um rei, feroz de cara". A expressão em foco: De feroz catadura, "áz", soa muito parecido com a palavra hebraica para *bode*, "éž", versículos 5 e 8, e significa tanto "duro" como "insolente", "de olhar arrogante". Todos concordam em que, o primeiro personagem nesta grande profecia é Antíoco Epifânio. Ele foi realmente um rei obstinado e inexorável. Isto com a sua aplicação no sentido histórico; profeticamente falando, porém, podemos entender que este rei "feroz de cara" é a pessoa sombria do Anticristo. Ele será também um grande mestre em dissimulações, isto é, "capaz de penetrar os enigmas" (usa o equivalente hebraico da palavra "enigmas" em 5.12). Intelectualmente bem dotado, este governante terá uma capacidade incomum para o mal. Antíoco tinha todas essas qualidades; o Anticristo as terá em grau supremo. (Ver Ap 13.4 e ss.)

8.24: *"E se fortalecerá a sua força, mas não pelo seu próprio poder; e destruirá maravilhosamente, e prosperará, e fará o que lhe aprouver: e destruirá os fortes e o povo santo."*

"...destruirá os fortes e o povo santo". Os governantes selêucidas, praticaram muitas atrocidades semelhantes às que estão mencionadas neste versículo. Os fiéis Macabeus foram as vítimas nesse tempo sombrio destes reis ferozes de cara. Mas devemos observar que esta profecia aponta também para um tempo futuro, ainda distante, onde praticamente se repetirá tudo aquilo que teve início com a pessoa de Antíoco Epifânio. Durante o tempo da "Angús-

tia de Jacó", acontecerá a mesma coisa contra os santos, porém em grau supremo, como bem pode ser visto, em Ap 13.7, que diz: "E foi-lhe permitido fazer guerra aos santos, e vencê-los; e deu-se-lhe poder sobre toda a tribo, e língua, e nação". Tudo isso é dito com referência ao Anticristo. Ele fará tudo isso, e mais ainda; ele será um agente do próprio Satanás, que veio a este mundo só para "roubar, matar, e destruir".

8.25: *"E pelo seu entendimento também fará prosperar o engano na sua mão; e no seu coração se engrandecerá, e por causa da tranqüilidade, destruirá muitos, e se levantará contra o príncipe dos príncipes, mas sem mão será quebrado."*

"...se levantará contra o príncipe dos príncipes". De acordo com Apocalipse 13.6, o tirano Anticristo se "levantará" contra o próprio Deus. Isso ele fará sem o auxílio ou concurso de mãos humanas. Isso significa que ele próprio abrirá a sua boca "contra Deus, para blasfemar do seu nome, e do seu tabernáculo, e dos que habitam no Céu". No versículo 11 deste capítulo, a expressão: "e se engrandeceu até o príncipe do exército: e por ele foi tirado o contínuo sacrifício", refere-se, sem dúvida, à sua revolta contra o próprio Deus Pai. No presente versículo, porém, "o príncipe dos príncipes" é a pessoa de Jesus Cristo. O Anticristo se levantará mesmo, como está predito, "contra o Senhor (Deus) e contra seu Ungido (Cristo), dizendo: Rompamos as suas ataduras, e sacudamos de nós as suas cordas. Aquele que habita nos céus se rirá; o Senhor zombará deles" (Sl 2.2 a 4). A destruição será decretada por Deus, e sem "mão será quebrado".

8.26: *"E a visão da tarde e da manhã que foi dita, é verdadeira. Tu porém, cerra a visão, porque só daqui a muitos dias se cumprirá."*

Tudo nos faz entender que Daniel, após ouvir e ver todas aquelas coisas, ficou muito interessado em ver o cumprimento de tudo aquilo, mas foi-lhe revelado que elas não seriam para seus dias, mas para uma geração futura. (Compare com 1 Pe 1.12.) O anjo Gabriel esclarece a Daniel que aquela visão só "se realizará no fim do tempo". Isso nos faz crer que todos esses detalhes, aqui contemplados, serão desenvolvidos e consumados durante o tempo da Grande Tribulação para o povo judeu, que terá como centro a cidade de Jerusalém e a Terra Santa, mas que, de um modo particular, envolverá todo o mundo (Ap 3.10). Existem determinadas profecias que atravessarão o tempo e entrarão na eternidade: são profecias de profundo significado e de infinito alcance como por exemplo: A palavra profética do Sl 119.89.

8.27: *"E eu, Daniel, enfraqueci, e estive enfermo alguns dias; então levantei-me e tratei do negócio do rei: e espantei-me acerca da visão e não havia quem a entendesse."*

"...espantei-me acerca da visão..." A visão era tão terrível para Daniel, que ele, ficou doente alguns dias. Foi como uma espécie de "blitzkrieg" (guerra-relâmpago). O texto em foco nos mostra que os segredos eram demais para Daniel, ele não os podia alcançar, tanto num futuro imediato como num futuro distante. Há determinados segredos de Deus contidos nas Escrituras, que se tornam "pontos difíceis de entender" (2 Pe 3.16), mas o caminho está traçado pela mão divina. Onde não entendemos não devemos parar, mas aceitar tudo pela "fé" e pelo "amor" que tudo crê (1 Co 13.7), e, nesta firme convicção de inteireza de fé e esperança, vamos prosseguindo "até o fim", como foi dito a Daniel pelo "homem vestido de linho" nas margens do rio Ulai (Dn 12.13), e de igual modo aos discípulos, pelo próprio Cristo, no monte das Oliveiras (Mt 24.13). Esta recomendação já era muito peculiar nas páginas douradas da Bíblia; ela diz: "Melhor é o fim das coisas do que o princípio delas" (Ec 7.8).

9

As setenta semanas

9.1: *"No ano primeiro de Dario, filho de Assuero, da nação dos medos, o qual foi constituído rei sobre o reino dos caldeus."*

O assunto principal deste capítulo que, em suma, encerra uma série de 27 versículos, é a oração do profeta Daniel, para que Deus desse início ao regresso de seu povo. (Ver Salmo 126.) Podemos dividir o presente capítulo da seguinte maneira: 1) A introdução (versículos 1 e 3). 2) A oração propriamente dita (versículos 4 a 19). 3) A resposta da oração: Deus enviando o anjo Gabriel (versículos 20 a 27). Então o capítulo é dividido em duas partes: 1) A introdução (versículos 20 a 23). 2) A resposta propriamente dita (versículos 24 a 27). Agora a consolidação: A grande profecia das "setenta semanas". Os versículos 1 e 2 do presente capítulo, apontam no tempo esta oração: foi no primeiro ano do governo de Dario, filho de Assuero, da nação dos medos. Não sabemos determinar se o "Assuero" do texto em foco é o mesmo que vem citado no livro de Ester 1.1. Alguns comentadores aceitam que o *Assuero* do texto é Xerxes, e o nome "Assuero" pode ser um "título real aquemênida". Seja como for, nós aceitamos o que fica depreendido dos textos divinos, o mais são especulações humanas.

9.2: *"No ano primeiro do seu reinado, eu, Daniel, entendi pelos livros que o número de anos, de que falou o Senhor ao profeta Jeremias, em que haviam de acabar as assolações de Jerusalém, era de setenta anos."*

"Era de setenta anos". Daniel primeiro examina com cuidado as predições do profeta Jeremias sobre os "setenta anos de cativeiro" (Jr 25.11,12). Setenta anos de cativeiro sobre a nação foi para "que a terra se agradasse dos seus sábados; todos os dias da desolação repousou, até que os setenta anos se cumpriram" (2 Cr 36.21). Deus ordenou a Israel, no deserto, que trabalhasse seis dias em sete e, semelhantemente, seis anos em sete. (Ver Êx 20.9,10; Lv 25.1-7.) A guarda do sábado à risca foi observada por Israel logo no deserto, e um homem foi morto porque apanhou lenha no sábado. (Ver Nm 15.32-36.) A segunda ordem de Deus para que se guardasse o ano sabático só entraria em vigor com a entrada da nação na terra prometida. (Ver Lv 25.2-4.) Isto significa que todo o "tempo pertence a Deus". Durante esse ano (de repouso), a terra não era lavrada, o fruto era livre, e a confiança do povo em Deus era provada. Aprendemos de Deuteronômio 31.10-13, que este ano era empregado para dar instrução religiosa ao povo. Durante os 490 anos da monarquia, esta lei não foi observada, como devia ter sido por 70 vezes. Por isso, foram dados ao povo 70 anos de cativeiro. Deus, apenas, como sempre, só exigiu o dízimo dos 490 anos. (Ver 2 Cr 36.21.) Daniel sabia que Deus é o "Justo Juiz" e só cobraria o "dízimo" dos anos, e pôs-se a orar confiantemente por um repatriamento. (Comp Sl 126.)

9.3: *"E eu dirigi o meu rosto ao Senhor Deus, para o buscar com oração e rogos, com jejum, e saco e cinza."*

Daniel, como já ficou demonstrado, sabia que Deus só exigia o que é seu e, numa confiança inaudita na grande misericórdia dele, e numa inteireza de fé, pediu a Deus que virasse o cativeiro do seu povo "...como as correntes do sul". (Ver Sl 126.4.) O ardente desejo deste servo fiel era ver seu povo perdoado, e a cidade de Jerusalém, mormente o templo do Senhor, reedificados. Ele permaneceu em oração "velando nela com ação de graças". (Ver Cl 4.2.) Até as três horas da tarde (a hora do sacrifício da tarde), Daniel permaneceu em oração, exemplificando o centurião Cornélio (At 10.30). Então chegou Gabriel, um embaixador da corte celestial. A oração, na vida de Daniel, era um costume regular. No seu aposento de janelas abertas, na direção de Jerusalém, ele podia ser encontrado orando três vezes por dia. (Ver 6.10.) Há uma promessa para aqueles que, em tempo de angústia, buscam a Deus virados para o santo templo. (Ver 1 Rs 46-49.) Davi orava a Deus três vezes no dia e, por essa razão, era bem sucedido (Sl 55.15.) – Quantas vezes o leitor ora por dia?

9.4: *"E orei ao Senhor meu Deus e confessei, e disse: Ah! Senhor! Deus grande e tremendo, que guardas o concerto e a misericórdia para com os que te amam e guardam os teus mandamentos."*

"...e confessei, e disse". O texto em foco mostra Daniel assumindo a posição do sacerdote (ainda que não o fosse) e fazendo confissão. A confissão é a expressão pública da fé. Enquanto o testemunho se dirige aos homens, a confissão dirige-se a Deus, num movimento espontâneo de gratidão e louvor. No Novo Testamento, a "confissão" possui três significados especiais: 1) Louvar ou celebrar. 2) Proclamar o Senhor e sua libertação. 3) Reconhecer as próprias culpas. Nessa parte da Bíblia, a palavra traduzida por "confessar" significa, inicialmente, "entrar em conciliação, concordar sobre uma base comum". Daniel, o grande servo de Deus, não se sentia culpado, mas, mesmo assim, não se dava por justificado. (Ver Rm 8.33.) Ainda no NT, a confissão acompanha o ministério do Senhor Jesus Cristo (Lc 5.8; 19.8), e está em parábolas por Ele proferidas. (Veja Lucas 15.) Acompanha também o ministério apostólico. (Ver Jo 20.23; At 19.18.) Faz também parte das recomendações apostólicas (1 Jo 1.9; Tg 5.16).

9.5: *"Pecamos, e cometemos iniqüidade, e procedemos impiamente, e fomos rebeldes, apartando-nos dos teus mandamentos e dos teus juízos."*

"Pecamos, e cometemos iniqüidade". Daniel demonstra sua grande humildade diante de Deus, em confessar o pecado de seu povo, mas se coloca também numa posição de culpa, como se fosse um pecador. Ele se apresenta como se fosse um anátema diante da situação. Paulo desejou

também ser até separado de Cristo por amor a Israel. (Ver Rm 9.3.) Moisés desejava ser riscado do livro da vida se porventura Deus não perdoasse o seu povo (Êx 32.33). Daniel, como já ficou explícito em outras notas expositivas, sabia que, segundo as Escrituras, o pecado "cortava" quaisquer laços de comunhão entre o homem e Deus, como declara o profeta Isaías (Is 59.2). Em relação a Jesus, Ele disse aos judeus de seus dias: "Por isso vos disse que morrereis em vossos pecados, porque, se não crerdes que eu sou, morrereis em vossos pecados" (Jo 8.24). Jesus retrata a vida humana ideal, de comunhão com Deus, em todo o Novo Testamento. O pecado é a falta dessa comunhão. Jesus também localiza a fonte do pecado no íntimo dos homens. O pensamento de Jesus, em cada elemento de seus ensinos, aprofunda muito o senso de culpa. Daniel, sendo possuidor do mesmo Espírito de Deus, aprofunda-se também nele o senso da culpa do seu povo e pede a Deus remissão.

9.6: *"E não demos ouvidos aos teus servos, os profetas, que em teu nome falaram aos nossos reis, nossos príncipes, e nossos pais, como também a todo o povo da terra."*

"...não demos ouvidos aos teus servos, os profetas". A presente passagem nos lembra as recomendações do Senhor Jesus em seus ensinamentos doutrinários, tanto nos Evangelhos como no Apocalipse. Esta recomendação para "ouvir" a Palavra de Deus, da parte de Cristo, é feita em solene aviso, nos evangelhos. (Ver Mt 13.9,43; Mc 4.23.) No texto de Ap 3.6, a recomendação é feita a "todas as igrejas", e se repete nos caps 2 e 3 por sete vezes. Os ouvidos de um homem são sua sensibilidade espiritual, e o seu "ouvir" é o uso de meios espirituais que produzem mudanças em seu íntimo, conforme se vê exigido nas advertências e promessas anteriores. Daniel nos informa que o castigo caído sobre a nação israelita era resultado do "não ouvir" a Palavra de Deus enviada pelos profetas do Senhor. Um dos mais solenes estudos da Bíblia inteira é aquele concernente ao "ouvido que ouve".

9.7: *"A ti, ó Senhor, pertence a justiça, mas a nós a confusão de rosto, como se vê neste dia; aos homens de Judá, e aos moradores de Jerusalém, e a todo o Israel; aos de perto e aos de longe, em todas as terras por onde os tens lançado, por causa da sua prevaricação, com que prevaricaram contra ti.”*

“...prevaricaram contra ti”. Numerosas são as palavras com a significação de pecado, na Bíblia. Se bem que o Antigo Testamento as empregue facilmente umas pelas outras. (Ver Dt 19.15: a iniqüidade, a falta, o pecado.) É interessante retornar aos seus significados primários, que nos revelam a essência bíblica de pecado. Os sábios traduziram a palavra “hamartia” por pecado, no idioma português, que toma o sentido: 1) *Tortuosidade* (sentido próprio). 2) *Errar o alvo* (sentido religioso). Na Bíblia são numerosos os “pecadores”, cujas ações são definidas como desvio. Outra palavra corrente para o pecado vem de uma raiz que significa algo que é “torto” ou “curvo”. No sentido nacional, é a do presente texto: a nação inteira é tomada como um todo, na prática do pecado, como por exemplo: “Israel pecou, e até transgrediram o meu concerto...” (Js 7.11). Mas havia também a prática, mesmo em Israel, no sentido individual, como por exemplo: “sacerdote...príncipe...congregação...qualquer outra pessoa...” (Ver Lv capítulo 4). Daniel, em sua oração a Deus, inclui a nação como um todo.

9.8: *“Ó Senhor, a nós pertence a confusão de rosto, aos nossos reis, aos nossos príncipes, e a nossos pais, porque pecamos contra ti.”*

“Porque pecamos contra ti.” O velho profeta em sua oração intercessora continua pedindo a Deus a expurgação do pecado, tanto praticado no presente como no passado. Daniel conhecia muito bem os males que o grande tirano (o pecado), tinha causado ao seu povo. Há o pecado congênito, herdado de Adão. Há ainda o pecado praticado; este é transgressão (Ver 1 Jo 1.9.) O primeiro vem no singular, o segundo no plural. Quanto à prática do pecado, há duas espécies de pecado: a primeira por comissão. (Ver Tg 1.15.) A segunda por omissão. (Ver Tg 4.17.) Há pessoas que se exercitam conscientemente na prática do pecado, e, por conseguinte, são os obreiros da iniqüidade (Sl 14.4). Ainda no que diz respeito aos aspectos maus do pecado, podemos analisar a posição do crente em relação ao peca-

do. 1) Somos salvos do pecado, mas não de sua presença que tão de "perto nos rodeia" (Hb 12.1). 2) Na mudança e transladação dos santos ,que se chama "a redenção do corpo", seremos para sempre salvos da presença do pecado. (Ver Rm 8.23; 1 Co 15.52,53).

9.9: *"Ao Senhor, nosso Deus, pertence a misericórdia e o perdão; pois nos rebelamos contra ele."*

"...a misericórdia e o perdão". Essa é uma das mais conhecidas palavras da Bíblia. Isto é, a palavra "perdão". Toda uma série de expressões, no Antigo e no Novo Testamento designam o ato de perdão e permitem definir sua natureza. A expressão mais correta é "remir", "abandonar" (uma transgressão), em comparação com a remissão de uma dívida (Sl 32.1; Mt 9.2; Lc 7.48). Há as expressões "não imputar" (Nm 12.11; Sl 32.2; Rm 4.8), "cobrir", como algo que mais não se quer ver. (Ver Sl 85.3; Rm 4.7.) Paulo diz que o perdão humano está baseado no perdão divino: "antes sede uns para com os outros benignos, misericordiosos, perdoando-vos uns aos outros, como também Deus vos perdoou em Cristo" (Ef 4.32). Em Mt 26.28, essa palavra é também traduzida por "remissão"; ela significa "mandar embora". No Novo Testamento há diversos pontos notáveis. Um deles é que o pecador perdoado deve também perdoar aos outros. Isso é manifestado em Lc 6.37, na oração do Pai Nosso, e noutras passagens paralelas. No texto em foco, porém, Daniel pede a Deus, um perdão de cunho nacional, isto é, um perdão extensivo à nação como um todo.

9.10: *"E não obedecemos à voz do Senhor, nosso Deus, para andarmos nas suas leis, que nos deu pela mão de seus servos, os profetas."*

"...não obedecemos à voz do Senhor". São muitas as passagens correlatas da Bíblia, quanto ao assunto da desobediência. 1) Por um lado, esta revolta dos homens não desconcerta a Deus: os desobedientes não escapam do seu controle. Deus leva a sério a desobediência deles: Deus não os abandona a si mesmos: Ele endurece o homem desobediente (Êx 7.3; Jo 12.40). Ele o entrega ao pecado (Rm 1.24). Porém, muito mais: Deus usa a desobediência do homem, a qual, em lugar de contrariar a salvação divina, co-

labora com ela tornando-a "gratuita". 2) Por outro lado, Deus prepara o caminho para a vida de uma humanidade nova, obediente. Ele escolheu Abraão, elegeu Israel, deu sua lei, e, assim, a "queda" se torna em "elevação" (Comp Rm cap 11.)

9.11: *"Sim, todo o Israel transgrediu a tua lei, desviando-se, para não obedecer à tua voz: por isso a maldição, o juramento que está escrito na lei de Moisés, servo de Deus, se derramou sobre nós; porque pecamos contra ele."*

"Por isso a maldição". A maldição é uma palavra pela qual Deus faz cair a desgraça e a morte sobre o homem ou sobre as coisas, por causa do pecado. A serpente foi alvo de maldição (Gn 3.14), e até o solo (Gn 3.17 e 5.29), e também Caim, o fratricida (Gn 4.11): todos esses são malditos. Na boca de um homem a maldição atrai o julgamento de Deus para o inimigo (Nm 22.6; 23.8; 2 Rs 2.24; Lm 3.65). A cidade de Jericó foi também alvo de maldição por parte de Josué (Js 6.26), caindo muito depois sobre Hiel, o betelita, e fazendo morrer seus dois filhos (1 Rs 16.34). Há também aquela dirigida contra o próprio Deus. (Ver Lv 24.11,15; Jó 2.9.) Ela é o pecado por excelência e conduz à morte: aquele que maldiz a Deus se exclui da aliança e da vida. O mesmo acontece com aquele que maldiz seus pais, pois é por intermédio deles que Deus lhe deu a vida (Êx 21.17; Pv 20.20; 30.11), ou com aquele que maldiz o rei, representante terrestre do rei divino. Morrerá sem misericórdia (1 Rs 21.13, etc). No texto em foco, Daniel nos diz que a maldição veio a seu povo por causa da desobediência contra Deus. O homem, por esta razão, foi privado da bênção.

9.12: *"E ele confirmou a sua palavra, que falou contra nós, e contra os nossos juízes que nos julgavam, trazendo sobre nós um grande mal; porquanto nunca debaixo de todo o céu aconteceu como em Jerusalém."*

O texto em foco e outros que seguem são a continuação da oração intercessora de Daniel. Nota-se que, como Davi no Salmo 51, Daniel não se justificava do pecado que cometera. O grande servo de Deus também não se desculpa, de forma alguma, como bem podemos presenciar nos versículos 7,8,11 e 18 do capítulo em foco; apesar de ter uma vida pura, irrepreensível e justa, ele se coloca ao lado dos que pecaram e pede misericórdia da mesma maneira que Moisés se identificou com Israel como culpado (Êx 34.9). O Senhor Jesus Cristo é outro exemplo ideal. Para salvar seu povo, o verdadeiro Mestre se "fez pecado por nós" e foi contado como um malfeitor. Daniel, sendo grande conhecedor das Escrituras, invocava a Deus sobre a inspiração de suas palavras. Não é só neste capítulo que encontramos exemplos de oração como esta, mas já no passado existia um grande exemplo disto em Israel. (Ver 2 Sm 7.25-29; 1 Rs 18.1,41-46.)

9.13: *"Como está escrito na lei de Moisés, todo aquele mal nos sobreveio; apesar disso, não suplicamos à face do Senhor nosso Deus, para nos convertermos das nossas iniqüilidades, e para nos aplicarmos à tua verdade."*

Meditando sobre o presente versículo, o missionário O. Boyer diz: "Nisso se encontra o segredo de toda a sua oração; (de Daniel) Israel podia estar em tais condições que Deus devia adiar o cumprimento da promessa de colocar seu povo de novo na terra da promissão. Daniel receava que o seu povo deixasse passar o dia da graça, como de fato a maior parte o fez, e Deus adiasse o cumprimento da promessa. (As setenta semanas são um exemplo disso). Alguém pode perguntar sobre o capítulo em foco: – Então a oração de Daniel não valeu coisa alguma? – Valeu; resultou na volta de alguns fiéis no fim dos setenta anos. O decreto de Ciro, rei da Pérsia (Ver Ed 1.1-4.) foi a resposta gloriosa. E também resultou em muita luz preciosa para nós, hoje. Afinal de contas, qual é o crente fiel que não está pronto a orar a vida inteira para ter uma experiência tão gloriosa como esta?

9.14: *"Por isso, o Senhor vigiou sobre o mal, e o trouxe sobre nós; porque justo é o Senhor, nosso Deus, em todas as suas obras, que fez, pois não obedecemos à sua voz.*

"...justo é o Senhor, nosso Deus". O presente texto nos faz lembrar do que diz o salmista no Salmo 87.2: "Nuvens e obscuridade estão ao redor dele; *justiça* e *juízo* são a base do seu trono". A Bíblia Sagrada, em seu conceito geral, apresenta a pessoa de Deus como "O Justo Juiz" (2 Tm 4.8). Essa posição coaduna-se com a sua natureza. Deus não pode ultrajar o "direito de ninguém", porque "justiça

e juízo são a *base* do seu trono". A justiça é a expressão e a execução da retidão; essa pode ser chamada de santidade judicial. A palavra "justiça" aparece dezenas de vezes no Antigo Testamento, como tradução do termo hebraico "cedheq". No Novo Testamento, o substantivo "justiça" aparece, como tradução do termo grego "dikaiosumẽ", cerca de noventa (90) vezes. Em seu sentido lato, significa "eqüidade legal". A palavra, quando se aplica à pessoa de Deus, significa a "infinita retidão daquele que é justo", e, neste sentido, ela se encontra na presente passagem. Daniel apela para essa "justiça de Deus" que, ao invés de punir o pobre homem culpado, o auxilia, dando-lhe o que ele precisa.

9.15: *"Na verdade, ó Senhor nosso Deus, que tiraste o teu povo da terra do Egito com mão poderosa, e ganhaste para ti nome, como se vê neste dia, pecamos; obramos impiamente."*

"...com mão poderosa". A "onipotência de Deus" é também pintada pelo patriarca Jó, quando diz: "Então respondeu Jó ao Senhor, e disse: Bem sei eu que *tudo podes*, e nenhum dos teus pensamentos pode ser impedido" (Jó 42.1-2). A palavra "onipotência" deriva-se de dois termos latinos, "ommis" e "potentia" que, juntos, significam "todo poder". O termo denota o supremo poder pessoal de Deus. Esse atributo é peculiar à sua pessoa e significa que seu poder é ilimitado, que ele tem o poder de fazer qualquer coisa que queira. (Ver Lc 1.37.) "A onipotência de Deus não significa o exercício de seu poder para fazer aquilo que está dentro dos limites da compreensão humana. Exemplo: – Se Deus é onipotente, por que deixou a serpente entrar no Jardim, e tentar o primeiro casal? Devemos pensar primeiro que Deus é soberano e absoluto e, como tal, age de acordo com a sua natureza santa e com sua santa vontade. O texto em foco, como outros correlatos, focaliza sobre a "mão poderosa de Deus", isto é, não o exercício da força muscular, mas sobretudo o supremo poder da Palavra da sua boca, como também do seu Ser. Deus é o Todo-poderoso em grau supremo!

9.16: *"Ó Senhor, segundo todas as tuas justiças, aparte-se a tua ira e o teu furor da tua cidade de Jerusalém, do teu santo monte; porquanto, por causa dos nossos pecados, e por causa das iniqüidades de nossos pais, tornou-se Jerusalém e o teu povo um opróbrio para todos os que estão em redor de nós."*

O presente versículo mostra como Daniel se sentia humilhado, aos olhos de todas as nações, porque o cativeiro de Judá e a não-existência do santuário de Jerusalém eram interpretados pelas nações como significando que o Deus de Judá ou Israel não tinha poder, que tudo era uma ilusão. Assim sendo, o fato de o nome de Deus ter sido desonrado pelas medidas disciplinares que o povo o forçou a tomar, exige, do apelo vindicado por Daniel, que Deus tome uma providência urgente a favor do seu povo. O templo do Senhor e a cidade de Jerusalém, tudo estando em grandes ruínas, era considerado por todo o judeu como "um opróbrio". (Ver Ne 1.) Daniel estava consciente de tudo isso e pediu a Deus que, através da sua justiça e retidão, tirasse de seus servos esse opróbrio. Quando o povo de Deus em qualquer tempo ou lugar fracassa, os inimigos zombam! Pois o pecado é o "opróbrio" das nações, e, se uma "nação santa" como é chamada a Igreja na simbologia profética, pecar, traz sobre si esse "opróbrio" sombrio da zombaria. (Comp 2 Sm 12.14 e ss.)

9.17: *"Agora, pois, ó Deus, ouve a oração do teu servo, e as suas súplicas, e sobre o teu santuário assolado faze resplandecer o teu rosto, por amor do Senhor."*

O texto em foco mostra como Daniel usa expressões familiares de várias partes do Antigo Testamento. Ele afirma a sua expectativa de que a sua oração será ouvida, e que Deus fará com que, tanto a cidade como o templo e as tranqueiras (circunvalações), em Jerusalém, sejam edificados, e que Deus o fará, agora, sem muita demora. Daniel era um crente fiel e não fanático; sua oração está pontilhada, tanto de sabedoria como em expressão. Montgomery diz que "o santo ora como a Igreja ora"; as grandes orações da Bíblia, incluindo a do presente versículo, provêm princípios que faríamos muito bem em incorporar, tanto à oração pública como à privada. Acima de tudo, porém, precisamos ter a certeza de que Deus responde à nossa oração em qualquer tempo ou lugar; é só clamar com confiança no nome e no sangue de Jesus. Deus responde ao homem, não de acordo com o que ele merece (ele nada merece), mas de acordo com o que ele precisa. (Ver Mt 20.1-16.)

9.18: *"Inclina, ó Deus meu, os teus ouvidos; e ouve; abre os teus olhos e olha para a nossa desolação, e para a cidade que é chamada pelo teu nome, porque não lançamos as nossas súplicas perante a tua face fiados em nossas justiças, mas em tuas muitas misericórdias."*

O presente versículo encerra vários elementos que retratam a bondade suprema de Deus. Daniel lança perante Deus toda essa oração, mas esclarece dizendo: *"Não lançamos as nossas súplicas... fiados em nossas justiças, mas em tuas muitas misericórdias"*. A misericórdia divina, faz parte do seu grande amor. Paulo pinta este amor como prova "para conosco, em que Cristo morreu por nós, sendo nós ainda pecadores". (Ver Rm 5.8). O amor de Deus se define como aquele atributo pelo qual ele se inclina a promover os melhores interesses de suas criaturas e a comunicar-se a elas, a despeito do sacrifício que nisso está envolvido. "Para mim (observa Robertson), essa é a mais profunda de todas as verdades que a totalidade da vida de Deus é o sacrifício próprio: amor e misericórdia. Deus é amor: amor envolve sacrifício: dar em lugar de receber; abençoar em lugar de amaldiçoar. Dar-se a si mesmo". Ele deu Jesus como supremo sacrifício.

9.19: *"Ó Senhor, ouve; ó Senhor, perdoa; ó Senhor, atende-nos e opera sem tardar; por amor de ti mesmo, ó Deus meu; porque a tua cidade e o teu povo se chamam pelo teu nome."*

O presente versículo é o clímax da oração de Daniel neste capítulo. E três pontos focais devem ser analisados aqui: 1) No versículo 17, Daniel pediu especificamente pela volta do povo. Mas ele o fez indiretamente. Ele pediu a Deus que demonstrasse o seu favor para com o seu santuário que estava desolado há tanto tempo. 2) No versículo 18, pediu a Deus que demonstrasse o seu favor para com os cativos na Babilônia e para com os que estavam lá, em Jerusalém. Mas outra vez Daniel acrescenta rapidamente que ele não estava fazendo o pedido por Israel merecer o favor de Deus. 3) Finalmente, no texto em foco, Daniel pediu francamente que Deus não se retarde. Isto é, ele queria que Deus permitisse ao seu povo voltar logo, uma vez que os setenta anos se estavam completando desde o começo do cativeiro, em 605 a.C. O doutor Leon Wood nota: "Observe o cuidado que Daniel tinha na sua oração. Ele não era imprudente, nem exigente, como se Deus tivesse a obrigação de dar algo a seu povo".

9.20: *"Estando eu ainda falando e orando, e confessando o meu pecado, e o pecado do meu povo Israel, e lançando a minha súplica perante a face do Senhor, meu Deus, pelo monte santo do meu Deus."*

"Pelo monte santo do meu Deus". O versículo em foco e os anteriores descrevem vários aspectos que dizem respeito, tanto a cidade de Jerusalém como ao povo escolhido, mas um dos pontos focais é, sem dúvida, a restauração do santo lugar onde sabemos ter sido erigido o "templo do Senhor Deus de Israel". A palavra "Sião" significa monte ensolarado. E, ainda que a palavra tenha uma nata aplicação (incluindo até mesmo o local do templo de Jerusalém, algumas vezes), indica a colina mais oriental das duas sobre as quais Jerusalém foi edificada. O monte Sião, também é identificado como a Jerusalém "lá de cima". (Ver Gl 4.26.) E também como a cidade de Deus nos céus (Hb 12.22). O monte Sião é mencionado no Novo Testamento nas seguintes passagens: Mt 21.5; Jo 12.22; 1 Pe 2.6 e Ap 14.1. A cidade de Davi era Jerusalém (1 Rs 8.1). O templo foi edificado no monte de Moriá, e o palácio de Davi, no monte Sião. Portanto, Sião é sempre usado, na simbologia profética, como "o santo monte", por se ter tornado, profeticamente falando, o lugar escolhido como sede do reino de Cristo durante o Milênio. (Ver Is 2.3 e Ob v. 17). Eis a razão por que Daniel tanto se interessava pela restauração do santo monte do Senhor.

9.21: *"Estando eu, digo, ainda falando na oração, o varão Gabriel, que eu tinha visto na minha visão ao princípio, veio voando rapidamente, e tocou-me à hora do sacrifício da tarde."*

"Veio voando rapidamente". Isso é dito acerca do "anjo Gabriel". (Sobre o anjo Gabriel ver nota no capítulo oito versículo 16 deste livro.) O presente versículo, além de en-

cerrar outros elementos doutrinários apresenta um dos pontos focais: a rapidez dos anjos. Podemos entender que a "rapidez" dos anjos, voando, pode-se comparar a "um relâmpago" ou a um pestanejo. Isso indica também a idéia de um "momento". (Ver 1 Co 15.52.) "Momento", em grego, é "átomos", que significa "sem divisão". É a única ocorrência desse vocábulo em todo o Novo Testamento. Segundo o doutor Russell, esse termo era originalmente usado para denotar uma par cula indivisível, devido a sua pequenez. Literalmente, essa palavra significa "impossível de ser cortado" ou de ser "medido". Os anjos também voam com a rapidez de um relâmpago (Mt 28.3), a 300.000 quilômetros por segundo (?), mas, na escala celeste, são rápidos como o pensamento. (Comp com Mt 26.53.) Apenas quatro classes de seres são apresentados na Bíblia como tendo asas. 1) Os querubins (Êx 25.20; 2 Cr 5.7; Ez 1.6; Ap 4.8). 2) Os serafins (Is 6.1-6). 3) Os anjos (Ap 8.13; Dn 9.21). 4) E certamente o arcanjo Miguel (Jd 9.)

9.22: *"E me instruiu, e falou comigo, e disse: Daniel, agora saí para fazer-te entender o sentido."*

O versículo em foco nos lembra o que diz o Senhor em Is 65.24: "E será que antes que clamem, eu responderei: estando eles ainda falando, eu os ouvirei". Daniel ainda estava "falando" quando o mensageiro celestial apareceu trazendo já a resposta de Deus. Primeiro o anjo de Deus disse que tinha vindo para dar a Daniel entendimento sobre o sentido daquilo que lhe ia explicar. Ele estava se referindo aos acontecimentos futuros. Esses acontecimentos relacionavam-se com o pedido de Daniel naquela longa oração que ele estava fazendo. Então Gabriel disse que, no exato momento em que Daniel tinha começado a orar, já tinha recebido a resposta de Deus. Como é importante para nós também permanecer em oração no gracioso favor divino, para que suas bênçãos fluam na nossa direção. Todo aquele que está orando está pedindo, e quem pede recebe, disse o grande mestre Jesus aos seus discípulos. (Ver Lc 11.9,10.)

9.23: *"No princípio das tuas súplicas, saiu a ordem, e eu vim, para te declarar, porque és mui amado: toma pois bem sentido na palavra, e entende a visão."*

Uma das contribuições mais importantes do livro de Daniel é a sua insistência na ligação entre a fé e a inteligência. Sabedoria e entendimento eram dons, mas ainda assim ele é exortado a considerar a causa e entender a visão. Antes de terminar sua fervorosa oração, certamente dizendo a Deus que os setenta anos de cativeiro já tinham expirado. (Ver v 2) ele, então, recebeu uma visita do "varão Gabriel", que "veio voando rapidamente" com uma profecia de "setenta semanas" (ver v 24.) O número se relaciona com o perdão que é de "setenta vezes sete" (Mt 18.22). O anjo celeste explica a Daniel que aquela visão das setenta semanas é possível ser entendida, mas isso requer uma acurada investigação. A seguir, o anjo apresenta a profecia no sentido completo, e depois mostra a Daniel as suas divisões (v 24), que são vistas nos versos 25 a 27. A recomendação de Daniel feita pelo anjo foi, sem dúvida, por tratar-se de uma profecia cujo tema era de alcance muito vasto; ela alcança séculos e milênios!

9.24: *"Setenta semanas estão determinadas sobre o teu povo, e sobre a tua santa cidade, para extinguir a transgressão, e dar fim aos pecados e para expiar a iniqüidade, e trazer a justiça eterna, e selar a visão e a profecia, e para ungir o Santo dos santos."*

"Setenta semanas..." Entre os hebreus, em lugar da palavra "semana" usava-se a palavra "shabua". Em hebraico "shabua" significa, literalmente, um "sete". Pode ter o sentido de um "sete" de dias como também um "sete" de anos. Precisamente nesta profecia tem o sentido profético de anos e não de dias. (Ver Nm 14.34 e Ez 4.6.) Assim sendo, estas "setenta semanas" são setenta "grupos de sete anos", ou seja, 490 anos. A grande profecia das setenta semanas, visava, não somente ao "povo" mas também à restauração da cidade que se encontrava em grande ruína. (Ver Ne 1.3.) Seis acontecimentos marcantes deviam acontecer no decorrer das setenta semanas escatológicas: 1) *Extinguir a transgressão*, em grego é "anomia", e significa "violação da lei, desordem, anarquia; declínio para a margem esquerda ou direita da linha da santidade"; tudo isso Israel tinha praticado em grau supremo e, segundo o anjo intérprete, esta "transgressão" na vida da

nação israelita não podia ultrapassar a "septuagésima semana". 2) *Dar fim aos pecados.* O termo "pecado", no grego, é "hamartia", significa "tortuosidade" no sentido próprio, e "errar o alvo" no sentido religioso. Segundo o anjo, o pecado tinha de ser "tirado" da vida da nação, antes da introdução do reino milenar de Cristo. (Ver Rm 11.26.) 3) *Expiar a iniqüidade.* O termo "iniqüidade" tem sentido lato, tanto no Antigo como no Novo Testamento, como por exemplo: "rãshã", "ponẽros", "athesmos", etc. Isso significa "desobediência, insubordinação". Essa iniqüidade na vida de Israel seria "expiada", de acordo com o texto em foco, dentro dos limites das setenta semanas. Isso porém, não aconteceu por desobediência de Israel, de não aceitar Jesus como seu Messias. (Ver Jo 1.11.) 4) *Trazer a justiça eterna.* A "justiça eterna" do presente texto é a "Justiça de Cristo", que ele ganhou na cruz. A promessa para Israel é que, antes do reino milenar Cristo será introduzido no mundo com essa "justiça", e a nação inteira desfrutará dela em plenitude. 5) *Selar a visão e a profecia.* A "profecia" do texto em foco, sem dúvida, é a das setenta semanas; ela precisava ser selada com seu cumprimento. Isso terá seu cumprimento em plenitude, quando Deus "restaurar o reino a Israel". (Ver At 1.6.) 6) *Ungir o Santo dos santos.* Em algum sentido, todos os templos, isto é, o de Salomão; o de Esdras; o de Herodes, e o que será usado pelos judeus descrentes sob a aliança com o Anticristo (Dn 9.27; Mt 24.15; 2 Ts 2.4), e o templo escatológico de Ezequiel (Ez caps 40 a 48), todos são tratados como uma só casa: a "casa de Deus". Assim, Cristo purificou o "templo dos seus dias", embora construído (ou reconstruído) por um usurpador idumeu (Herodes) para agradar aos judeus. A nova promessa, segundo o anjo, é de que este "santuário" onde ficava o "Santo dos santos", será "ungido" por Cristo antes que as setenta semanas expirem. Todas essas "seis coisas" terão seu cumprimento pleno com o retorno de Cristo a este mundo com poder e grande glória, isto é, sete anos após o arrebatamento da igreja deste mundo. (Ver Ap 1.7.)

9.25: *"Sabe e entende: desde a saída da ordem para restaurar e para edificar Jerusalém, até ao Messias, o*

Príncipe, sete semanas; e sessenta e duas semanas: as ruas e as tranqueiras se reedificarão, mas em tempos angustiosos."

As setenta semanas do capítulo em foco apresentam três divisões principais, e a última semana está dividida em dois períodos de três anos e meio cada um.

a) "*Sabe e entende:* desde a saída da ordem para restaurar e para edificar Jerusalém, até o Messias, o Príncipe, *sete semanas*". Aqui está o ponto de partida para a contagem das setenta semanas: "a saída da ordem". São encontradas duas ordens nesse tempo do cativeiro; a primeira foi promulgada por Ciro, rei dos persas, e a segunda por Artaxerxes Longímano. Examinando Esdras 1.2,3, fica esclarecido que a primeira "ordem", dada por Ciro, não foi para "restaurar e para edificar Jerusalém", e sim, para edificar o templo. (Ver 2 Cr 36.23; Ed 1.2.) É evidente que a "ordem" referida por Gabriel não é a de Ciro e sim, a de Artaxerxes, que a promulgou no dia 14 do mês de Nisã (abril) do ano 445 a.C., data da ordem para reedificação da cidade Santa (Ne cap 2): durou "sete semanas" segundo o calendário profético. Mas a construção levou 49 anos pelo calendário humano. (A frase 49 anos aparece também em Lv 25.8 com sentido especial). b) "*E sessenta e duas semanas:* as ruas (praças) e as tranqueiras (circunvalações) se reedificarão, mas em tempos angustiosos". O primeiro período que começou no ano 445 a.C., terminou em 396 a.C. A partir daí se iniciaria um novo período que cobriria um lapso de tempo de 434 anos, dando seqüência ao primeiro que foi de 49 anos. O segundo período que é o das "sessenta e duas semanas" está ligado ao primeiro que, juntos, somam 483 anos, tempo esse em que "as ruas e as tranqueiras" seriam reedificadas, "mas em tempos angustiosos". Esses tempos sombrios, marcam as atrocidades sofridas por Israel debaixo do poder dos monarcas selêucidas, e do domínio romano. Dentro deste período de 69 semanas, (483 anos), um fato notável deveria acontecer: o nascimento do Messias, o Príncipe, e só depois da morte do Messias é que viria o terceiro período: uma semana. c) "*E ele firmará um concerto com muitos por uma semana*". Essa terceira divisão seria dividida em duas seções de três anos e meio cada. Ela se refere ao tempo sombrio da Grande Tribulação. Observemos agora um cômputo geral das semanas: vejamos desde seu ponto de partida até sua chegada, no Novo Testamento. A primeira divisão é de 49 anos; a segunda de 434 anos; as duas somam 483 anos. O ponto de contagem dos 483 anos, foi marcado no ano 445 a.C. Se somarmos os 49 a.C. com os 33 da vida de Cristo, temos apenas, 478 e não 483 anos. Mas é evidente que, 69 semanas não são 478 anos, mas 483. A predição dizia que o Messias, o Príncipe, seria morto no final das 69 semanas. (Ver v 26), e realmente foi o que aconteceu. Cristo morreu, como sabemos, na 69ª semana. (Ver Lc 24.44.) O nosso calendário atual teve sua origem em Dionísio Exiguus, abade romano, tendo como ponto de partida a fundação de Roma em 754 a.C. Segundo os anáis da história deste império, na hora da coroação de Rômulo, houve um eclipse lunar; os aströnomos calcularam que esse eclipse teria ocorrido no ano 750 a.C. Há, portanto, uma diferença de 4 anos não computados; isso é realmente o que lemos nas margens e rodapés de nossas Bíblias: *4 anos antes de Cristo.* Observemos: de 445 a.C. a 33 d.C. são 478 anos. De 1 a.C. a 1 d.C. é um ano. Este ano, junto aos 478, com mais 4 não computados, soma exatamente 483 anos; assim, as profecias são imortais e se combinam entre si em cada detalhe! A 69ª semana terminou no dia 10 de Nisã (abril) – segunda-feira, quando Jesus entrou em Jerusalém montado em um jumentinho e "chorou sobre ela". (Ver Lc 19.41.) Há apenas uma diferença de 4 dias, em virtude de 483 anos divididos por séculos, teriam 119 anos bissextos, pois os anos proféticos não marcam décadas, mas séculos. "A duração de um ano solar é de 365 dias e 1/4. Esta fórmula não se acha primariamente nos livros; está descrita nos céus, na mecânica celeste que rege os astros. O dia solar por exemplo, é o espaço em horas e minutos em que a Terra faz uma revolução completa em torno do seu eixo. A duração exata do dia solar é de 23 horas, 56 minutos, 4 segundos e 9/10 de segundos. Os anos hebraicos são de 12 meses, e os meses são de 30 dias. Notemos que, tanto os acréscimos em dias como a diminuição em horas e minutos aqui são significativos; além disso, os anos contados em séculos absorvem os anos bissextos.

"Em 4 séculos temos um verdadeiro ano bissexto". (Sir R. Anderson.) Com o aumento de dias em anos, e com a diminuação de horas em dias no que diz respeito à mecânica celeste, e com a absorção dos anos bissextos pelos séculos, temos os 4 dias computados pela mecânica divina. (Ver Jr 1.12.) Deus vela sobre os dias, horas e meses e anos no cumprimento de suas predições (comp Ap 9.15).

9.26: *"E depois das sessenta e duas semanas será tirado o Messias, e não será mais: e o povo do príncipe, que há de vir, destruirá a cidade e o santuário, e o seu fim será com uma inundação; e até o fim haverá guerra: estão determinadas assolações."*

"E depois das sessenta e duas semanas será tirado o Messias". (Ver notas expositivas sobre a morte do Messias, no versículo 25 do capítulo em foco.)

"...do príncipe, que há de vir". Dois príncipes são citados nos versículos 25 e 26; o primeiro está seu nome escrito com "p" maiúsculo, enquanto que o segundo, com "p" minúsculo. No versículo 25, o "Príncipe" escrito com "P" maiúsculo é chamado também, o Messias. No versículo 27, o "príncipe" escrito com "p" minúsculo é chamado "ele" que fará um concerto com muitos por uma semana. Aí surge grande dificuldade entre os comentadores, se "ele" aí se refere a Cristo ou ao Anticristo. "Gramaticalmente falando, poderia referir-se a qualquer um, porém, a presunção favorece o último por estar mais perto do pronome". O primeiro Príncipe (é Cristo) aparecerá dentro das 69 semanas; o segundo, porém, só na última semana. Observe bem a frase "e o povo do príncipe, que *há de vir*, destruirá a cidade e o santuário". O texto em foco, não diz que "o príncipe" destruiria a cidade, e sim, o "seu povo". Essa profecia se refere ao "povo romano" que destruiu a cidade de Jerusalém no ano 70 d.C. Portanto, o "Príncipe" (O Anticristo), ainda virá, não para destruir a cidade e o santuário, mas para o profanar. (Ver 2 Ts 2.4.)

9.27: *"E ele firmará um concerto com muitos por uma semana; e na metade da semana fará cessar o sacrifício e a oferta de manjares; e sobre a asa das abominações virá o assolador, e isso até a consumação; e o que está determinado será derramado sobre o assolador."*

AS SETENTA SEMANAS DE DANIEL

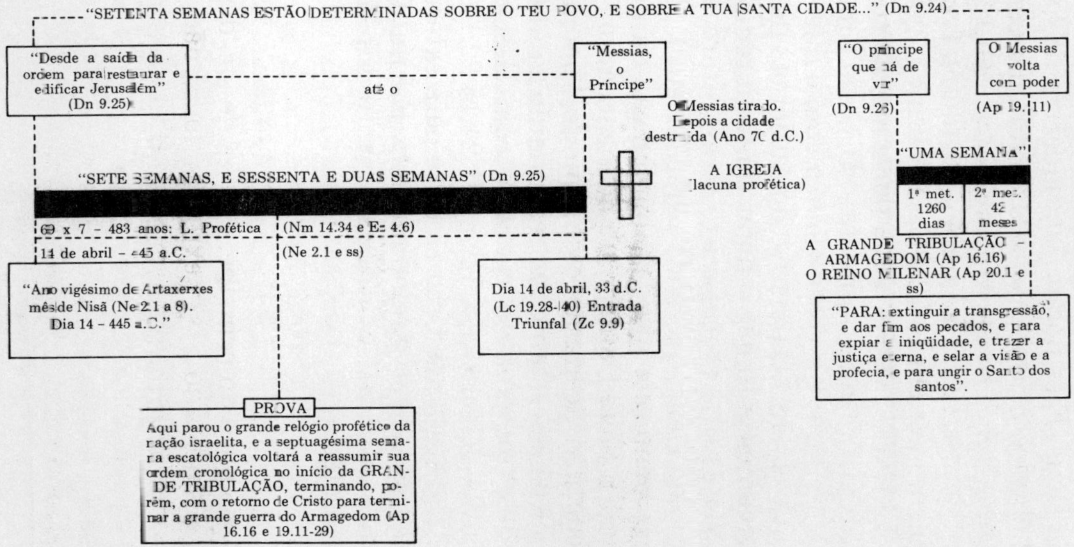

"...ele firmará um concerto com muitos por uma semana". Tem sido afirmado por alguns que o hebraico "herith" (aliança), empregado aqui não pode ser uma "aliança" entre homens, mas tem de referir-se a uma aliança da parte de Deus. Eles porém, se esquecem de que o mesmo termo hebraico é usado acerca da aliança entre Acabe e Benadabe. (Ver 1 Rs 20.34.), da aliança entre Efraim e a Assíria. (Ver Os 12.1.), e também da aliança entre Antíoco e Ptolomeu. (Ver Dn 11.22.) Essa "aliança" ou "concerto" é o que o profeta Isaías chama de "concerto com a morte" (Is 28.15), e continua o profeta: "O vosso concerto com a morte se anulará; e a vossa *aliança* com o inferno não subsistirá". (Ver v 18.) O objetivo do Anticristo neste concerto é exclusivamente tomar o lugar santo (o templo) e profaná-lo. (Ver 11.31.) O Anticristo se assentará, como Deus, no templo de Deus, querendo parecer Deus (2 Ts 2.4); será esse o momento em que "a abominação da desolação de que falou o profeta Daniel, está no lugar santo" (Mt 24.15). Os judeus não aceitarão esse tipo de "abominação" na casa de Deus, e, certamente, reclamarão ao Anticristo; ele, indignado, "romperá" o concerto com eles, deflagrando uma grande perseguição. (Ver Mt 24.15-22.) Eis a razão, por que, no retorno de Cristo à terra para exterminar o Anticristo e estabelecer o reino milenar, Ele purificará novamente o "santuário" e "ungirá o Santo dos santos", conforme a profecia.

10

Os acontecimentos futuros

10.1: *"No ano terceiro de Ciro, rei da Pérsia, foi revelada uma palavra a Daniel, cujo nome se chama Beltessazar; e a palavra é verdadeira, e trata duma guerra prolongada; e ele entendeu esta palavra, e teve entendimento da visão."*

"Foi revelada uma palavra..." O termo "revelar" ou o seu equivalente no presente versículo, tem o mesmo sentido e pode ser traduzido por "revelação". Isto é, uma revelação de "uma guerra prolongada" que seria desenvolvida e consolidada no capítulo 11 deste livro, sendo aqui, porém, apenas o início da visão. Em toda a extensão da Bíblia, encontramos a "revelação" com dois pontos focais: a) Os propósitos de Deus. b) A pessoa de Deus. Por um lado, Deus informa os homens a respeito de si mesmo, revelando quem é Ele, o que tem feito, o que está fazendo, o que fará, e o que requer que os homens façam. Assim é que o Senhor tomou Noé, Abraão e Moisés, aceitando-os em relação de confiança, informando-os sobre o que havia planejado e qual era a participação deles nesse plano (Gn 6.13-21; 12.1 e ss; 15.13-21; Êx 3.7-22). Por outro lado, quando Deus envia a sua palavra aos homens, Ele também os confronta consigo mesmo. "A Bíblia não conhece a reve-

lação como uma simples transmissão de informações, divinamente garantidas, mas antes, como a vinda pessoal de Deus aos homens, para tornar-se conhecido deles. (Ver Gn 35.7; Êx 6.3; Nm 12.6-8; Gl 1.15 e ss.) No texto em foco, Deus revelou a Daniel o que há de acontecer nos "últimos dias".

10.2: *"Naqueles dias eu, Daniel, estive triste por três semanas completas."*

"Estive triste..." O texto em foco tem seu paralelo em 2 Co 7.10, onde o apóstolo Paulo escreve dizendo: "Porque a tristeza segundo Deus opera arrependimento para a salvação, da qual ninguém se arrepende". Daniel, já muito experiente, via, nas visões escatológicas, descritos todos os acontecimentos futuros envolvendo Israel; assim, cada visão por ele presenciada não lhe trazia alegria, mas tristeza de alma. Nas palavras de Paulo, podemos observar a similaridade de expressão, tanto no presente versículo como no anterior. Tal tristeza é, de conformidade com a vontade divina, obra de Deus, é fruto de sua atuação, a fim de Ele efetuar os seus propósitos no indivíduo. Não se trata de uma realização humana. Se porventura for uma operação real não pode ser efetuada sem a cooperação do livre arbítrio humano. Daniel sentiu-se "triste" em ver diante de si um quadro verdadeiro da sentença divina, confrontado com tanta indignidade.

10.3: *"Manjar desejável não comi, nem carne nem vinho entraram na minha boca, nem me ungi com ungüento, até que se cumpriram as três semanas."*

O presente versículo apresenta um jejum intensivo ainda que parcial, feito por Daniel. Uma boa parte das religiões da Antiguidade conheciam a prática do jejum. Abster-se de alimento era considerado, o meio de escapar do poder de demônios, que, teriam sua influência na ausência da oração e jejum. (Ver Mc 9.29.) Antes de ser prática cultual oficialmente estabelecida, o jejum, é, no Antigo Testamento, primordialmente, um ato de piedade individual ou coletiva, realizada por ocasião de circunstâncias particulares pessoais ou nacionais. O israelita jejua quando está de luto (1 Sm 31.13; 2 Sm 1.12; 3.35), ou quando está em graves dificuldades e espera de Deus o auxílio de que necessita (2 Sm 12.16; 1 Rs 21.27; Sl 35.13). Também se jejua em preparação para receber a revelação de Deus, como bem pode ser depreendido do texto de Êx 34.28 e do presente texto, ou antes de um empreendimento difícil (Ed 8.21-23; Et 4.16). O jejum é, pois, a expressão de profundo arrependimento e de uma esperança futura de algo que satisfaz (1 Rs 21.27; Jn 3.5).

10.4: *"E no dia vinte e quatro do primeiro mês eu estava à borda do grande rio Hidequel."*

"...rio Hidequel". O rio que traz este nome é o mesmo que o "Idiklart" em assírio, e, grego, "Tigre". Era um dos rios que assinalavam a localização do jardim do Éden (Gn 4.2,14). Nasce nas montanhas da Armênia e corre na direção sueste, atravessando 1.834 quilômetros, via Diabehr, através da planície da Mesopotâmia, até reunir-se ao rio Eufrates, a 64 quilômetros ao norte do Golfo Pérsico, onde finalmente deságua. É um rio bastante largo e que serpenteia em muitos meandros através da Babilônia, e é alimentado por tributários que descem das colinas persas. Quando as neves se derretem, o rio enche em março-maio e outubro-novembro. Nínive, Galá e Assur, ambas mencionadas em Gêneses capítulo 10, fixaram-se em suas margens. Daniel confessa que, em sua grande visão futurística, se encontrava ali, na borda desse rio.

10.5: *"E levantei os meus olhos, e olhei, e vi um homem vestido de linho, e os seus lombos cingidos com ouro fino de Ufaz."*

"...um homem vestido de linho". O que Daniel diz neste versículo e naqueles que seguem é dito também por João a respeito de Cristo, em Ap 1.13 e ss. Ali Jesus é visto "vestido até os pés de um vestido comprido". Era uma vestimenta talar, usada exclusivamente pelos sacerdotes e juízes no desempenho de suas funções. É isso realmente, a dupla função do Filho de Deus, atualmente (2 Tm 4.8 e Hb 3.1). "O cinto de ouro cingido à altura do peito era também usado pelos sacerdotes quando ministravam no santuário; e estava à altura do peito e não nos rins, para ajustar as vestes, de modo a facilitar os movimentos; é símbolo de dignidade e majestade, coisas que são inerentes ao Filho de Deus, tanto no passado como no presente. Na Dispensa-

ção da Graça, Cristo é o nosso sumo sacerdote perfeito para sempre (Hb 7.28). Porém alguns teólogos acham que aqui, em Daniel, refere-se a um anjo e não a Cristo porque esse personagem não pôde vencer o "príncipe do reino da Pérsia" sem o auxílio do arcanjo Miguel (v 13). Seja como for, um elevado poder, uma autoridade celestial, está em foco!

10.6: *"E o seu corpo era como turquesa, e o seu rosto parecia um relâmpago, e os seus olhos como tochas de fogo, e os seus braços e os seus pés como cor de bronze açacalado; e a voz das suas palavras como a voz duma multidão."*

O presente versículo reúne vários elementos descritos em Ap 1.14 a 16, aplicados à pessoa de Cristo. Em Ap 4.3 há uma visão similar, mas é evidente que, ali, é a pessoa do Pai que está em foco. Ele está "assentado", porquanto assumiu a posição de autoridade, como um Rei, o qual se "assenta em um trono", enquanto que seus ministros estão "à sua mão direita e à sua esquerda". O profeta Ezequiel, outro profeta do cativeiro babilônico, viu a aparência de Deus (Ez 1.26-28) junto ao rio Quebar, quando se encontrava em estado de êxtase. Outras passagens das Escrituras falam em profundidade sobre a "forma de Deus". Na presente passagem, porém, deve ser um ser celestial que está em foco, como uma figura expressiva daquele que havia de vir ao mundo. (Comp Ez cap 9.)

10.7: *"E só eu, Daniel, vi aquela visão; os homens que estavam comigo não a viram: não obstante, caiu sobre eles um grande temor, e fugiram, escondendo-se."*

"E fugiram, escondendo-se". O presente versículo tem seu paralelo em Ap 6.15, onde lemos de homens que estão se escondendo da presença espantosa do Senhor. Nossos pais se esconderam da santidade divina por entre as árvores do majestoso Jardim (Gn 3.10). Durante o tempo sombrio da Grande Tribulação, os homens buscarão o aniquilamento físico por causa da intensidade do terror que sobrevirá ao mundo. Ou então os homens buscarão aniquilamento do próprio ser, porquanto os juízos daquela tribulação são suficientes para levá-los à percepção desse fato, pois logo terão de enfrentar o juízo divino, o julgamento da alma. Diante de tal situação, os homens buscarão a morte,

e não a Deus. No dizer de Swete: "O que os pecadores mais temem não é a morte, e, sim, a presença revelada de Deus". Isso mostra a que nível baixíssimo os homens chegaram. Pois qualquer manifestação da parte de Deus, inspira neles extremo terror".

10.8: *"Fiquei pois eu só, e vi esta grande visão, e não ficou força em mim: e transmudou-se em mim a minha formosura em desmaio, e não retive força alguma."*

"E vi esta grande visão". Voltemos nosso pensamento e atenção para a visão de Daniel, e notemos que os homens que estavam com ele nada viram nem ouviram, senão a ele. A visão era só para ele. Paralelamente, temos algo similar na visão de Paulo, no caminho de Damasco, que era também só para ele; entretanto, os demais foram possuídos de grande temor, e caíram por terra. (Ver At 9.4,7; 22.7-9; 26.14.) João Evangelista viu Jesus glorificado e, simultaneamente, caiu como morto aos seus pés (Ap 1.17 e ss). Em toda a extensão da Bíblia, vemos pessoas que foram possuídas de temor diante de grandes visões. Exemplificando, temos: 1) Abraão (Gn 15.1-12). 2) Moisés (Êx 3.1-6). 3) Isaías (Is 6.1-5). 4) Zacarias (Lc 1.11,12). 5) Os pastores belemitas (Lc 2.8,9), etc.

10.9: *"Contudo, ouvi a voz das suas palavras; e, ouvindo a voz das suas palavras, eu caí com o meu rosto em terra, profundamente adormecido."*

Como já ficou demonstrado em notas anteriores, a visão deste capítulo dez, tem similar em Ap 1, onde João nos revela ter ouvido a "voz de Cristo" como a "voz de muitas águas". Em linhas gerais, o livro de Apocalipse é uma extensão do livro de Daniel, e, por essa razão, são livros em que as "grandes vozes" sempre trazem mensagens (Ver Dn 3.4; 4.14,31; 7.11; 8.16; 10.9: mistificadas; Ap 1.10,12,15; 3.20; 4.1; 5.2,11,12; 6.6,7,10; 7.2,10; 8.13; 9.13; 10.3,4,7,8; 14.2,7,9,13,15; 16.1,17; 18.2,4,22,23; 19.1,5,6,17; 21.3.) A voz de Cristo é cheia de poder e majestade, tanto em som como em excelência, por conseguinte, é a "Voz do Onipotente". (Ver Ez 1.24.) No presente texto, há um detalhe importante quanto a essa voz; ela faz "cair" e ao mesmo tempo faz "levantar".

10.10: *"E eis que uma mão me tocou, e fez que me movesse sobre os meus joelhos e sobre as palmas das minhas mãos."*

Daniel, o profeta da corte babilônica, teve a mesma experiência que João, o apóstolo do amor, teria muitos anos depois, na "ilha de Patmos", quando teve uma visão do Cristo glorificado (Ap 1.17). Há diversos exemplos nas Escrituras, como já focalizamos, de homens que ficaram sem forças ao lhe aparecerem anjos, porém, este caso é muito evidente. Daniel tinha aplicado o seu coração a entender, conforme está explícito no versículo 12 do presente capítulo, um problema concernente ao seu povo. (Confronte o versículo 1 com o versículo 14.) Ficou sem forças, não só porque teve aquela grande visão, mas sobretudo, por causa do aparecimento da grandeza do panorama celestial, dos grandes acontecimentos do porvir. Eles tinham relações marcantes com a nação judaica, e Daniel era um dos integrantes dela.

10.11: *"E me disse: Daniel, homem mui desejado, está atento às palavras que te vou dizer, e levanta-te sobre os teus pés; porque eis que te sou enviado. E, falando ele comigo esta palavra, eu estava tremendo."*

"Homem mui desejado". Alguns teólogos acham que o personagem desta visão não é Cristo, baseados no versículo 13 do capítulo em foco. Mas, para nós (nosso ponto de vista), é que de fato a pessoa de Cristo é quem está em foco aqui. "A vestimenta de linho fino, a veste celeste, os lombos cingidos de ouro puro, o seu corpo luzente como berilo, o rosto como um relâmpago, os olhos como tochas de fogo, os braços e os pés luzentes e como se fossem de bronze polido, e a voz como a voz de muitas águas, são características inerentes ao Filho de Deus." (Comparar Ap caps 1 e 10.) Diante de tal majestade, Daniel se sente aterrado, mas logo a seguir, entende o sentido daquela presença augusta. O seu fim não era para matar, e, sim, para dar entendimento. Aquela voz animou o profeta e pediu que estivesse atento ao que ia ouvir, pois, não devia haver temor, em virtude de ele (Daniel) ser um "homem mui amado" na corte celestial.

10.12: *"Então me disse: Não temas, Daniel, porque desde o primeiro dia, em que aplicaste o teu coração a compreender e a humilhar-te perante o teu Deus, são ouvidas as tuas palavras; e eu vim por causa das tuas palavras."*

"Não temas". O presente versículo tem seu fundo literário em várias conexões das Escrituras Sagradas, mas seu paralelo profético está em Ap 1.17, onde o Senhor Jesus consola a João com palavras similares, dizendo: *"Não temas"*. O texto de Apocalipse nos mostra João caindo aos pés do Filho de Deus, como Paulo no caminho de Damasco (At 9.4), porém as vozes ouvidas nos dois episódios são completamente diferentes: a primeira diz "Por que me persegues?", a segunda diz "Não temas". Essas palavras, observa o doutor Norman, podem ser comparadas a Is 44.2; Dn 10.12 (o texto em foco); Mt 14.2; 27.7; Lc 1.13,30). Essa ordem é dada a fim de consolar (Mt 14.27; Jo 6.20; At 27.24); a expressão ocorre na Bíblia cerca de 365 vezes (uma para cada dia). Essas palavras dirigidas a Daniel e semelhantemente a outros personagens da Bíblia, servem para nossa consolação em tempo e crise. Para nós, o Senhor tem a mesma mensagem de esperança e firmeza: "Tende bom ânimo! Sou Eu. Não temais".

10.13: *"Mas o príncipe do reino da Pérsia se pôs defronte de mim vinte e um dias, e eis que Miguel, um dos primeiros príncipes, veio para ajudar-me, e eu fiquei ali com os reis da Pérsia."*

Devemos observar quatro pontos focais no presente versículo: 1) Esse "príncipe" opositor do "mensageiro celestial" não era simplesmente o rei da Pérsia ou qualquer outro oficial na terra, porque o anjo não pôde vencê-lo sem o auxílio do Arcanjo Miguel, o anjo guerreiro da vasta expansão celestial (Jd v. 9; Ap 12.9). 2) Como Deus tem anjos a seu dispor, também, Satanás os tem. (Ver Mt 25.41 e Ap 12.7.) 3) Os filhos de Deus, na presente Era, têm de lutar, não contra a "carne e o sangue", isto é, forças visíveis, mas contra hostes de anjos iníquos e espíritos maus que infestam a atmosfera terrestre e celeste (Ef 6.12). Esses elevados poderes das trevas são chefiados por Satanás. 4) Não se podem vencer esses seres invisíveis com armas humanas

(2 Co 10.4). Essas forças são forças espirituais, são forças do mal, que só podem ser enfrentadas por uma força superior – O Espírito de Deus – fora disso, tudo fracassa.

10.14: *"Agora vim, para fazer-te entender o que há de acontecer ao teu povo nos derradeiros dias; porque a visão é ainda para muitos dias."*

"...nos derradeiros dias". Essa expressão "derradeiros dias", ou o seu equivalente no livro de Daniel, é escatológica e aponta para o "tempo do fim", onde todas as profecias que dizem respeito a Israel se consolidarão sucessivamente. Neste livro ocorre por 15 vezes essa expressão com esse mesmo sentido. No Novo Testamento, a expressão "os últimos dias" é aplicada para a época do Espírito Santo em sua plenitude. (Ver Jl 2.28 e ss; At 2.17 e ss.) Para a época do Evangelho de Cristo, em sua forma plena, falada pelo próprio Cristo. (Ver Hb 1.1.) Para os "últimos dias maus", em que os falsos ensinadores infestarão o seio da cristandade de forma alarmante. (Ver 2 Tm 4.1.) Para o surgimento de escarnecedores. (Ver 2 Pe 3.3,4.) No livro de Daniel, essa época se prende mais ao período sombrio chamado de Grande Tribulação, que terá como seu centro Jerusalém e a Terra Santa e, de um modo particular, envolverá todo mundo (Ap 3.10).

10.15: *"E, falando ele comigo estas palavras, abaixei o meu rosto, e emudeci."*

O presente versículo nos faz lembrar do encontro de Deus com Moisés; embora Deus ali, se tenha revelado em graça, continua a ser santo, e Moisés precisa aproximar-se descalço, e com todo o respeito. A presença de Deus, ainda que benéfica, é temida. Moisés sentiu bem de perto, no meio da sarça ardente, o temor de Deus como está declarado em Êx 3.6: "E Moisés encobriu o seu rosto, porque temeu olhar para Deus". Daniel, diante daquele personagem celestial, sentiu também um grande temor, que o fez até emudecer, mas ele era a pessoa escolhida por Deus para aquela tão grande missão de desvendar o futuro para nós. Seja como for, a presença de Deus inspira medo dos ímpios que os faz fugir; mas em seus filhos, porém, inspira temor que os faz adorar e servir. (Ver Is cap 6 e Ap cap 1.)

10.16: *"E eis que uma como semelhança dos filhos dos homens me tocou os lábios: então abri a minha boca, e falei, e disse àquele que estava diante de mim: Senhor meu, por causa da visão, sobrevieram-me dores, e não me ficou força alguma."*

"...me tocou os lábios". O presente texto tem seu paralelo no capítulo 6 versículo 7 do profeta Isaías. O efeito daquela visão no profeta é imediato e avassalador. Unido com a nação no seu afastamento de Deus, e preso nos seus próprios desejos e hábitos pecaminosos, Isaías pronuncia um "Ai!" contra sua própria pessoa. A visão de Deus na sua santidade produz a consciência da nossa indignidade e impureza perante os seus olhos. Foi, sem dúvida, por saber Isaías que sua vida estava consagrada à proclamação da mensagem do Senhor Deus, é que ele sentiu aqui a pecaminosidade e a indignidade de seus lábios para serviço tão excelso. Mas a imediata intervenção divina, purificadora, entra em ação, e queima seus lábios, dizendo: "Eis que isto tocou os teus lábios; e a tua iniqüidade foi tirada, e purificado o teu pecado". Daniel, pelo que sabemos, não se sentiu tão pecador, mas teve de passar, também, por uma ação restauradora, pois aquela visão o tinha deixado "emudecido".

10.17: *"Como pois pode o servo deste meu Senhor falar com aquele meu Senhor? porque, quanto a mim, desde agora não resta força em mim, e não ficou em mim fôlego."*

"...meu Senhor falar com aquele meu Senhor". Daniel, em grande humildade, sente-se insuficiente para discorrer ao lado do personagem celestial; apenas como um recipiendário das visões divinas, o servo de Deus pergunta a Ele: "Como posso falar com aquele que é superior?" – O Pai? – Se o personagem do texto em foco era apenas um "anjo". (Ver versículos 13 e 17.), o "Senhor" seria o Cristo; mas se o personagem em foco é o próprio Cristo, o que combina mais com o argumento principal, aquele "Senhor" seria a pessoa do Pai. Seja como for, a pessoa do Pai está em foco nesta passagem. Entre os judeus, eles julgavam-se incapazes, como homens mortais, de ver a "glória de Deus" e sobreviver. Quando Moisés pediu para ver a glória de Deus, pediu mais do que podia receber. A glória de Deus, a

plena revelação *de tudo quanto Ele é,* nenhum pecador pode contemplar sem a obra redentora que tira seu pecado. Mas Deus, misericordiosamente, mostrou-lhe a sua bondade e a sua misericórdia (Êx 33.19) e Moisés teve de se contentar com isso. Séculos depois, Moisés e Elias viram a glória de Deus na face resplandecente de Jesus Cristo, mas tudo ligado à sua morte. (Ver Lc 9.31; 2 Pe 1.17.)

10.18: *"E uma como semelhança dum homem me tocou outra vez, e me confortou."*

"...semelhança dum homem..." A presente expressão ocorre em toda a extensão da Bíblia: Adão, gerou um filho à sua "semelhança" (Gn 5.3); mas com o sentido de revelação divina, essa expressão é freqüentemente usada nos livros de Ezequiel e de Apocalipse. No primeiro capítulo de Ezequiel, ele teve várias "visões" em semelhança de algo que antecipava a visão verdadeira ou real. Primeiro foi a aproximação de uma nuvem tempestuosa, o meio pelo qual Deus se revelou a Ezequiel (v 4). O negrume da nuvem, o seu resplendor avermelhado e desnatural, e os coriscos que relampejavam, provaram a moldura para a manifestação da maior glória de Deus. A seguir vem uma "semelhança de firmamento", ou melhor, "plataforma". Era uma espécie de cristal terrível, formando uma expansão; porém, sua significação fundamental é "algo feito de forma firme e chata, por pressão". A seguir, o profeta contempla a semelhança dum homem e a "semelhança da glória do Senhor", etc. Todas essas manifestações apontavam para a pessoa de Cristo antes e depois de sua manifestação "em carne". (Ver Fl 2.7,8; 1 Tm 3.16; Ap 14.14.)

10.19: *"E disse: Não temas, homem mui desejado, paz seja contigo; anima-te, sim, anima-te. E, falando ele comigo, esforcei-me, e disse: Fala, meu Senhor, porque me confortaste."*

O texto em foco nos faz lembrar do toque fortalecedor do versículo 10 deste capítulo, mas Daniel ainda se encontrava novamente prostrado e, ainda, por cima, mudo. (Ver Sl 39.9.) Ele se encontrava literalmente privado da capacidade de falar, até que recebeu um segundo toque sobrenatural, desta vez nos lábios, sendo-lhe, então, dado de novo receber o poder de falar. O profeta foi fortalecido, porém, só no terceiro toque do mensageiro celeste, e com as palavras a ele dirigidas, quando disse: "Não temas... e falando ele comigo, esforcei-me". A grande fraqueza de Daniel foi além da poderosa visão, e ele ficou num grande estado de tristeza (v 2). Mas, ao ser tocado pela mão divina, essa tristeza foi substituída pela alegria do Senhor, que é a nossa "força". (Ver Ne 8.10.) Os cristãos seguem, através dos séculos, o mesmo exemplo que Daniel: "Vão indo de *força* em *força;* cada um deles em Sião aparece perante Deus" (Sl 84.7).

10.20: *"E disse: Sabes por que eu vim a ti? Eu tornarei a pelejar contra o príncipe dos persas; e, saindo eu, eis que virá o príncipe da Grécia."*

"E, saindo eu, eis que virá o príncipe da Grécia". Havia entre os antigos povos a opinião de que cada nação tinha o seu anjo guardião. Muitos intérpretes, ajuntam, como figura disso, além de outros textos, Ap 16.5, onde João faz referência ao "anjo das águas". Para outros comentadores, o "anjo das águas" não deve ser entendido em sentido literal, mas simbolicamente. É verdade que as águas que existem na face e no interior da terra, são calculadas em "sessenta e cinco quintilhões de pés cúbicos"; assim, segundo eles, Deus designou um anjo para guardar essa parte da natureza. (Ver Jo 5.4; At 27.23,24; Ap 10.2,5.) Desse modo, tomando Daniel 10.20, com sentido literal e Ap 16.5 e 17.15, com sentido figurado, podemos deduzir que o anjo das águas e o anjo das nações referem-se a um "anjo-capitão", que seria responsável pela segurança das nações, tendo também a incumbência de executar juízos sobre eles (Ver Êx 14.19; 20.23; Dn 10.13,20 e 21.)

10.21: *"Mas eu te declararei o que está escrito na escritura da verdade: e ninguém há que se esforce comigo contra aqueles, a não ser MIGUEL, vosso príncipe."*

"A não ser MIGUEL, vosso príncipe". Miguel é citado nas Escrituras como um anjo guerreiro; seu nome significa: "Quem é semelhante a Deus?". Ele é sempre citado em conexão com a guerra, seja onde for, apenas com uma excessão: 1 Ts 4.16. Nos demais textos, a guerra lhe é peculiar. (Ver Dn 10.13,21; 12.1; Ap 12.7). Em Dn 10.13,21, ele é apontado como o anjo guardião da nação de Israel (Dn

12.1). Seu "nome" - O arcanjo (Jd v 9), deriva-se do vocábulo "ARC", que quer dizer "chefe" e "anjo" - mensageiro. Miguel é o chefe, o comandante, o capitão dos exércitos celestes, em oposição às hostes espirituais das trevas. A expressão o "Arcanjo" só é encontrada em Judas v 9 e em 1 Ts 4.16. Designa algum altíssimo poder angelical, dotado de autoridade sobre larga área, celestial ou terrena; "arcanjo" ou "arca", como já ficou demonstrado, sugere um "anjo-comandante", principal e poderoso. Assim, Miguel é o anjo-chefe, o capitão supremo dos exércitos celestes. Ele é chamado, neste capítulo em foco, de "um dos primeiros príncipes" e "vosso príncipe" (vv 13 e 21). Alguns teólogos chamam-no de "o mensageiro da lei e do julgamento" de Deus. Miguel sempre se destaca em uma área isolada!

11

Elevação do Império Grego

11.1: *"Eu, pois, no primeiro ano de Dario, o medo, levantei-me para o animar e fortalecer."*

Um capítulo profético. O pensamento humano, entronizado em seu próprio "eu", pode querer ou ter julgado este capítulo onze (11) de Daniel uma história escrita "depois" dos acontecimentos nele narrados. Mas, o Deus entronizado, que estava presente no início do tempo e estará presente quando o tempo não mais existir, pode certamente declarar, com a devida precisão e exatidão, "as coisas futuras, e as que ainda hão de vir" (Is 44.7); Ele não somente é Deus de perto, mas também é Deus de longe (Jr 23.23).

"No primeiro ano de Dario, o medo". No capítulo nove deste livro de Daniel, o profeta faz uma ligeira alusão ao "primeiro ano" de governo deste monarca, filho de Assuero, do país dos medos. Seu nome é sempre citado em conexão com este primeiro ano de reinado. (Dn 5.31; 6.1,6,9,25; 9.1; 11.1). A Bíblia não cita uma data posterior de seu governo; evidentemente, ele foi substituído por Ciro, o persa, um ano depois (Dn 7.5).

No presente texto, encontramos ainda "o homem vestido de linho", fazendo uma ligeira alusão pessoal a respeito do Império e de Dario, o seu governante, mas, logo a seguir, ele descreve a grande revelação nas margens do rio Tigre. O personagem deu a Daniel os dados históricos a respeito desta profecia e sobretudo dos conflitos entre os dois reinos mencionados neste capítulo: 1) O reino do Sul (Egito). 2) O reino do Norte (Síria). Só ele sabia e sabe o que haveria de acontecer séculos depois.

11.2: *"E agora te declararei a verdade: Eis que ainda três reis estarão na Pérsia, e o quarto será cumulado de grandes riquezas, mais do que todos; e, esforçando-se com suas riquezas, agitará todos contra o reino da Grécia".*

"Eis que ainda três reis estarão na Pérsia". O "homem vestido de linho" revela a Daniel que o reino da Pérsia está chegando ao seu fim: somente três monarcas restariam para que aquela dinastia expirasse. Lendo o capítulo quatro do livro de Esdras, encontramos os nomes dos três monarcas que reinaram depois de Ciro: 1) Cambises (Assuero). 2) Esmerdis (Artaxerxes). 3) Dario (Persa). A ordem cronológica estabelecida ali não é tão fácil de ser determinada, a não ser aquilo que podemos depreender dos textos sagrados.

Cambises (Assuero). Este monarca não deve ser confundido com o Assuero marido de Ester; o do presente texto é posterior àquele. "Cambises vem citado no livro de Esdras 4.6, com o nome de Assuero. Este rei era neto da princesa Mondane, a mãe de Ciro e, conseqüentemente, filha da Rainha Ester" (doutor Goodman). Evidentemente, ele é o Assuero persa, e o outro, Assuero, da nação dos medos (Et 1.1; Dn 9.1). Esse rei governou poucos anos. Seu feito principal foi atacar e tomar o Egito, cujo rei era Psamético. Estendeu suas armas vitoriosas e atacou também a Etiópia. Só não atacou Cartago, porque os fenícios o dissuadiram de atacar a sua colônia predileta. Voltando de suas conquistas, achou uma rebelião no Egito. Revoltado, matou Psamético, e outros nobres daquele império.

Esmerdis (Artaxerxes). Esse monarca persa, devido às suas grandes conquistas, teve seu nome mudado para "Artaxerxes Longímano", que reinou provavelmente de 465 a 425 a.C. (Ed 4.7,8,11,23; 6.14; 7.1,11,12,21; 8.1; Ne 2.1; 13.6). Segundo Heródoto, "Artaxerxes" quer dizer "grande guerreiro". Foi cognominado de "Longímano" por sua excessiva bondade. A Enciclopédia Internacional diz que Longímano "...foi célebre pela sua bondade e generosidade; permitiu aos judeus que tinham ficado em Babilônia, depois do edito de Ciro, que voltassem a Jerusalém para restabelecer a sua religião". Pelo testemunho bíblico, foi ele o monarca que promulgou a "ordem" para que Neemias reconstruísse os muros da cidade de Jerusalém, em 445 a.C. (Ne 2.1; Dn 9.25). Em seu governo, Neemias subiu a Jerusalém, levando consigo uma leva de cativos voltando à sua terra, com prazer e grande júbilo. (Comp Sl 126). Foi a terceira leva de cativos que desejaram acompanhá-lo.

Dario (Persa). Este monarca vem citado no livro de Esdras, (caps 4.5,24; 5.6,7; 6.1,12,14,15). Após oito (8) meses de governo do usurpador Gomates, Dario Histaspis subiu ao trono. Seu primeiro trabalho foi extinguir as revoluções em todo o seu Império. Sua energia, coragem, dedicação e gênio bélico, conseguiram isso. Este rei decretou o "reinício" da construção da casa de Deus em Jerusalém (Ed 4.24; 6.1-12).

"...o quarto será cumulado de grandes riquezas".

Xerxes (Kchiarcha). Todos os estudiosos da Bíblia concordam em que o "quarto" monarca aqui mencionado é Xerxes. Ele foi o sucessor de Dario, o persa. Seu nome aparece na História como Kchiarcha. Os dados históricos e proféticos se combinam entre si sobre a vida deste soberano. Ele foi realmente o que diz a profecia: "Foi cumulado de grandes riquezas, mais do que todos". Ele, durante o seu reinado, atacou a Grécia e foi derrotado nesta invasão.

11.3: *"Depois se levantará um rei valente, que reinará com grande domínio, e fará o que lhe aprouver."*

"...um rei valente". O leitor deve observar que o Império Greco-Macedônio entra em cena neste versículo. Não é mais representado como nas composições anteriores descritas por Daniel: 1) "Cobre" (Dn 2.32). 2) "Metal" (Dn 2.39). 3) "Folhas" (Dn 4.21). 4) "Leopardo" (Dn 7.6). 5) "Bode peludo" (Dn 8.20,21). Agora, no presente versículo, este reino tem sua representação na pessoa de um "rei valente" que reinaria com grande domínio. Este rei valente

foi Alexandre Magno, ele realmente tomou o Império Medo-persa, e reinou com grande poder (Dn 8.3,4). Alexandre foi, de fato, um guerreiro habilidoso, porém, tudo quanto fez e conquistou foi derramando sangue (dos outros) e pela espada. Ele foi a antítese do verdadeiro Cristo, que tudo quanto fez e conquistou foi derramando *o seu próprio sangue*, e manifestando seu grande amor. Vejamos o caráter negativo de Alexandre e o caráter positivo de Cristo: Jesus e Alexandre morreram aos trinta e três anos. Um deles viveu para si mesmo, o outro por mim e por você. O grego morreu num trono; o judeu morreu numa cruz. A vida de um foi triunfante (aparentemente); a do outro, uma derrota (aparentemente). Um deles comandou imensos exércitos armados, o outro teve apenas um pequeno grupo, desarmado. Um derramou o sangue alheio sem piedade, o outro derramou o seu próprio sangue, e o derramou por amor ao mundo. Alexandre conquistou o mundo em vida; Jesus perdeu a sua vida para ganhar vida para seus seguidores. Um morreu na Babilônia, o outro no Calvário. Um conquistou tudo para si, e o outro a si mesmo se deu. Alexandre, enquanto viveu, conquistou todos os tronos; Jesus, na morte e na vida, conquistou o Trono de Glória. Um deles sendo servo se fez Deus; o outro sendo Deus se fez servo (Fl 2.6 a 7). Um deles ganhou um grande nome: Alexandre! O outro "um *nome* que é sobre todo o nome": JESUS! Um deles viveu para se gloriar; o outro para abençoar. Quando o grego morreu, seu trono, conquistado pela espada, ruiu para sempre. Jesus, quando morreu ganhou o trono que permanece para sempre (Sl 93.2).

O grego fez de todos escravos; o judeu a todos (que o aceitaram ou aceitam) liberta da escravidão do pecado. Um deles construiu um trono forrado de sangue; o outro edificou o seu com amor. Um deles veio da terra; é terreno (1 Co 15.47). O outro veio do Céu; é celestial (1 Co 15.47 a 49). O grego morreu para sempre, o judeu para sempre vive. Perde tudo aquele que só recebe, e tudo ganha aquele que dá.

11.4: *"Mas, estando ele em pé, o seu reino será quebrado, e será repartido para os quatro ventos do céu; mas não para a sua posteridade, nem tampouco segundo o poder com que reinou, porque o seu reino será arrancado, e passará a outros."*

"O seu reino será quebrado". Isto aconteceu realmente como diz a profecia em foco. Alexandre reinou com grande poder; ele foi chamado de Magno. Mas morreu prematuramente aos trinta e três anos de idade. O chifre ilustre foi realmente "quebrado", como vaticinara o profeta do Senhor (Dn 8.8). Seu império foi dividido em quatro partes (quatro ventos), depois da batalha de Ipsus, em 301 a.C. A sua posteridade (família) não recebeu o reino, e sim seus quatro generais de exércitos: 1. Ptolomeu. 2. Seleuco. 3. Lisímaco. 4. Cassandro. As quatro regiões de que fala o texto divino foram: 1) O Egito (região Sul). 2) A Síria (região Norte). 3) A Macedônia (região Oeste). 4) A Ásia Menor. Os generais de Alexandre Magno reinaram também com grande autoridade, mas nenhum deles chegou à sua glória e magnitude; também não eram de sua família; cumprindo-se, assim, a profecia: "...seu reino será repartido... mas não para a sua posteridade". Esse acontecimento sobre seu reino, o próprio Alexandre já o previu em vida como ele mesmo declarou ao seu biógrafo: "Ainda em vida, Alexandre predisse que seus amigos lhe fariam um cruento funeral". Cumpriu-se o vaticínio. O Macedônio não deixou sucessor direto ao trono, pois tinha um irmão que poderia ser seu herdeiro, mas este era imbecil; e um filho, mas era de poucos anos de idade".

11.5: *"E se fortalecerá o rei do Sul, e um de seus príncipes; e este se fortalecerá, mais do que ele, e reinará, e domínio grande será o seu domínio."*

A profecia escatológica do profeta Daniel muda aqui de posição geográfica, e não segue com a Ásia e a Grécia, mas com o EGITO (Sul) e a SÍRIA (Norte). Devemos, no presente estudo deste capítulo, até o versículo 31, firmar a situação geográfica de dois países: Egito e Síria, mas isso não quer dizer que outros não entrassem também em cena. Na divisão principal do reino de Alexandre, os outros dois generais escolheram regiões diferentes, enquanto Ptolomeu e Seleuco escolheram os dois países já mencionados, e o primeiro rei do Egito é Ptolomeu I ou Soter. Este Ptolomeu, ao lado de Seleuco, Antípater e Filetero (os dois últimos também são chamados pela História de: Lisímaco e Cassandro), derrotou Antígono, na Frígia, na batalha de Ipsus. Estabeleceu-se depois no Egito, enquanto Selêuco preferiu a Síria. Logicamente, a Palestina (ou terra formosa) pertencia à Síria, mas Ptolomeu I, por um subterfúgio, tomou para si a terra dos judeus. Ptolomeu foi monarca poderoso, e fundou uma dinastia chamada de Ptolemaica, que perdurou séculos, mesmo sofrendo guerras incessantes.

"...um de seus príncipes... se fortalecerá, mais do que ele [Ptolomeu]". Segundo o doutor C. Gabelein, esse "príncipe" da corte Ptolemaica foi Seleuco Nicator. Ele foi realmente um príncipe poderoso em sua geração. Ele exerceu um grande domínio que se estendeu até o rio Indus.

11.6: *"Mas, ao cabo de anos, eles se aliarão; e a filha do rei do Sul virá ao rei do Norte para fazer um tratado; mas não conservará a força de seu braço; nem ele persistirá, nem o seu braço, porque ela será entregue, e os que a tiverem trazido, e seu pai, e o que a fortalecia naqueles tempos."*

"...a filha do rei do Sul..." Aqui temos outro intervalo na jornada profética. Este versículo leva-nos até ao ano 250 a.C. Os dois que fazem aliança no presente texto são Ptolomeu II ou Filadelfo e Antíoco Theos. O tratado de que fala a profecia foi o casamento de Antíoco Theos com a princesa egípcia Berenice, filha de Ptolomeu Filadelfo. "A combinação deste tratado foi que Antíoco Theos havia de se divorciar da sua esposa Leodice, e fazer qualquer filho de Berenice herdeiro do reino. Este convênio acabou num desastre". O motivo deste "tratado", como é chamado pela palavra divina, foi em virtude de Ptolomeu II sustentar duas guerras contra Antíoco Theos, rei da Síria; mesmo assim, o seu objetivo era tomar a Palestina. Sentindo-se derrotado, o rei da Síria, divorciou-se de sua esposa Laodice e casou com Berenice, filha de Filadelfo. Com a morte de Ptolomeu II, Antíoco Theos despede Berenice e volta à primeira esposa. Esta, temendo um novo divórcio, envenena o esposo e Berenice. Assim, como foi vaticinado, "...não conservará a força de seu braço; nem ele persistirá". Tudo terminou em nada.

11.7: *"Mas do renovo das suas raízes um se levantará em seu lugar, e virá com o exército, e entrará nas fortalezas do rei do Norte, e operará contra elas, e prevalecerá."*

"...do renovo de suas raízes..." Todos os estudiosos das predições do profeta Daniel concordam em que este "renovo", que se levantou da família de Ptolomeu II, foi Ptolomeu Evergetes, o irmão de Berenice. Ele conquistou a Síria, e levou suas armas vitoriosas até Babilônia, Susã, etc. Ele matou a Laodice, esposa de Antíoco Theos, que envenenara a princesa, sua irmã. Depois desta grande façanha, ele prosseguiu e tomou as "fortalezas": os pontos estratégicos do reino da Síria, uma delas foi o porto de Antioquia. Este príncipe foi o maior dos Ptolomeus. Ele é cognominado também de Ptolomeu III. Quando passou por Jerusalém, visitou o templo e nomeou para cobrar impostos na Palestina um sobrinho do sumo sacerdote Onias II. Efetivamente, logo que Ptolomeu Evergetes assumiu o poder, por morte de seu pai, preparou um grande exército, e investiu contra o rei da Síria, e prevaleceu, como diz Daniel. A Síria, bem como Babilônia, que lhe estava sujeita, foram tomadas, como já demonstramos acima, e Ptolomeu voltou da luta muito vaidoso: No tocante aos judeus, foi, como seu pai, muito favorável. Evergetes morreu provavelmente em 222 a.C.

11.8: *"E também os seus deuses com a multidão das suas imagens, com os seus vasos preciosos de prata e ouro, levará cativos para o Egito; e por alguns anos ele persistirá contra o rei do Norte."*

"Com os seus vasos preciosos de prata e ouro". Realmente, foi isso que aconteceu na invasão da Síria pelo monarca Evergetes. Na guerra contra o rei da Síria (Norte), ele despojou esse país de tudo que era precioso e de maior valor, e conduziu os valores para o porto de Alexandria, no Egito: cerca de 4.000 (quatro mil) talentos de ouro e quarenta mil (40.000) talentos de prata, e dois mil (2.000) ídolos, e vasos idólatras. Muitos desses vasos Cambises, filho de Ciro, tinha levado para a Pérsia. O leitor deve observar que este versículo é ainda a continuidade do versículo 7 deste capítulo. O irmão de Berenice, como já ficou demonstrado em notas expositivas do versículo seis (6), veio

contra o exército do Norte e conseguiu eliminar a Laodice pela morte, e, despojando toda a riqueza daquele reino, seguiu triunfantemente para sua terra. As Escrituras, então, continuam relatando as diversas guerras entre os selêucidas e os Ptolomeus, até o aparecimento de Antíoco Epifânio. Num estudo acurado deste conflito de reis do Norte e do Sul encontramos sete (7) guerras sucessivas.

11.9: *"E entrará no reino do rei do Sul, e tornará para a sua terra."*

A profecia apresenta nova insurreição da Síria contra o Egito; isso nos leva ao ano 240 a.C., quando Seleuco Calínicos, o rei do Norte, organizou um poderoso exército e invadiu o Egito, porém de súbito sua tropa foi surpreendida pelas forças selvagens da Natureza, e todo o exército foi tragado por uma grande tempestade, e ele tornou para a sua terra derrotado. O sentido geral deste versículo e do versículo anterior é bastante claro: o primeiro ataque foi contra a fortaleza, capital do Sul (Egito), e Seleuco Calínicos foi bem sucedido nesse ataque, o que permitiu que o exército sírio voltasse para sua terra com grandes despojos. Agora, porém, numa nova tentativa da parte de Seleuco, tudo se inverteu e a batalha se tornou cheia de represálias, e ele voltou para sua terra completamente derrotado. Este monarca (Seleuco) morreu logo a seguir, e seus filhos lhe deram continuidade nas batalhas que depois se travaram.

11.10: *"Mas seus filhos intervirão e reunirão grande número de exércitos: e um deles virá apressadamente, e inundará, e passará; e, voltando, levará a guerra até à sua fortaleza."*

"...seus filhos intervirão..." O presente versículo põe em foco os dois (2) filhos de Seleuco e também suas conquistas contra o Egito governado pelos Ptolomeus. Segundo o testemunho histórico ligado a estes acontecimentos, os dois filhos de Seleuco Calínicos, foram Seleuco III e Antíoco, o Grande.

"...um deles..." Segundo o doutor Arno C. Gabelein: "Um deles [do texto em foco], refere-se ao príncipe Seleuco Cerauno III, que, após se tornar forte e ver consolidado o poder do Império Selêucida em suas mãos, começou a vibrar golpes formidáveis nas províncias do Egito, situadas

na Ásia Menor". O segundo filho deste rei do Norte é Antíoco III, que também é chamado de Antíoco, o Grande. Ele era ambicioso: quis consumar os planos de seu pai, que, em resumo, era tomar e subjugar a Palestina, mormente a terra de Israel. À frente de numeroso exército, entrou em Jerusalém, sendo aclamado pelos judeus de libertador. Aproveitando a oportunidade de eles estarem fora de sua terra (a Síria), Ptolomeu Epifânio mandou o seu general Scopas para combater os sírios. Travou-se uma sangrenta batalha, mas os egípcios foram derrotados. Assim, nesta grande investida contra o Egito em territórios da Palestina, Antíoco III levou a "guerra" até a fortaleza de Gaza, nas margens do Mediterrâneo.

11.11: *"Então o rei do Sul se exasperará e sairá, e pelejará contra ele, contra o rei do Norte: ele porá em campo grande multidão, e a multidão será entregue na sua mão."*

"...o rei do Sul..." O rei do Sul, nesta colocação, é Ptolomeu Filopater; realmente, a História afirma o que diz a profecia divina. Em 217 a.C., esta profecia cumpriu-se como estava vaticinada. O rei do Sul, Ptolomeu Filopater, organizando um grande e poderoso exército, invadiu de súbito a Síria (o reino do Norte), e Antíoco, o Grande, foi ao seu encontro com uma "grande multidão" de patrícios, mas Ptolomeu e seu exército foram mais poderosos do que ele, e a multidão foi "entregue na sua mão" como de fato predisse o profeta do Senhor. Esta guerra teve lugar no seu quinto ano de governo, e Ptolomeu se viu obrigado a fazer uma guerra contra Antíoco III da Síria, por lhe ter tomado a Palestina. Os sírios, depois de encarniçada luta, foram derrotados em Ráfia. Filopater, valendo-se do ensejo de estar em Jerusalém, quis entrar no templo. Os judeus em coro começaram a gritar e a protestar contra esse abuso. Filopater desistiu de entrar no templo, mas começou a odiar os judeus. Morreu no ano 205 a.C.

11.12: *"E, aumentando a multidão, o seu coração se exaltará; mas, ainda que derribará muitos milhares, não prevalecerá."*

"O seu coração se exaltará". O presente versículo ainda continua descrevendo as grandes façanhas de Ptolomeu Filopater, rei do Egito. O povo do Egito, tendo cobrado â-

nimo, ajuntou-se a ele, e o fraco Ptolomeu tornou-se forte pela união de sua gente. Refere-se aqui outra vez a sua vitória contra o reino do Norte. Foi ganha em Ráfia. Ele, após esta grande vitória, levou prisioneiro o exército sírio, que, junto ao seu, tornou-se o maior exército daqueles dias. Ele podia ter-se valido desta vitória, mas não a aproveitou. Seu coração se exaltou e ele, como diz a profecia, foi traído pela sua vaidade e pelo seu orgulho, entregando-se a uma vida de luxúria e devassidão. Este monarca faz-nos lembrar do anjo da igreja de Laodicéia, que, após ter alcançado o grande favor da parte de Deus, exaltou-se dizendo: "Rico sou, e estou enriquecido, e de nada tenho falta [a resposta divina:] e não sabes que és um desgraçado, e miserável, e pobre, e cego, e nu" (Ap 3.17).

11.13: *"Porque o rei do Norte tornará, e porá em campo uma multidão, maior do que a primeira, e, ao cabo de tempos, isto é, de anos, virá à pressa, com grande exército e com muita fazenda."*

"E, ao cabo de tempos, isto é, de anos". O acontecimento vaticinado no presente versículo acontecerá cerca de quatorze anos depois da invasão do reino do Norte por Ptolomeu Filopater, rei do Egito. Sabendo, por informações desta invasão, Antíoco o Grande, ajuntou um vasto e poderoso exército "maior do que o primeiro" e, aproveitando da morte de Ptolomeu Filopater, invadiu o Egito, quando se encontrava no trono o infante Ptolomeu Epifânio, moço tenro, que não pôde resistir a Antíoco e sua grande "multidão". (Ver o verso 15 deste capítulo.) Após ter conquistado o Egito, Antíoco, furioso, invadiu novamente a Palestina. Os egípcios prepararam então seus exércitos, comandados pelo general Scopas, que tratou os judeus com grande tirania. Mas suas forças foram derrotadas no vale do Jordão, em um lugar chamado Paneas. Antíoco, então, entrou em Jerusalém, e foi recebido pelos judeus como libertador. Antíoco deu aos judeus, naquela oportunidade, uma verba para os sacrifícios do templo do Senhor.

11.14: *"E, naqueles tempos, muitos se levantarão contra o rei do Sul; e os filhos dos prevaricadores do teu povo se levantarão para confirmar a visão; mas eles cairão."*

"*...os filhos dos prevaricadores...*" O presente texto e a História secular nos dizem que, nesta invasão, Antíoco o Grande não estava só; muitos se uniram a ele "contra o rei do Sul". Um destes aliados foi Filipe (não o Grande da Macedônia). Este versículo faz, pela primeira vez, referência à nação israelita, em cuja terra muitas dessas atividades militares tiveram lugar.

"*...dos prevaricadores...*" O texto em foco fala dos judeus helenistas que moravam no Egito. Josefo nos diz que eles se aproveitaram da invasão Siro-macedônia e se alia ram a Antíoco, confirmando, assim, "a visão". Alguns destes "prevaricadores" eram talvez os do partido de um tal Tobias Amonita. Eles preferiram favorecer os selêucidas da Síria (Flávio Josefo, Ant. 12.4,6). Com esta adesão do partido dos "prevaricadores", cumpriu-se a visão, mas eles caíram, e o povo sofreu as conseqüências da conduta hostil dos selêucidas.

11.15: "*E o rei do Norte virá, e levantará baluartes, e tomará a cidade forte; e os braços do Sul não poderão subsistir, nem o seu povo escolhido, pois não haverá força que possa subsistir.*"

"*...o rei do Norte...*" Este rei do Norte, de que fala o texto, foi Antíoco, o Grande; ele sitiou o Egito de todos os lados nesta investida, levantando baluartes e bloqueando todas as saídas do país, mas o seu alvo era tomar a Capital, "a cidade forte", de que fala o texto, e que foi realmente tomada; "o seu povo escolhido" (o exército) de Ptolomeu Epifânio não pôde resistir nem "permanecer diante dele", e foram subjugados e destruídos. Após esta nova investida de Antíoco contra o Egito, ele se preparou novamente com um grande e poderoso exército, para invadir outra vez o Egito, susteve, entretanto, o plano diante de um aviso dos romanos, uma espécie de "ultimatum" destes ao déspota da Síria. Então, Antíoco, ao invés de combater os egípcios, deu em casamento a Ptolomeu sua filha Cleópatra, prometendo-lhe Celesíria, Fenícia e a Palestina como dote. Nada disso cumpriu.

11.16: "*O que pois há de vir contra ele fará segundo a sua vontade, e ninguém poderá permanecer diante dele; e estará na terra gloriosa, e por sua mão se fará destruição.*"

"...terra gloriosa". Novamente a grande profecia sobre os quatro impérios de conotação mundial muda de posição geográfica; e a terra gloriosa (Israel) entra em foco. No capítulo oito (8) versículo nove (9) deste livro, o profeta diz que aquela "ponta pequena" do bode peludo "cresceu muito para o Meio-dia, e para o Oriente, e para a terra formosa". Isso significa que aquela ponta cresceu muito para o Egito e Mesopotâmia, e, como nos é dito no presente, ela se estendeu para a "terra formosa" ou "gloriosa" (Dn 8.9; 11.16). Todos os estudiosos da Bíblia concordam em que a "terra formosa" ou "gloriosa" é a terra de Israel, pela sua fertilidade e excelência: "...uma terra que mana leite e mel, e é a glória de todas as terras" (Ez 20.6). Ela é descrita pelo profeta Zacarias como sendo uma "terra desejada" (Zc 7.14). Esta invasão da terra gloriosa resultou dos judeus helenistas que tomaram parte com Antíoco na invasão do Egito; eles achavam em Antíoco um grande libertador, mas se enganaram, pois seu alvo era tomar a cidade de Jerusalém, em razão de esta ser considerada "uma fortaleza natural" (1 Cr 11.5).

11.17: *"E porá o seu rosto, para vir com a força de todo o seu reino, e com ele os retos, e fará o que lhe aprouver: e lhe dará uma filha das mulheres, para a corromper; mas ela não subsistirá, nem será para ele."*

"...uma filha das mulheres". A grande profecia continua descrevendo o que ia acontecendo no tempo e na História. Novamente Antíoco põe "o seu rosto (contra o Egito), para vir com a força de todo o seu reino". Os fatos e a História, dizem que Ptolomeu Epifânio, desta vez, não saiu à batalha, mas mandou seu general Scopas a combatê-lo. Travou-se uma sangrenta batalha e os egípcios foram derrotados nesta peleja. Antíoco, aproveitando-se da derrota dos exércitos de Ptolomeu Epifânio, prepara uma nova investida, como já ficou demonstrado no versículo quinze (15) deste capítulo. Sendo, porém, advertidos pelos romanos, desistiu deste intento; e, tomando a princesa Cleópatra, sua filha, deu-a em casamento a Ptolomeu; mas, como no tratado anterior entre Ptolomeu II e Antíoco Theos, que fizeram aliança através do casamento deste com a princesa Berenice, filha de Ptolomeu II, este casa-

mento também terminou em nada. O leitor deve observar que, na parte "b" deste versículo, diz que Cleópatra, era "filha das mulheres". O doutor Arno C. Gabelein, assim descreve a respeito de Cleópatra: "Cleópatra, é assim chamada, em razão de ela ser naquela época muito jovem, encontrando-se aos cuidados de 'sua mãe e avó'". (Comp com 2 Tm 1.5.)

11.18: *"Depois virará o seu rosto para as ilhas, e tomará muitas; mas um príncipe fará cessar o seu opróbrio contra ele, e ainda fará tornar sobre ele o seu opróbrio."*

"...as ilhas". A palavra "ilha" ou "ilhas" encontra-se cerca de trinta e oito vezes nas Escrituras e, em alguns dos lugares onde aparece pode ser traduzida por "AI". Os antigos usavam esta palavra "AI" como "terra costeira" ou, no sentido hodierno de continente. Era um termo designativo das grandes civilizações gentílicas do outro lado do mar. A do texto em foco, sem dúvida, refere-se às que margeavam o pequeno "continente" da Ásia Menor. Elas foram realmente conquistadas pelo poderoso monarca Antíoco.

"...um príncipe..." De acordo com o testemunho, tanto histórico como profético, tudo aconteceu exatamente como predissera a profecia do "homem vestido de linho". Antíoco, o Grande, nas suas conquistas, excedeu-se, e isso começou a trazer "opróbrio" aos romanos; e o "príncipe", do presente texto, que fez cessar o seu "opróbrio", foi Cipião Asiático. Literalmente, este "príncipe" é também chamado de "capitão". Ele marchou sobre a Síria (o reino do Norte); travou-se, então, renhida batalha em Magnísia, em 190 a.C., onde Antíoco III foi derrotado e feito tributário dos romanos; assim, o "príncipe", de que fala a profecia, fez "cessar o seu opróbrio". Antíoco, indignado, virou-se, então, para as principais capitais (fortalezas) existentes naqueles dias, para tomá-las de improviso.

11.19: *"Virará então o seu rosto para as fortalezas da sua própria terra, mas tropeçará, e cairá, e não será achado."*

"...para as fortalezas..." Antíoco chegou de volta à sua terra, depois de ser repreendido pelos romanos; muito envergonhado, e para se vingar da sua própria derrota, rouba o templo de Belos, em Elimas, e, sendo acusado pelos pró-

prios generais do seu povo, volta o seu rosto contra as cidades principais para reduzi-las à destruição. A ambição deste monarca selêuco sempre o fazia sair à busca de mais conquistas. Ele conquistou as "ilhas" de que fala o versículo 18 deste capítulo, tradicionalmente as terras do mar Mediterrâneo, incluindo as ilhas gregas do mar Egeu. A sua ignominiosa retirada e o seu repentino desaparecimento de cena mostram a estupidez de sua própria ambição e megalomania desenfreada. Com a morte deste monarca, conhecido por Antíoco III, o trono da Síria foi ocupado por seu filho, que veio a ser conhecido no cenário mundial por Antíoco IV. Um dos seus primeiros atos, após subir ao trono, foi trocar o seu irmão Antíoco, que estava em Roma como refém, por seu próprio filho. Seu nome, Antíoco IV, foi traduzido por Antíoco Epifânio, "o homem vil", descrito no versículo vinte e um (21) deste capítulo.

11.20: *"E em seu lugar se levantará quem fará passar um arrecadador pela glória real; mas em poucos dias será quebrantado, e isto sem ira e sem batalha."*

"...em seu lugar se levantará..." Este personagem Seleuco, que se levantou em lugar de Antíoco III, foi sem dúvida Seleuco Filopater. Ele era conhecido como um exator de impostos. Tinha má fama entre os judeus devido às suas exações. Segundo o testemunho dos séculos e a profecia divina, tudo aconteceu como de fato está dito aqui; ele fez passar um "arrecadador", por toda a glória real, chamado Hilidoro, para cobrar impostos em todo o seu domínio. Depois, um vassalo seu o envenenou e ele foi morto (quebrantado) "sem ira e sem batalha", como diz o texto em foco. O autor sagrado apresenta certos verbos, para acentuar, ao longo de toda esta predição de eventos futuros, como: "se levantará", "não poderão subsistir", "fará destruição", etc. Como já ficou demonstrado acima, este versículo encerra a morte do exator, isto é, de Seleuco Filopater, universalmente identificado como Seleuco IV; quando ele assumiu o governo, encontrou o país cheio de dívidas às quais não tinha condições de saldar. Ele foi morto em conseqüência de uma conspiração encabeçada pelo seu ministro, o próprio Hilidoro a quem nomeara.

11.21: *"Depois se levantará em seu lugar um homem vil, ao qual não tinham dado a dignidade real, mas ele virá caladamente, e tomará o reino com engano."*

"...um homem vil". Chegamos agora, no que tange à jornada profética, aos tempos sombrios das atrocidades de "Antíoco Epifânio", filho de Antíoco, o Grande, rei do reino do Norte. Este monarca Seleuco foi, em sua geração, uma figura do verdadeiro Anticristo, "...o homem do pecado, o filho da perdição" (2 Ts 2.3). Antíoco pediu soldados e recursos ao rei de Pérgamo e apossou-se do reino da Síria. Começou a reinar com o nome de Antíoco IV ou Epifânio (ilustre), em 175 a.C. Governou onze (11) anos, depois morreu, em 164 a.C. Antíoco passou quatorze (14) anos como refém em Roma. Foi o grande perseguidor dos judeus na Palestina. No seu governo começou a revolta dos Macabeus, narrada no primeiro e segundo livros dos Macabeus. Este "homem vil", do texto em foco, foi talvez em sua geração, o homem mais desprezível narrado nesta profecia. Dez versículos deste capítulo são reservados para a descrição dele. Saíram dele "uns braços" que profanaram o santuário, e tiraram o contínuo sacrifício estabelecido pela lei cerimonial. (Ver v 31.) Este homem vil não tinha realmente a "dignidade real", por ser apenas um filho menor de Antíoco, o Grande. Obteve, entretanto, a coroa por astúcia e por "engano". Ele é o pequeno chifre descrito por Daniel no capítulo oito (8) deste livro.

11.22: *"E com os braços de uma inundação serão arrancados de diante dele; e serão quebrantados, como também o príncipe do concerto."*

"...os braços de uma inundação..." Antíoco Epifânio após conquistar o que desejava seu coração, a única força que sempre lhe apresentava resistência era o Egito. Então, com astúcia (essa era, na maioria das vezes, sua arma predileta), fingiu um "concerto" com o sobrinho de Ptolomeu Filopater, e depois deste tratado de paz (fingida), ele veio "caladamente como uma inundação" e tomou os "lugares mais férteis da província", e depois revoltou-se também contra o "príncipe do concerto". Sobre este "príncipe" da aliança há várias opiniões, mas possivelmente uma se coaduna com o sentido principal: 1) Se o artigo fosse indefini-

do, como "um príncipe do concerto" ou "um príncipe da aliança", poderia bem se referir a um rei secular com o qual Antíoco teria feito uma aliança de guerra; ou a um sumo sacerdote escolhido dentre os homens nos termos da aliança de Deus. (Ver Ml 2.7-8.) 2) À luz da história, é usualmente preferido como sendo o "príncipe do concerto", o sumo-sacerdote Onias III, deposto em 175 e assassinado em conseqüência de intrigas feitas contra ele em 171 a.C. 3) O nosso ponto de vista nesta interpretação é: "o príncipe do concerto" do texto em foco, refere-se a Ptolomeu Filopater, sobrinho do próprio Antíoco, segundo algumas autoridades no assunto.

11.23: *"E, depois do concerto com ele, usará de engano; e subirá, e será fortalecido com pouca gente."*

Tudo realmente aconteceu como predissera a profecia; Antíoco fez uma aliança com o monarca egípcio, mas sem a mínima intenção de observá-la, o que lhe seria inconveniente, motivado que estava somente pelo desejo do seu próprio engrandecimento. Depois de ele ter ganho a inteira confiança de Ptolomeu Filopater, veio "caladamente" com pouca gente (para não despertar a atenção) e traiu a Ptolomeu e sua gente. Nesta investida contra o reino do Sul (Egito), embora os seus colaboradores fossem pouca gente, ele teve êxito total, e penetrou nas fontes de riquezas do Egito; tudo ali foi despojado, sendo distribuído com aqueles que deram apoio à sua intervenção e astúcia. Josefo diz que ele teve planos, nesta sua investida, para tomar mais outras cidades lucrativas e subjugá-las. O Deus vivo, a quem tanto ele tinha desafiado, interveio contra a sua obstinada tirania. Ele porém, frustrado nesta aventura, saiu "caladamente" para tomar as províncias sujeitas ao governo de Ptolomeu Filopater, rei do Egito.

11.24: *"Virá também caladamente aos lugares mais férteis da província, e fará o que nunca fizeram seus pais, nem os pais de seus pais; repartirá entre eles a presa e os despojos, e a riqueza, e formará os seus projetos contra as fortalezas, mas por certo tempo."*

"Virá... caladamente..." Políbio, citado por Rodrigues – Op. Cit., II Vol., pág 387, descreve o caráter traiçoeiro de Antíoco Epifânio: "Ele, com um ou dois companheiros,

comparecia repentinamente aqui e ali; chegando sempre de surpresa. Freqüentava oficinas de ourives e prateiros, conversando com os artesãos aos quais desejava inculcar o seu conhecimento e amor à arte. Às vezes, comparecia, de repente, às reuniões, mas a sua presença causava medo e todos fugiam. Uma das suas manias era dar presente aos que via pela primeira vez".

Nesta guerra contra Ptolomeu, descrita neste versículo, ele tomou os "lugares mais férteis da província". Segundo a profecia e a história, os lugares por ele tomados foram: 1) Pelusio. 2) Naucratia. 3) Alexandria. Tomou também as fortalezas do Egito; projetou estabelecer nelas grandes baluartes de defesas naturais contra possíveis inimigos, em virtude desses lugares estratégicos serem verdadeiras fortalezas de guerras.

11.25: *"E suscitará a sua força, e o seu coração contra o rei do Sul, com um grande exército, e o rei do Sul se envolverá na guerra com um grande e mui poderoso exército; mas não subsistirá, porque formarão projetos contra ele."*

O personagem descrito no presente texto é ainda Antíoco Epifânio, e o rei do Sul, de que fala a profecia, é Ptolomeu Phiscon; ele tinha realmente um grande e poderoso exército em torno de si e podia, como diz a História, vencer o próprio Antíoco Epifânio; mas foi frustrado seu plano, em razão de, em seu próprio exército e arraial, existir traição. De ambos os lados existia grande multidão, os dois exércitos eram numerosos como a areia do mar. Outrossim, a ambição predominava, e o rei do Sul (Egito) foi o mais "envolvido". A profecia já tinha previsto tudo isso quando diz: "...o rei do Sul se envolverá na guerra com um grande e mui poderoso exército; mas não subsistirá". A causa deste "envolvimento" foi que ele determinou que seu reino fosse incorporado ao grande império do rei do Norte (Síria), e, por causa disto, a oposição cresceu entre seus próprios generais; assim, o rei do Egito foi traído por aqueles que comiam de seus manjares.

11.26: *"E os que comerem os seus manjares o quebrantarão; e o exército dele se derramará, e cairão muitos traspassados."*

O presente versículo e mais quatro que o seguem, neste capítulo, continuam descrevendo o caráter sombrio de Antíoco Epifânio, falando de rumores de guerra entre estas duas potências: a do Sul (Egito) e a do Norte (Síria). Durante alguns anos, os Ptolomeus e Selêucidas fizeram vários tratados, com a finalidade de encontrarem a paz entre os dois países, mas seus corações tinham um só intento: enganar um ao outro.

O leitor pode observar que, dos versículos 25 a 28, o autor sagrado, o profeta Daniel, como recipiendário da visão, descreve, em síntese, as primeiras campanhas guerreiras de Antíoco contra o Egito, fala também de uma campanha na qual Ptolomeu (egípcio), e os seus não puderam resistir, em virtude da traição existente entre seus próprios generais, como já ficou demonstrado; eles deveriam tê-lo apoiado. A traição é inimiga do triunfo, mas os traiçoeiros sempre cairão nas malhas da própria traição.

11.27: *"Também estes dois reis terão o coração atento para fazerem o mal, e a uma mesma mesa falarão a mentira; ela, porém, não prosperará, porque o fim há de ser no tempo determinado."*

"...uma mesma mesa falarão a mentira". Podemos observar como estes dois monarcas fizeram da "mentira seu próprio refúgio". Mas todos sabem que "mentira gera mentira". (Comp com Sl 42.7.) Mas ela não prevalecerá. Somente a verdade permanece e o fim das mentiras virá, como diz a profecia, no tempo determinado.

Estes dois reis (do Norte e do Sul), segundo o doutor Arno C. Gabelein, são ainda Antíoco e Ptolomeu Filopater. Eles realmente fizeram vários tratados, mas sempre mentiram um ao outro: seus corações eram atentos só para fazer o mal. O que ocasionou esta aliança de Antíoco com Ptolomeu foi ter sido este derrotado; então decidiu aproximar-se de Antíoco Epifânio e ambos mantiveram uma paz aparente e, assentados a mesma mesa, falavam a mentira, pois nenhum nem outro cumpriu aquilo que tinha sido estabelecido no tratado de paz.

11.28: *"Então tornará para a sua terra com grande riqueza, e o seu coração será contra o santo concerto; e fará o que lhe aprouver, e tornará para a sua terra."*

"...o santo concerto". O presente versículo, faz alusão a todas as tiranias de Antíoco Epifânio contra o povo judeu, cujos dados históricos se encontram narrados no primeiro e segundo livros de Macabeus. A história nos diz (confirmando a profecia) que, em 168 a.C., ele, Antíoco, voltou da sua expedição com grande riqueza. Então marchou para a Judéia e praticou grandes atrocidades ali. Na viagem de volta, ao atravessar a Palestina, com o coração contrário ao Santo Concerto, saqueou o templo de Jerusalém, deixando na cidade uma guarnição síria. No primeiro e segundo livros dos Macabeus, lemos de suas tiranias contra o Santo Concerto e o povo escolhido. Muitas de suas atrocidades foram frustradas por intervenção divina; então ele, muito indignado, voltou "para sua terra", isto é, voltou para a sua cidade: a Capital, Antioquia.

11.29: *"No tempo determinado, tornará a vir contra o Sul; mas não será na última vez como foi na primeira."*

"...na última vez..." Podemos observar que, na "última jornada profética", o grande servo de Deus, Daniel, descreve a "última batalha" destes dois reinos, no que tange ao tempo passado. Aqui, portanto, encontramos as campanhas finais destes monarcas ptolemaicos e selêucidas. Aparentemente, haveria ainda uma outra batalha, mas sobre esta o profeta faz silêncio. Deve-se notar, evidentemente, que o relato inteiro destas sete batalhas sucessivas é transcrito no tempo verbal futuro, mas sua veracidade e autenticidade é infalível e imortal. Segundo o "homem vestido de linho" esses acontecimentos ainda não se haviam desenrolados, mas deveriam ocorrer no futuro. O relato deste homem de Deus, por conseguinte, apresenta-nos um sublime e verdadeiro quadro genuíno em cada detalhe. É uma predição divina.

11.30: *"Porque virão contra ele navios de Quitim, que lhe causarão tristeza; e voltará, e se indignará contra o santo concerto, e fará como lhe apraz; e ainda voltará e atenderá aos que tiverem desamparado o santo concerto."*

O presente versículo coloca o Império Romano em ação. Os navios de Quitim (ilha de Chipre) são a força romana que o impeliu à cidade de Alexandria, no Egito. Quando Antíoco estava a pouca distância dessa cidade, ouviu dizer que a frota romana tinha chegado, e ele audacioso, foi cumprimentar os chefes da esquadra. Entretanto, os romanos entregaram-lhe cartas do Senado Romano, nas quais lhe era ordenado sob pena de desagrado do povo romano, que, ele, Antíoco, terminasse a guerra contra o Egito. Antíoco disse que iria consultar primeiro seus amigos; então Pompilios, um dos legados, com a sua vara, fez um círculo na areia, em volta de Antíoco, e disse que não tentasse sair do círculo sem dar primeiro a resposta. Sentindo-se derrotado, voltou para a Judéia, onde praticou mais perversidades. Nesta época, muitos dos judeus apóstatas tinham "desamparado o santo concerto" e, aproveitando a passagem de Antíoco por ali, associaram-se com ele.

11.31: *"E sairão a ele (de Antíoco) uns braços, que profanarão o santuário e a fortaleza, e tirarão o contínuo sacrifício, estabelecendo a abominação desoladora."*

A profecia, no que diz respeito aos acontecimentos narrados neste capítulo (versículos 1 a 30), segue mais ou menos uma ordem cronológica na "vereda dos séculos". (Comp c/Jó 22.15). Mas, de acordo com o que falou nosso Senhor em Mt 24.15 e Mc 13.14, os versículos 31 a 45 não se consolidaram apenas na vida de Antíoco Epifânio, que, de fato, profanou o santuário; cremos que esta profanação, feita por esse monarca seleuco, foi apenas um estádio daquilo que terá lugar na figura sombria do Anticristo, nos dias da Grande Tribulação (2 Ts 2.4).

"...a abominação desoladora". Desejamos apontar para o estudioso do livro do profeta Daniel, uma exposição do doutor Arno C. Gabelien, sobre a abominação desoladora: "No versículo 31 deste capítulo, lemos da 'abominação desoladora'. Nosso Senhor, no seu grande discurso escatológico no monte das Oliveiras (Mt 24.15), disse: 'Quando pois virdes que a abominação da desolação, de que falou o profeta Daniel, estar no lugar santo; quem lê, atenda'. Alguns crêem, que quando nosso Senhor falou estas palavras referiu-se a Dn 11.31 [o texto em foco], e que é isso a 'abominação desoladora'. Não é assim. A 'abominação desoladora' do versículo 31 é passada, e aconteceu nos dias de Antíoco Epifânio. A 'abominação desoladora' a que se refere nosso Senhor, em Mt 24.15 e Mc 13.14, é a mencionada

em Dn 12.11, que diz: 'E desde o tempo em que o contínuo sacrifício for tirado, e posta a abominação desoladora, haverá mil duzentos e noventa dias'. Esta será estabelecida pelo Anticristo, na segunda metade da semana profética de Daniel 9.27." Nosso ponto de vista, nesta interpretção, é o que está estabelecido no primeiro ponto desta exposição.

"...profanarão o santuário". Nos dias de Antíoco, ele fez um decreto em que todo o povo havia de se conformar com a idolatria da Grécia. Um grego iníquo foi enviado a sustentar este decreto. Todos os sacrifícios cessaram, e o ritualismo judaico, dado por Deus terminou. O templo (santuário) foi contaminado com carne de porco... e dedicado a Júpiter Olímpico. A "fortaleza" (a cidade de Jerusalém) foi também profanada. Antíoco enviou um tal Apolônio com mais de 20.000 homens para destruir Jerusalém (a fortaleza de Sião - Cr 11.5). Houve uma multidão de mortos, e mulheres e crianças foram levadas cativas.

11.32: *"E aos violadores do concerto ele com lisonjas perverterá, mas o povo que conhece o seu Deus se esforçará e fará proezas."*

"...aos violadores..." Nos dias sombrios das atrocidades de Antíoco Epifânio contra o povo escolhido do Senhor, houve alguns judeus incrédulos, que facilitaram sua infiltração na Cidade Santa. No que diz respeito, porém, à grande jornada profética futurística, estes versículos apontam diretamente para "o tempo do fim". A personagem traidora que entra em cena aqui, é sem dúvida o Anticristo. Os violadores do *santo concerto* são aqueles judeus que por ele serão enganados no início da Grande Tribulação (Dn 9.27).

"...o povo que conhece ao seu Deus..." Nos dias de Antíoco Epifânio, sem dúvida, este "povo" conhecedor do Deus do Céu, foram os seguidores dos fiéis Macabeus. Nos dias do Anticristo, ele será "o remanescente de Israel". São os 144.000 pertencentes às doze tribos de Israel (Ap caps 7 e 14).

11.33: *"E os entendidos entre o povo ensinarão a muitos; todavia cairão pela espada, e pelo fogo, e pelo cativeiro, e pelo roubo, por muitos dias."*

Podemos ver, no presente texto, uma referência às duas testemunhas escatológicas dos dias sombrios da Grande Tribulação (Ap cap 11). Eles realmente naqueles dias de tantas trevas ensinarão a muitos, mas depois serão mortas pela espada ferina da Besta que subiu do mar (Abismo – Ap 11.7), para que o seu testemunho tenha um maior valor. (Comp Hb 9.17.) Daniel e seus amigos haviam sido livrados e preservados da morte por intervenção divina (Dn 3 e 6), mas nem sempre esta é a vontade de Deus para com seus filhos. Assim, espada, fogo, cativeiro e roubo são um sumário dos sofrimentos dos homens e mulheres fiéis até hoje em todas as partes do mundo. O próprio Filho de Deus, antes de sua partida para estar com o Pai, nos adverte: "Então vos hão de entregar para serdes atormentados [especialmente os fiéis do tempo da tribulação], e matar-vos-ão, e sereis odiados de todas as gentes por causa do meu nome" (Mt 24.9).

11.34: *"E, caindo eles, serão ajudados com pequeno socorro; mas muitos se ajuntarão a eles com lisonjas."*

Admite-se que esta profecia, no que diz respeito ao seu primeiro estádio, refere-se aos fiéis Macabeus, que, usados por Deus, serviram como instrumentos para levantarem o ânimo dos judeus desanimados, perseguidos por Antíoco Epifânio, descendente dos monarcas selêucidas. Mas, evidentemente, todos concordam em que Antíoco foi uma figura do verdadeiro Anticristo, e, assim, esta grande profecia terá sua total consolidação no "tempo do fim". Naqueles dias também haverá fiéis, que desafiarão o poder hostil da Besta, mesmo que isso lhes custe a própria vida. (Ver Ap 6.9-10.) O autor sagrado, Daniel, enquanto registrava estas palavras do mensageiro celeste, observava que a perseguição, tem o seu próprio propósito, dentro do plano de Deus, de purificação, e refinação do seu povo, mas, no devido tempo, que Ele para si designou, dará fim a toda e qualquer prova ou perseguição contra o seu povo.

11.35: *"E alguns dos entendidos cairão para serem provados, e purificados, e embranquecidos, até o fim do tempo, porque será ainda no tempo determinado."*

"...alguns dos entendidos cairão..." O texto em foco nos faz lembrar o que Paulo escreveu em Rm 8.28: "E sabemos

que todas as coisas contribuem juntamente para o bem daqueles que amam a Deus, daqueles que são chamados por seu decreto". É evidente, que, qualquer correção de Deus, momentaneamente, parece desagradável para aquele que está sendo corrigido, mas "depois" produzirá um "peso de glória" (Hb 12.11). É certo que a morte de Antíoco Epifânio não pôs fim às lutas contra o povo escolhido, pois os seus sucessores continuaram a batalha pela dominação da Palestina. Mas, é evidente que, durante estes anos, os fiéis Macabeus conseguiram arregimentar todos os elementos fiéis às tradições judaicas e formar um poderoso exército, para se defrontar com o exército sírio. Eis uma das razões por que Deus permitiu tal perseguição ao seu povo: eles precisavam ser purificados e embranquecidos.

"...ao fim do tempo". Há quinze alusões no livro de Daniel sobre "o tempo do fim", cinco delas neste capítulo. Esse tempo do fim é a septuagésima semana de Daniel 9.27, com especial referência à segunda metade dela. Mas a expressão é também aplicada à época do Evangelho de Cristo (Hb 1.3), à época do Espírito Santo (At 2.17), e também aos "últimos dias maus" (2 Tm 3.1).

11.36: *"E este rei fará conforme a sua vontade, e se levantará, e se engrandecerá sobre todo o deus; e contra o Deus dos deuses falará coisas maravilhosas, e será próspero, até que a ira se complete; porque aquilo que está determinado será feito."*

O leitor deve observar que os versículos 36 a 45, do presente capítulo, se revestem de particular interesse para os estudiosos da Bíblia. Muitos expositores acreditam que eles dão prosseguimento à descrição a respeito de Antíoco Epifânio e suas atrocidades. Mas, é evidente que há certas dificuldades nesta posição, em razão da morte deste monarca selêucida ter sido diferente da que fala o texto. A possível interpretação mantida pela tradição mais antiga e pelos pais da Igreja cristã era a de que esses versículos, sendo aplicados ao "tempo do fim", apontam claramente para o Anticristo. Assim sendo, o texto em foco demonstra claramente ser o Anticristo a antítese do verdadeiro Cristo; Jesus é Justo, ele será o iníquo; Jesus, ao entrar no mundo, disse ao Pai: "Eis aqui venho, para fazer, ó Deus, a tua vontade" (Hb 10.9), do Anticristo está dito aqui no presente texto, que ele "fará conforme a sua vontade". O Senhor Jesus é o Filho de Deus; ele será "o filho da perdição" (2 Ts 2.3). O texto em foco, fala-nos também que este monstro hediondo "falará coisas maravilhosas". Isto é, abrirá a sua boca em blasfêmia contra Deus e seu tabernáculo. O Anticristo blasfemará dos "poderes superiores", ridicularizando a própria existência de Deus.

11.37: *"E não terá respeito aos deuses de seus pais, nem terá respeito ao amor das mulheres, nem a qualquer deus, porque sobre tudo se engrandecerá."*

O presente versículo e outros correlatos descrevem realmente como será o Anticristo: será um homem comum, nascido de uma mulher mas diferente de todos. Sua religião será também diferente; ela só trará glória para ele e mais ninguém. Em Ap 13.4, nos é dito que ele será adorado. Sua falsa religião, que o proclamará como deus, será exercida pelo falso profeta de Ap 13.11: ele é a Besta que saiu da terra. Neste ponto de vista, a autoridade da Besta é geograficamente extensa; é mundial sobre cada tribo, povo, língua e nação. A exemplo dos Césares do antigo Império Romano, ela exigirá adoração universal. Devemos ainda salientar que três coisas a ajudarão em sua popularidade religiosa: 1) O número. 2) O sinal. 3) O nome. O primeiro virá do mundo comercial; o segundo do mundo religioso; e o terceiro do mundo político (Ap 13.17,18).

"Nem terá respeito ao amor das mulheres". Dois pontos de vista, são considerados nesta interpretação do presente texto: 1) Não terá respeito pelo deus Tamuz, que era considerado como sendo "o desejo das mulheres" (Ez 8.14). Esse era o deus da vegetação; segundo uma tradição, ele morria no tempo de grandes calores e ressuscitava na primavera. Era lamentado pelas mulheres por ser o deus da fecundidade. Na Síria e no Egito havia um ritual semelhante associado, respectivamente, com Adonis e Osíris. 2) Aprofundando agora o tema principal do ateísmo desta figura sombria, o autor sagrado faz uma descrição concernente à sua falta de consideração para com as tradições e preceitos familiares. Ele não terá respeito à família por ter sido estabelecida por Deus (2 Ts 2.4).

11.38: *"Mas ao deus das fortalezas honrará em seu lugar: e a um deus a quem seus pais não conheceram honrará com ouro, e com prata, e com pedras preciosas, e com coisas agradáveis."*

"...ao deus das fortalezas..." Dois pontos de vista devem ser analisados na exposição do presente texto: 1) Se o "deus das fortalezas" era o nome de um deus, isso se refere, provavelmente a Apolo e depois a Zeus. Essa interpretação tem seu apoio no ponto de vista histórico, porém, o sentido pode ser outro: *O deus das fortalezas* a quem seus pais não conheceram, é, sem dúvida alguma, o "deus deste século" (2 Co 4.4). O apóstolo Paulo falou em 2 Coríntios capítulo 10.4 de "fortalezas espirituais", quando disse: "Porque as armas da nossa milícia não são carnais, mas sim poderosas em Deus, para destruição das fortalezas". Essa interpretação do ponto de vista espiritual e profético coaduna-se muito com o argumento e tese principal (comp Ap 13.2 e ss). O Anticristo será um agente do próprio Satanás; seu governo será também segundo a eficácia (energia, ou operação interna) de Satanás, com todo o poder, sinais e prodígios de mentira.

11.39: *"E haver-se-á com os castelos com o auxílio do deus estranho; aos que o reconhecerem multiplicará a honra, e os fará reinar sobre muitos, e repartirá a terra por preço."*

O leitor deve observar que o autor sagrado, não fala neste capítulo, apenas do ponto de vista histórico, mas profético; mesmo que a predição devesse ser aplicada a um monarca seleuco, isto é, a Antíoco como o primeiro opressor; mesmo assim, aparece dentro da cena uma figura futura que estabelece a si mesma como sendo o próprio personagem central no grande cenário mundial.

"...os castelos..." O presente versículo continua sua descrição na jornada profética sobre o "homem do pecado, o filho da perdição". Ele realmente conquistará todos os governantes humanos em troca de falsas promessas. Ele será inspirado por uma forma espiritual, uma força do mal, pois terá o "auxílio do deus estranho" (o Diabo), Ap 13.2. Concomitantemente, multiplicará a honra e o poder de seus aliados (os dez reis escatológicos vistos nos caps

7.7,20 de Daniel; 13.1 de Apocalipse. Eles o reconhecerão como sendo o "homem-chave" para resolver todos os problemas da humanidade; mas tudo isso não passará de uma grande farça; ele os enganará e todos se tornarão suas presas.

11.40: *"E, no fim do tempo, o rei do Sul lutará com ele, e o rei do Norte o acometerá com carros, e com cavaleiros, e com muitos navios; e entrará nas terras, e as inundará, e passará."*

Este versículo e outros correlatos neste capítulo, nos mostram o ressurgimento do povo egípcio com grande poder militar no tempo do fim. Mas, eles, os egípcios serão também tragados pelo império brutal do homem do pecado. Este versículo é realmente futurístico, ele aponta diretamente para o "tempo do fim". O autor sagrado deixa de escrever a história e olha para diante, para descrever como o tirano Anticristo encontrará o seu fim (v. 45). Como evidência para isso, é destacado que há muitas menções de acontecimentos registrados na história, que tiveram lugar na parte final deste capítulo, tais como a conquista do Egito e a batalha entre o mar Mediterrâneo e o monte Sião. Também não pode ser mais Antíoco Epifânio, pois ele não morreu na Palestina, mas na Síria, como testemunha Políbio. O personagem descrito nestes versículos finais é sem dúvida o Anticristo; ele encontrará o seu fim, de fato na área mencionada, isto é, na grande planície, que fica entre o Jordão e o Mediterrâneo, denominada de Armagedom (Dn 11.45; Ap 16.16; 19.20).

11.41: *"E entrará também na terra gloriosa, e muitos países serão derribados, mas escaparão da sua mão estes: Edom e Moabe, e as primícias dos filhos de Amom."*

"Edom e Moabe, e as primícias dos filhos de Amom". Durante o tempo da Grande Tribulação haverá uma área demarcada por Deus, diante da face do destruidor. Esta área servirá de "refúgio" para o seu povo: o remanescente. Tanto no Antigo como no Novo Testamento, esse lugar de "refúgio" tem vários nomes: 1) O lugar preparado por Deus (Ap 12.6). 2) O refúgio (Is 16.4). 3) O quarto (Is 26.20). 4) O isolamento (Sl 55.5-8), etc. Na simbologia pro-

fética, isso significa "o deserto dos povos" (Ez 20.35). Será, sem dúvida, o que está depreendido do presente texto: *"Edom e Moabe, e as primícias dos filhos de Amom"*. Esses países serão os únicos a escaparem da influência do Anticristo. O Egito não escapará.

Edom ou Iduméia: Geograficamente, este país encrava-se na região montanhosa do mar Morto e do golfo de Acaba; estende-se também para dentro da Arábia Pétrea.

Moabe: Encrava-se no Sueste do mar Morto; era separada dos amonitas pelo rio Arnon.

Amom: Encrava-se na região Nordeste do mar Morto; hoje, esses três povos são tribos árabes. (Orígenes). Essa região será demarcada por Deus naqueles dias sombrios da Grande Tribulação e servirá de "refúgio perante a face do destruidor" (Is 16.4). O monte Sião será também demarcado. (Ver Ob v. 17; Ap 14.1.) Todos esses lugares acima mencionados se transformarão no "deserto de Deus", preparado para a "mulher" (o Israel Fiel) durante a época da Grande Angústia. (Ver as seguintes Escrituras sobre este assunto: Sl 60.8-12; Is 16.4; 26.20; 64.10; Jr 32.2; 40.11; 48.8,9; Ez 20.35; Dn 11.41; 12.1; Os 2.14; Ob v. 17,20; Mt 24.36; Ap 12.6,13-17.) A "mulher" perseguida e guardada por Deus nessa época representa, sem dúvida, o "remanescente de Israel" (Apocalipse versículo por versículo).

11.42: *"E estenderá a sua mão às terras, e a terra do Egito não escapará."*

O Anticristo, em sua investida mortal, tomará posse de todas as terras e riquezas do mundo, incluindo os grandes tesouros da terra do Egito. A Líbia, para o Ocidente, e a Etiópia (Cuxe), ao sul do Egito, serão também por ele alcançadas. O leitor deve observar que, outras Escrituras correlatas com o assunto presente, predizem também a invasão do Egito por um exército no "tempo do fim" (Ez caps 29-31). O Anticristo se esforçará para conquistar a terra do Egito, e outras nações africanas, com o objetivo de fazer delas "território-ponte". "Está predito também o poderoso exército vermelho (a Rússia) vindo sobre o Oriente Médio. A Rússia dará com ímpeto sobre os países árabes, e também sobre Israel, num repentino assalto ao Egito, a fim de se apossar do território-ponte... Depois de investir contra dezenas de milhares de pessoas – diz Daniel – o poderoso exército do Anticristo "estenderá a sua mão às terras, e a terra do Egito não escapará". Certamente o termo "terras", do presente texto, refere-se aos países árabes do Oriente Médio.

11.43: *"E apoderar-se-á dos tesouros de ouro e de prata, e de todas as coisas desejáveis do Egito; e os líbios e os etíopes o seguirão."*

"...os líbios e os etíopes o seguirão". Essas duas nações africanas, aliadas ao Anticristo, também ajudarão a Gogue, em sua investida mortal contra Israel (Ez 38.5). Elas, porém, cairão transpassadas, nas montanhas da Judéia e, concomitantemente, terão um lugar de "sepultura" num vale a leste do mar Morto (Ez 39.11).

Líbios. Todos sabemos que, no original hebraico, a palavra "Pute" (Ez 38.5) se traduz por Líbia. Pute era o terceiro filho de Cão, e, na distribuição das terras, coube-lhe uma porção da África Negra (Gn 10.6). Situação geográfica da Líbia: "Norte da África. A Líbia limita-se ao norte com o mar Mediterrâneo e tem fronteiras a leste com o Egito, a sudeste com o Sudão e ao sul com o Chade e o Níger, a oeste com a Argélia e a noroeste com a Tunísia".

Etíopes. Todos sabemos que a palavra "cuze" em Gn 2.13 se traduz por etíopes (ou Etiópia em outras versões). Verdade é que alguns escritores vêem aí uma Etiópia que se encrava entre o Tigre e o Eufrates, e não a descrita em At 8.27. Mas, de acordo com o texto de Ezequiel 38.5, a palavra "etíope" aí quer dizer "rosto tostado". (Ver Jr 13.23.) e ocorre mais de vinte e uma vezes na versão do rei Tiago e, pelo sentido traduzido nessa colocação, refere-se realmente à Etiópia moderna. Sua situação geográfica atual é: "África Oriental, a Etiópia é limitada ao norte pelo mar Vermelho, a leste pelo Djibuti e pela República da Somália, ao sul pelo Quênia, e a oeste pelo Sudão". Como já ficou demonstrado, essas nações, uma vez conquistadas pelo Anticristo, servirão de "território-ponte" para a invasão do Egito. E, assim sendo, o Egito não escapará" (verso 42).

11.44: *"Mas os rumores do Oriente e do Norte o espan-*

tarão; e sairá com grande furor, para destruir e extirpar a muitos."

"*...os rumores do Oriente e do Norte...*" Estes "rumores" do presente texto, referem-se aos duzentos milhões de cavaleiros mencionados em Ap 9.16. O apóstolo João ouviu o número deles, pois lhe foi impossível contá-los "cremos que, durante os três anos e meio finais da Grande Tribulação, o Anticristo atingirá o apogeu do seu domínio (Dn 8.9-11), e, aproveitando as elevações naturais da terra Santa, armará seu poderoso arsenal de guerra entre o mar Mediterrâneo e o monte de Sião. (Ver verso 45.) Seu alvo nesta região estratégica é estabelecer suas poderosas bases de lançamento e torres de comunicação (comp 2 Cr 26.9,10,15; Is 14.13.) O exército mencionado em Ap 9.16 é imenso. Nos dias de João, ele ultrapassava qualquer possibilidade de um exército aqui na terra, porém a visão tinha um caráter prospectivo e apontava para cerca de 2.000 anos depois, quando isso se está tornando possível. Cremos que a China e seus satélites é o princípio da formação dessa grande potência chamada reis do Oriente ou reis do Leste pelo apóstolo João (Ap 16.12). Vivemos uma época da história em que não é mais absurdo pensar num exército de 200.000.000 de soldados. Recentemente um documento da China afirmou que, em caso de extrema necessidade, a China poderia contar com um exército popular de duzentos milhões de homens. De acordo com o presente texto e outros correlatos vistos em Daniel e Apocalipse, a Besta terá notícia de que um poderoso exército composto de 200.000.000 de cavaleiros, partindo do Oriente, já se encontra nas ribanceiras do Eufrates. O número será tão elevado, que "o espantarão" (v 44). Nesse momento, o Anticristo se valerá de um poder sobrenatural, e, auxiliado pelo dragão e pelo falso profeta, enviará para o rio Eufrates "três espíritos imundos, semelhantes a rãs" (Ap 16.13). Estes três mensageiros malignos, ao alcançarem o exército oriental, enganará seus dirigentes. (Comp Dn 11.34; 2 Tm 4.1; Ap 16.14.) Depois de enganados, seguirão o Anticristo, e, impelidos por uma força sobrenatural simultânea com a vinda (parousia) do Senhor, retirar-se-ão de Jerusalém para o Armagedom, e ali encontrarão o "seu fim" (v 45).

11.45: *"E armará as tendas do seu palácio entre o mar Grande e o monte santo e glorioso; mas virá o seu fim, e não haverá quem o socorra."*

"...as tendas do seu palácio..." Cremos que o objetivo do Anticristo, ao armar sua tenda entre o mar Mediterrâneo e a cidade de Jerusalém, é alcançar o monte Moriá, ou seja a área do templo, para estabelecer nele um culto à sua própria pessoa e seu primeiro ato, após a conquista do lugar santo, é "se assentar como Deus, no templo de Deus, querendo parecer Deus" (2 Ts 2.4).

"Mas virá o seu fim". Finalmente chegará o "grande dia do Senhor" e a pedra cairá "nos pés" da estátua (nos dias do Anticristo). Então... o ferro, o barro, o cobre, a prata, e o ouro , serão esmiuçados como a pragana das eiras, no estio. (Ver Dn 2.34,35; 8.25; 9.27; 11.45; Mt 21.44; 2 Rs 2.8; Ap 19.20.) Todos sabemos que este império de ferro tem atravessado séculos e até milênios, mas "chegará ao seu fim" como está predito na "Escritura da Verdade". Cristo (a grande pedra) como sabemos, não cairá na cabeça (Império Babilônico) da estátua, nem em seu peito (Império Medo-persa), nem no ventre (Império Greco-macedônio), nem nas suas pernas (Império-Romano) compreendendo de 754 a.C. a 455 d.C.) Todos sabemos que, quando Jesus veio a este mundo como meigo Salvador, não destruiu o Império Romano, pelo contrário, este poder de ferro o crucificou, e prosperou ainda por cinco séculos. Mas, como já ficou demonstrado acima, chegará o dia em que a pedra cairá "nos pés" da estátua (no Armagedom), e tudo que diz respeito a esse sistema político mundial terminará no vale de Armagedom pelo triunfo de Cristo (Ap 19.11-21).

12
As palavras seladas

12.1: *"E naquele tempo se levantará Miguel, o grande príncipe, que se levanta pelos filhos do teu povo, e haverá um tempo de angústia, qual nunca houve, desde que houve nação até àquele tempo; mas naquele tempo livrar-se-á o teu povo, todo aquele que se achar escrito no livro."*

"E haverá um tempo de angústia". Dois pontos focais devem ser analisados no presente versículo: 1) O período sombrio da Grande Tribulação. 2) O grande livramento de Deus para todo aquele que se encontrar "escrito no livro da vida".

Observemos o primeiro ponto: *"...tempo de angústia"*. O texto em foco deve ser confrontado com Marcos 13.19, onde lemos: "Porque naqueles dias haverá uma aflição tal, qual nunca houve desde o princípio da criação, que Deus criou, até agora, nem jamais haverá". Todos os estudiosos das profecias sabem claramente que período está em foco. – É o da Grande Tribulação. Este período de sete anos, que chamamos de contagem regressiva, é um período de acontecimentos singulares. Há mais profecias concernentes a este período do que a qualquer outro descrito em toda a extensão da Bíblia.

Todos sabemos que a Grande Tribulação será um tempo de angústias sem precedentes na história humana; o seu centro será Jerusalém e a Terra Santa, mas, de um certo modo, envolverá todo o mundo (Ap 3.10). A sua duração será de sete anos, ocupando, assim, a última semana profética da visão de Daniel, conforme cap 9.24-27. Esse termo "tribulação" é citado com referências escatológicas, como são vistas em Mt 24.21; Mc 13.19; Dn 12.1. (Ver 2 Ts 1.6 e ss; Ap 7.14.) O "Dia do Senhor" que, em 2 Ts 2.2 se traduz também por "dia de Cristo" em outras versões, e refere-se exclusivamente a esse tempo do fim. Todos esses acontecimentos aqui narrados, terão lugar, logo após o arrebatamento da igreja do Senhor aqui deste mundo (1 Ts 4.17). A vinda da Grande Tribulação sobre a terra será de repente, inesperada; virá sobre todos os moradores da terra, num tempo em que disserem: "Há paz e segurança". Aquele dia virá como uma destruição do Senhor; isso está em toda a extensão profética, tanto dos profetas como dos apóstolos do Senhor; ele virá como um fogo devorador; será um dia de angústia, de aflição; será o dia da vingança do nosso Deus, conforme está escrito; será um dia de ira e de nuvens, um dia de tristeza e de escuridão, de negrura e de trevas. As estrelas e as constelações do céu não darão a sua luz. O sol escurecerá ao nascer (Is 13.10; Zc 14.7; Ap 19.17). A lua se tornará em sangue. Os céus e a terra serão abalados e a terra será removida do seu lugar (Is 24.20). A indignação do Senhor cairá sobre todos os povos. Ele castigará o mundo pela maldade existente e os ímpios, pela sua iniqüidade. Trará aflição sobre os homens, porquanto pecaram contra Deus. 2) "*Mas naquele tempo livrar-se-á o teu povo, todo aquele que se achar escrito no livro*". O apóstolo João, em sua visão futurística, faz referências especificadas ao "Livro da Vida". Ele estará presente no Juízo Final do Grande Trono Branco (Ap 20.13). Mas ali João observa que, além do livro das obras, à direita do Juízo, "...abriu-se outro livro, que é o da vida". O Livro da Vida vem citado nas Escrituras, nas seguintes passagens: Êx 32.33; Sl 69.28; Lc 10.20; Fl 4.3. Em Isaías 4.3 e Daniel 7.10 e 12.1 (o texto em foco), deve ter o mesmo sentido. Este livro é chamado de "O Livro da Vida" porque, do ponto divino de observação, é o que ele é (Ap 3.5; 5.13; 8.17; 20.12,15). No Livro da Vida constará o nome da nação israelita. Por essa razão, a Grande Tribulação não apagará o seu nome da face da terra. (Ver Mt 24.34.)

12.2: *"E muitos dos que dormem no pó da terra ressuscitarão, uns para a vida eterna, e outros para vergonha e desprezo eterno."*

O presente versículo fala sobre ressurreição em sentido geral: dos justos e dos ímpios; mas é evidente que, pelo procedimento das regras teológicas dentro da hermenêutica sagrada, uma deve estar distante da outra cerca de mil (1.000) anos; a primeira terá lugar no arrebatamento da igreja, sendo depois complementada por outros exemplares deste gênero (as duas testemunhas e os mártires da Grande Tribulação); enquanto a outra (a dos ímpios), só mil (1.000) anos depois (Jo 5.29; 1 Co 15.23, cada uma por sua ordem. As Escrituras Sagradas usam pelo menos três (3) termos técnicos sobre "ressurreição", que são desenvolvidos em vários de seus elementos doutrinários:

Ressurreição de Mortos. No Antigo Testamento, são: 1) O filho da viúva de Serepta, de Sidom – Elias é a personagem em foco nesta ressurreição – (1 Rs 17.21,22). 2) O filho da Sunamita – Eliseu é o personagem em foco nesta ressurreição – (2 Rs 4.34,35). 3) O homem que foi lançado de improviso na sepultura de Eliseu – os ossos de Eliseu foi o ponto marcante nesta ressurreição – (2 Rs 13.20,21). 4) Para alguns expositores das Escrituras, Jonas morreu e foi levantado da morte, tornando-se assim, uma figura muito expressiva da morte e ressurreição de Cristo (Mt 12.40). "...se isso realmente aconteceu, o fato somente acrescenta mais uma às ressurreições registradas na Bíblia. Para aqueles que crêem em Deus, não há dificuldade em crer em ressurreição, uma vez suficientemente provada" (doutor Torrey). Se assim foi, o personagem nesta ressurreição foi a pessoa de Deus. No Novo Testamento, são: 5) O filho da viúva de Naim – Jesus foi o personagem em foco nesta ressurreição – (Lc 7.11-17). 6) A filha de Jairo – Jesus foi o personagem em foco nesta ressurreição – (Lc 8.54,55). 7) Lázaro de Betânia – Jesus foi a figura central nesta ressurreição – (Jo 11.43,44). 8) Dorcas ou Tabita – Pedro foi o personagem em foco nesta ressurreição - (At 9.40,41). 9) Um jovem de nome Êutico – o personagem nesta ressurreição foi o apóstolo Paulo - (At 20.9-12).

Ressurreição dentre os mortos. Esta compreende: 1) CRISTO (1 Co 15.20 e 23). 2) Os que ressuscitaram por ocasião da ressurreição de Cristo (Mt 27.52,53). Esses santos foram incluídos na palavra "primícias", dita a respeito de Cristo; "primícias" não pode ser "uma só" mas "um feixe" (Lv 23; 10.1; Sm 25.29), e, por essa razão devem seguir a ordem da ressurreição de Cristo. O leitor deve observar bem a frase: "E, saindo dos sepulcros, *depois* da ressurreição *dele*[Jesus]". Na ressurreição para a imortalidade, todos têm de seguir a ordem da ressurreição de Cristo (At 26.23), visto que, na qualidade de "colheita", Cristo foi "o primeiro exemplar". 3) Os que são de Cristo, na sua vinda (1 Co 15.23,42). 4) As duas testemunhas escatológicas (Ap 11.11,12). 5) Os mártires da Grande Tribulação (Ap 20.4). Todos esses são exemplares da primeira ressurreição, que é para a imortalidade; ainda que cada "um por sua ordem". Paulo chama este gênero de "...a redenção do nosso corpo" (Rm 8.23).

Ressurreição dos mortos. Esta é geral e abrangente quanto ao tempo. O texto em foco, neste capítulo 12, fala dela como sendo uma ressurreição "para vergonha e desprezo eterno". Ela alcança a todos os pecadores que morreram em seus delitos e pecados (Dn 12.2; Jo 5.28,29; Ap 20.5). Em Is 26.14, temos a frase de difícil interpretação no que diz respeito à ressurreição: "Morrendo eles, não tornarão a viver; falecendo, não ressuscitarão". Nós subentendemos que, eles não *ressuscitarão para a vida eterna,* pois todos hão de ressuscitar um dia; a menos que seja esta uma exceção na Bíblia, como bem podemos ver nas palavras do próprio Deus quanto a Amaleque: "Eu totalmente hei de riscar a memória de Amaleque de debaixo dos céus" (Êx 17.14).

12.3: *"Os entendidos pois resplandecerão, como o resplendor do firmamento: e os que a muitos ensinam a justiça refulgirão como as estrelas sempre e eternamente."*

"Os entendidos pois resplandecerão". A sabedoria faz brilhar o rosto do homem de Deus (Ec 8.1), por essa razão,

ele é sempre comparado a uma "estrela refulgente", quando se trata de um mestre. Os falsos mestres, são também chamados de "estrelas errantes", em razão de seus ensinos terem origem no coração de "uma estrela caída" (Is 14.12; Ap 9.1). Entre os cinco dons ministeriais, um se destaca para o ensino (Ef 4.11). Paulo destacava este ministério na igreja cristã; ele próprio foi um ardoroso ensinador, tanto "publicamente" como "pelas casas". Sabemos qual foi o zelo de Paulo nesse sentido, na escola de Tirano, em Éfeso. (Ver At 19.9,10), onde ficava ensinando diversas horas por dia. O Senhor Jesus, como o verdadeiro Mestre, "...deu uns para...mestres" e nos recomenda, através de Paulo: "Haja dedicação ao ensino" (Rm 12.7). Neste livro de Daniel, fica declarado por ele próprio que o entendimento é dado por Deus (9.22), e deve ser passado aos outros conservos (11.33), para fortalecê-los no sofrimento. Os crentes de todos os tempos devem dar exemplo das mesmas características, especialmente a cuidadosa atenção à Palavra de Deus, pois a sabedoria é a sabedoria de Deus.

12.4: *"E tu, Daniel, fecha estas palavras e sela este livro, até o fim do tempo: muitos correrão de uma parte para outra, e a ciência se multiplicará."*

"Muitos correrão de uma parte para outra". O presente texto fala do arrependimento de Israel, no tempo do fim. Eles de fato "correrão" em direção à Terra Santa. Em maio de mil novecentos e quarenta e oito (1948) houve o primeiro estádio dessa grande profecia, e, logo a seguir, veio ao mundo o "multiplicar da ciência" em escala assombrosa. O leitor deve observar que, não só o repatriamento de Israel, tem prenunciado o retorno do Messias nas nuvens para o arrebatamento da Igreja, mas outros sinais correlatos estão também predizendo a mesma coisa. Observemos 24 sinais precursores deste grande acontecimento: 1) Guerras, fomes, pestes e terromotos marcantes. 2) Desassossego em escala mundial: os homens desmaiando de terror (Lc 21.26). 3) O inclemento do saber (o texto em foco) - (Dn 12.4). 4) A descoberta do automóvel (Naum 2.4). 5) O aparecimento do avião (Is 31.5). 6) A descoberta do Rádio (Ap 11.9), e da Televisão (Jó 38.35). 7) As armas nucleares (Ap 13.13). 8) O bramido do mar e das ondas,

isto é, a oscilação de nações inquietas e angustiadas (Lc 21.25). 9) A reta final na plenitude dos tempos dos gentios (Lc 21.24). 10) A reconstrução de Jerusalém (Jr 31.28-40). 11) A restauração da Palestina (Ez 36.33-35). 12) A Confederação Russa (Ez caps 38 e 39). 13) Gogue move-se em direção ao sul, contra a Palestina, no "fim dos dias" (Ez 38.15,16). 14) Os reis do Oriente se preparando para uma investida mortal à Terra Santa (Ap 16.12). 15) Flagelos em escala marcante (Mt 24.7). 16) Luta entre o Capital e o Trabalho (Tg 5.1-4). 17) O presente ressurgimento do sobrenatural (Jl 2.28,29). 18) Igrejas mornas no caráter de Laodicéia (Ap 3.15,16). 19) Os escarnecedores do após-Milênio (2 Pe 3.3,4). 20) Ressurgimento de falsos cristos (1 Tm 4.1-3). 21) Tempos similares aos dias de Noé (Mt 24.38; Lc 17.26,27). 22) Suicídio mundial (Mt 24.22). 23) A Evangelização do mundo (Mt 24.14). 24) Juventude sem lei (2 Tm 3.1,2). Esse grande sinal é observado recentemente por um jornal norte-americano, que publicou a seguinte nota: "A situação nos Estados Unidos, no que tange aos jovens na área do ensino, é calamitosa; há muita confusão nos estabelecimentos de ensino: atingindo colégios, universidades, ginásios, e escolas primárias por todo o País. Os professores têm medo do Superintendente, o Superintendente tem medo da Junta de Educação, e a Junta de Educação tem medo dos pais, e os pais têm medo dos jovens, e os jovens não têm medo de ninguém". Todos esses sinais, e outros ainda, foram preditos pelos profetas, apóstolos e pelo próprio Senhor; eles estão se cumprindo à risca, a nível e a prumo em seus mínimos detalhes. (Alterado.)

12.5: *"E eu, Daniel, olhei, e eis que estavam outros dois, um desta banda, à beira do rio, e o outro da outra banda, à beira do rio."*

O leitor deve observar que, no presente texto, o velho profeta começa novamente a relatar a visão escatológica e vê, "dois" outros mensageiros celestes nas margens daquele rio. (Ver notas expositivas sobre o rio Hidequel, no capítulo 10.4 deste livro.) Daniel observa um dos mensageiros perguntar ao "homem vestido de linho" quando todos aqueles acontecimentos se consolidariam. Esse "mensageiro" bem pode ser "O arcanjo Miguel". (Ver Jd v 9), enquanto que o "homem vestido de linho" é o próprio Cristo. Se realmente é o "arcanjo Miguel", trata-se de um ser de elevado poder, e que tem autoridade para exercer missões especiais ou mais importantes. Aqui, no texto em foco, ele é o arauto de uma proclamação de grande importância para o povo de Deus. No decorrer da grande visão, Daniel observa ainda o "homem vestido de linho" a andar "sobre a face das águas" à semelhança do Espírito de Deus no princípio da criação (Gn 1.2). Ezequiel, o profeta do cativeiro, em sua visão sobre a cidade de Jerusalém, contempla também "entre seis (6) personagens, um homem vestido de linho" (Ez cap 9). Comparando Ezequiel cap 9, com Daniel cap 12 vv 5-7, e com Apocalipse cap 10.5 e 6, podemos afirmar que o "homem vestido de linho" é o próprio Cristo em uma de suas missões pré-encarnatórias.

12.6: *"E ele disse ao homem vestido de linho que estava sobre as águas do rio: Que tempo haverá até o fim das maravilhas?"*

"Que tempo haverá..." O presente texto nos mostra o "anjo" se dirigindo ao "homem vestido de linho", ao que pergunta: *"Que tempo haverá até o fim das maravilhas?"* Isso nos mostra, conforme está declarado nesta passagem e em outras do mesmo gênero, que os anjos, apesar de serem seres celestiais, contudo não são oniscientes, pois esse atributo só é peculiar à Santíssima Trindade. (Ver Gn 19.12.) A visão era tão grande que nem mesmo o próprio mensageiro a entendeu. As maravilhas de que falou o anjo, certamente serão aquelas que terão lugar durante o tempo sombrio da Grande Tribulação e no próprio Milênio de Cristo sobre a terra. Os grandes sinais durante aqueles dias de tantas trevas sao, em suma, também chamadas de maravilhas. (Comparar Êx 7.3; Sl 136.4.) O personagem divino, esclarece ao seu "companheiro" (Comp Hb 1.9) que, no fim da presente Era, todos esses acontecimentos narrados neste livro de Daniel teriam seu devido cumprimento, e, para uma maior e mais firme confiança, ele confirma estas profecias com um "juramento" (Ver Hb 6.13-16.)

12.7: *"E ouvi o homem vestido de linho, que estava sobre as águas do rio, quando levantou a sua mão direita, e a sua mão esquerda ao céu, e jurou por aquele que vive eternamente, que depois de um tempo, de tempos e metade de um tempo, e quando tiverem acabado de destruir o poder do povo santo, todas estas coisas serão cumpridas.''*

O versículo em foco, é paralelo à passagem de Apocalipse 10.5, onde o anjo também levantou "a sua mão ao céu". Em virtude deste feito pelo "homem vestido de linho", que jurou em nome de outro, alguns teólogos chegam até a discutir que este personagem não seja o Cristo, baseando-se em Hebreus cap 6.13, que diz: "...quando Deus fez a promessa a Abraão, como não tinha outro maior por quem jurar, jurou por si mesmo". Assim pensam alguns: Jesus sendo igual a Deus, não podia jurar por outro como fez o "homem-sacerdote" na margem do rio. Nosso ponto de vista na presente passagem é: Jesus levantando sua mão ao céu e, jurando em nome do Pai, é evidentemente lógico, que "jurou por si mesmo" (Comp Jo 14.10,11,28.), a fim de confirmar um juramento, como era costumeiro; talvez mostrando o "livrinho" que trazia na sua mão direita. A mão foi levantada ao céu, lugar da habitação de Deus, chamando-o como testemunha. O leitor deve também observar a eternidade de Deus. Neste ponto encontramos a fórmula "pelos séculos dos séculos", uma expressão de uso freqüente no Apocalipse; é uma expressão idiomática comum no grego para exprimir o conceito de "eternidade". Neste caso, a eternidade é encarada como uma "interminável série de ciclos". Isto é, o infinito quanto ao tempo, colocando, assim, a pessoa de Deus, como sendo o "mesmo" quanto ao tempo e à importância.

12.8: *"Eu, pois, ouvi, mas não entendi; por isso eu disse: Senhor meu, qual será o fim destas coisas?"*

"Eu, pois, ouvi, mas não entendi". O presente versículo, confrontado com o versículo 7 (o anterior), e com o versículo 5 do cap 10, nos dá entender que Daniel seria um dos personagens que estavam na banda do rio, vendo esta maravilhosa visão. Daniel contemplava a visão e ouviu as palavras, que iam sendo proferidas, mas nada entendia! O anjo também ficou sem entender aquela visão tão sublime. O apóstolo João entendeu muito bem o sentido da voz dos sete trovões, porém, a exemplo de Paulo, foi-lhe vedado es-

crever ou revelar a mensagem (2 Co 12.4 e Ap 10.4). Porém a Daniel, nem isso lhe foi concedido. Existem, no eterno propósito de Deus, mistérios desconhecidos até mesmo pelos anjos. Mas Daniel sabia que "as coisas encobertas são para o Senhor nosso Deus", por isso, com toda a humildade, pediu a interpretação dessas coisas (Dt 29.29).

12.9: *"E ele disse: Vai, Daniel, porque estas palavras estão fechadas e seladas até o tempo do fim."*

"...fechadas e seladas..." No versículo quatro (4) deste capítulo, observamos que foi ordenado a Daniel fechar as palavras e selar este livro até o "tempo do fim". O ser celestial afirma a Daniel que, ao chegar o assinalado "tempo do fim", todas essas coisas sofreriam uma como reação em cadeia, e "todas estas coisas serão cumpridas". Daniel viveu cerca de 600 anos antes de começar propriamente o chamado "tempo do fim", mas a expressão ocorre cerca de 15 vezes só no seu livro. No Novo Testamento, essa expressão é aplicada para: 1) A época do Evangelho de Cristo (Hb 1.2). 2) A época do Espírito Santo em sua plenitude (At 2.17). 3) E também para os "últimos dias maus" (2 Tm 3.1). Eis a razão por que fora ordenado a Daniel selar o livro e a João não selar, pois num contexto geral, João já pertencia a uma geração da "última hora", e não podia fazer o mesmo que fizera Daniel; assim, as Escrituras são proféticas e se combinam entre si em cada detalhe (Dn 12.4,9; 1 Pe 1.11,12; Ap 22.10).

12.10: *"Muitos serão purificados, e embranquecidos, e provados; mas os ímpios procederão impiamente, e nenhum dos ímpios entenderá, mas os sábios entenderão."*

"...nenhum dos ímpios entenderá". O texto diz que os ímpios não entenderão, mas o contexto afirma que "os sábios entenderão". O escritor do livro de Eclesiastes descreve que o "coração do sábio discernirá o tempo e o modo" (Ec 8.5). Todos sabem, através de historiadores contemporâneos, que, na destruição de Jerusalém pelo general Tito, no ano 70 d.C., não pereceu nenhum crente. Eles estavam avisados de antemão pelo próprio Salvador, para fugirem da cidade em tempo. Antes do grande assalto, eles fugiram (Lc 21.20,21). Fugiram para a cidade de Pela na Peréia, logo no início do sítio. O exército invasor tomou conta da

cidade num dia de sábado, enquanto os fiéis cristãos tinham deixado a cidade na quarta-feira. Eram "os sábios" que não ignoravam os sinais dos tempos. Mas, segundo Flávio Josefo, os judeus incrédulos se deram por seguros e zombaram da advertência do Filho de Deus, e, assim, pereceram, morrendo sem misericórdia. Os humildes estão prontos a se humilharem e a buscarem a iluminação de Deus. É justamente isso que o ímpio não quer fazer. Uma velha lenda babilônica dizia o seguinte a respeito de Noé: "Navega, velho Noé, sobre a areia com teu barco". Os ímpios zombavam deste grande servo de Deus, mas "veio o Dilúvio, e os levou a todos".

12.11: *"E desde o tempo em que o contínuo sacrifício for tirado, e posta a abominação desoladora, haverá mil duzentos e noventa dias."*

"...a abominação desoladora". O Senhor Jesus cita esta passagem em seu sermão escatológico narrado em Mt 24. Ali Ele diz: "Quando pois virdes que a abominação da desolação, de que falou o profeta Daniel, está no lugar santo; quem lê, entenda". (Ver Mc 13.14.) Nos dias de Antíoco Epifânio, o monarca selêucida, cremos que esta profecia sobre a "abominação desoladora" sofreu seu primeiro estádio e teve, do ponto de vista histórico, seu cumprimento parcial. Antíoco ordenou que fosse oferecida carne de porco no santuário de Deus; porém, no que diz respeito ao seu cumprimento final, certamente será durante o tempo sombrio da Grande Tribulação quando o Anticristo se introduzirá no templo de Deus, apresentando-se como se fora o próprio Deus (2 Ts 2.4). O texto de Marcos 13.14 bem poderia ser traduzido: "...de pé onde não deve". A expressão dá a idéia de um ídolo "de pé onde não devia estar." O conceito geral é, tanto o Anticristo como a sua imagem posta no lugar santo (2 Ts 2.4; Ap 13.14). (Para uma melhor compreensão do estudante, ver notas expositivas no versículo 31 do cap 11 do mesmo livro.)

12.12: *"Bem-aventurado o que espera e chega até mil trezentos e trinta e cinco dias."*

"...mil trezentos e trinta e cinco dias". A Grande Tribulação, que se prolongará por sete anos, terá seu auge nos três anos e meio finais (a última metade da semana profé-

tica de Daniel) – Dn 9.25-27; Mt 24.21. Seu ponto marcante dar-se-á com a vitória do arcanjo Miguel sobre os exércitos espirituais de Satanás (Dn 12.1; Ap 12.7 e ss), e terminará com a ressurreição corporal dos santos da Grande Tribulação. Embora o período final deste tempo sombrio tenha a duração de apenas 1.260 dias (Ap 12.6), um período adicionado de mais trinta dias parece ser exigido para a purificação e restauração do templo (Dn 12.11). E ainda outro período de quarenta e cinco dias antes que seja experimentada a plena bênção do reino milenar. (Ver Dn 12.12.) Nos presentes versículos 11 e 12 do capítulo em foco, lemos que "desde o *tempo* em que o contínuo sacrifício for tirado, e *posta* a abominação desoladora, haverá *mil duzentos e noventa dias.* Bem-aventurado o que espera e chega até mil trezentos e trinta e cinco dias". Esta abominação será posta no lugar santo, no início da segunda metade dos sete anos – o período propriamente dito da Grande Tribulação.

A divisão dos dias. 1) Um período de 1.260 dias (três anos e meio) até a destruição e prisão da Besta (Dn 12.7,11; Ap 19.19,20). 2) Um período de 1.290 dias (Dn 12.12), acrescentado de mais 45 dias. Está escrito em Mateus 24.22, que, "se aqueles dias (1.335) não fossem abreviados (para 1.260), nenhuma carne se salvaria; mas, por causa dos escolhidos (os judeus), *serão abreviados* aqueles dias". O leitor deve observar bem a frase: "abreviados". Com a interpretação que pode ser depreendida dos versículos acima, podemos chegar à seguinte conclusão: A Grande Tribulação, terminará no final dos 1.260 dias (parte final dos sete anos) – Ap 12.6,14. Durante os trinta (30) dias que seguem, se dará o julgamento das nações; no período dos 45 dias restantes, a terra passará por uma espécie de "purificação". (O número 30 e 40 fazem parte da LEI da purificação.) E a bem-aventurança, descrita no cap 12.12 deste livro, terá seu cumprimento na introdução do reino milenar de Cristo.

12.13: *"Tu, porém, vai até o fim; porque repousarás e estarás na tua sorte, no fim dos dias."*

"Vai até o fim". No livro de Provérbios 4.18, lemos as magnas palavras: "Mas a vereda dos justos é como a luz da

aurora que *vai* brilhando mais e mais até ser dia perfeito". Essa é uma das razões expostas na Bíblia, que "melhor é o fim das coisas do que o princípio delas" (Ec 7.8). Para o salvo ele espera a bem-aventurança da "ressurreição dos santos", o bem-estar espiritual, ou a felicidade dos que vão receber a "vida última". Daniel devia seguir o seu caminho, e esperar a aurora do "dia da eternidade". O Senhor Jesus Cristo, nosso Salvador, fez uma promessa para aquele que "perseverar até o fim" (Mt 24.13). Daniel devia ir (e foi) até o fim, pois, na eternidade, esperava-lhe uma "sorte" que o faria repousar entre os santificados. Uma bênção particular espera aquele que continua numa atitude de prontidão. Daniel estava contado entre os "sábios" do versículo 3 do cap em foco. Nosso magno conselho, ao terminar esta humilde obra é dar a mesma saudação ao nobre leitor: *"Vai até o fim; porque repousarás e estarás na tua sorte, no fim dos dias." Amém!*

Bibliografia

ALMEIDA, João Ferreira de. *A Bíblia Sagrada – Revista e Corrigida.* Editora Vida, Miami, Flórida, EUA, 1983.

BALDWIN, Joyce G. *Daniel – Introdução e Comentário.* Editora Mundo Cristão, 1983.

BOYER, Orlando S. *Daniel Fala Hoje.* 3ª Edição do Autor, 1964.

GABELEIN, Arno C. *Le Prince Futur* (O Príncipe Futuro).

Halley, H.H. *Manual Bíblico.* Edições Vida Nova, 1983.

KOLENDA, J.P. *Daniel e Apocalipse.* Florianópolis, SC, 1930.

McNAIR, S.E. *A Bíblia Explicada.* Casa Editora Evangélica, Teresópolis, RJ.

MESQUITA, Antônio Neves de. *Estudo no Livro de Daniel.* JUERP, Rio de Janeiro, RJ, 1978.

SCOFIELD, C.I. *Scofield Reference Bible.*

SILVA, Severino Pedro da. *Apocalipse, Versículo por Versículo.* 1ª Edição do Autor, 1985.

VOLUMES I e II. *O Novo Dicionário da Bíblia.* Edições Vida Nova, 1983.

VOLUMES I, II e III. *O Novo Comentário da Bíblia.* Edições Vida Nova, 1979.

WOOD, Leon J. *A Profecia de Daniel.* Imprensa Batista Regular, 1978.

Se você gostou da leitura desse livro,
presenteie um amigo com um exemplar.